Du monde entier

REGINA PORTER

CE QUE L'ON SÈME

roman

Traduit de l'anglais (États-Unis)
par Laura Derajinski

nrf

GALLIMARD

Titre original :

THE TRAVELERS

À mon père et à ma mère
et
aux conteurs du quotidien qui sont entrés chez nous

PERSONNAGES

JIMMY VINCENT SENIOR, pompier dans la campagne du Maine

NANCY VINCENT, son épouse, bibliothécaire

JAMES SAMUEL VINCENT JUNIOR, avocat à Manhattan, alias l'homme James

SIGRID VINCENT, première épouse de l'homme James, agente de casting

RUFUS VINCENT, fils légitime de l'homme James, spécialiste de l'œuvre de Joyce

ELIJAH ET WINONA VINCENT, jumeaux de cinq ans, enfants de Rufus Vincent et de Claudia Christie

ADELE PRANSKY, seconde épouse de l'homme James, artiste

AGNES CHRISTIE, épouse d'Eddie Christie, urbaniste

EDDIE CHRISTIE, époux d'Agnes Christie, ancien combattant dans la Navy

BEVERLY CHRISTIE, fille aînée d'Eddie et Agnes Christie, infirmière diplômée d'État

CLAUDIA CHRISTIE, fille cadette d'Eddie et Agnes Christie, spécialiste de Shakespeare, épouse de Rufus Vincent ; mère d'Elijah et Winona Vincent

MINERVA C. PARKER, fille adolescente de Beverly

PETER « PEANUT » PARKER, fils adolescent de Beverly

KEISHA ET LAMAR, jumeaux de quatre ans, enfants de Beverly

KEVIN PARKER, ex-mari de Beverly, ancien policier

CHICO, petit ami de Beverly, vendeur ambulant de *rotis* et autres *wraps*

BARBARA CAMPHOR, mariée à Charles Camphor, amante de l'homme James

CHARLES CAMPHOR, époux de Barbara Camphor, banquier

HANK CAMPHOR, le fils aux cheveux bruns de Charles et Barbara

SUSAN WEATHERBY CAMPHOR, épouse de Hank

TESS CAMPHOR, enfant de trois ans, fille de Hank et Susan

BIG SEAMUS CAMPHOR, cousin à forte carrure de Charles Camphor

CLAUDE JOHNSON, amant d'Agnes Christie, cousin éloigné d'Eloise Delaney, ingénieur

ELOISE DELANEY, amie d'enfance et amante d'Agnes Christie, aventurière

HERBERT DELANEY, père d'Eloise, ouvrier à la conserverie

DELORES DELANEY, mère d'Eloise, ouvrière à la conserverie

KING TYRONE, seul cousin respectable de la famille d'Eloise (du côté maternel), pêcheur

SARAH ET DEIDRE, épouse et fille de King Tyrone, respectivement pêcheuse et biologiste marine

FLORA APPLEWOOD, amie et amante d'Eloise Delaney, assistante sociale à la retraite

JEBEDIAH APPLEWOOD, cousin d'Eddie Christie, ancien combattant de la Navy, déménageur

REUBEN APPLEWOOD, cousin d'Eddie Christie, officier de marine

LEVI APPLEWOOD, cousin d'Eddie Christie et frère cadet de Reuben

Époque

Ce roman s'étend du milieu des années 1950 jusqu'à la première année de présidence de Barack Obama.

Lieux de l'action

Amagansett, Long Island ; comté de Buckner, État de Géorgie ; Manhattan ; Memphis, État du Tennessee ; Portsmouth, État du New Hampshire ; Bretagne, France ; Berlin, Allemagne ; et Vietnam.

Contexte

La pièce de Tom Stoppard *Rosencrantz et Guildenstern sont morts* a été jouée pour la première fois au festival Fringe à Édimbourg le 24 août 1966. Cette comédie existentielle présente le point de vue de Rosencrantz et de Guildenstern, camarades infortunés d'Hamlet, alors qu'ils voguent vers l'Angleterre.

Héritages

1946   1954   1964   1971   1986   2000   **2009**

Quand le garçon eut quatre ans, il demanda à son père pourquoi les gens avaient besoin de dormir. Son père répondit : « Pour que Dieu puisse refoutre à l'endroit ce que les gens foutent à l'envers. »

Quand le garçon eut douze ans, il demanda à sa mère pourquoi son père était parti. La mère répondit : « Pour pouvoir répandre son foutre dans tout ce qui bouge. »

Quand le garçon eut treize ans, il voulut savoir pourquoi son père était revenu à la maison. Sa mère lui dit : « À quarante et un ans, j'ai autre chose à foutre que d'aller chercher quelqu'un avec qui baiser. »

À quatorze ans, quand les obscénités semblaient se déverser de la bouche de ses amis comme l'eau d'un tuyau percé, le terme *foutre* n'avait aucun attrait aux yeux du garçon. Absolument. Aucun. Attrait.

À dix-huit ans, le garçon (Jimmy Vincent Junior) quitta la ville de Huntington, à Long Island, pour étudier à l'université du Michigan. De l'avis général, Jimmy était excellent élève et séduisant au point de tourner les têtes. Il aurait pu conquérir n'importe quelle fille de son choix mais, comme c'est souvent le cas, il se tourna vers une jeune femme exceptionnellement quelconque prénommée Alice. Jimmy se persuada qu'il était amoureux, et les deux étudiants en première année savouraient des relations sexuelles acrobatiques et enivrées. Ravie de sa bonne fortune, Alice serrait Jimmy tout contre elle avec gratitude et murmurait : « Oh, mon Dieu. Ça alors, moi ?! Moi ! C'est foutrement bon, bon, bon. »

Après le Michigan, Jimmy rentra sur la côte Est. Il avait obtenu un emploi d'assistant juridique dans un cabinet d'avocats bourgeois où il rencontra une jeune fille élancée du New Jersey. Jane, étudiante en médecine, avait des airs de mannequin. Elle ne proférait jamais de grossièretés et attirait tous les regards dès qu'elle entrait dans une pièce. C'était une fille que Jimmy aurait pu non seulement épouser, mais aussi aimer, même à l'âge tendre de vingt-deux ans. Il amena Jane chez ses parents, le soir de Noël, qui était également la date anniversaire de leur première année en couple.

Au terme d'un délicieux dîner que la mère de Jimmy avait passé toute la journée à préparer à l'aide de son livre de recettes préféré, le père de Jimmy entra dans le salon et vint s'asseoir entre Jimmy et Jane. Il sirotait un vin de Madère et se remémorait son enfance dans la campagne du Maine. « Une patate chaude peut soigner un orgelet. Une patate crue sous les aisselles est plus efficace qu'un déodorant. Mets une patate dans ta chaussure et dis adieu à ton rhume. Voilà le dictionnaire du jeune fermier, là. J'ai quitté un champ de patates pour un autre. Pour votre gouverne, on cultivait les patates à tour de bras à Long Island, à l'époque. » Quand Jane alla aider la mère de Jimmy en cuisine, son père se tourna vers lui et dit : « Fiston, tu te tapes une fille pareille ? Accroche-toi à elle. Ne va pas foutre ça en l'air. Mon petit Jimmy boy, si tu savais ce que je pourrais faire, avec une fille comme ça. » Jimmy, qu'on avait toujours surnommé Jimmy Junior, préféra aussitôt être appelé James. Quand il fut admis à la faculté de droit à Columbia, il s'éloigna de Jane.

MENU DE NOËL DE NANCY VINCENT

« Extravagance de rôti de bœuf »

Rôti de bœuf festif, pommes de terre au four,
beignets d'oignons frits, brocolis sauce hollandaise,
rondelles de pommes en salade, petits rouleaux briochés,
gâteau en forme de bougie, café chaud, tasses de lait

— *Better Homes and Gardens : numéro spécial Fêtes*
(Meredith Press, New York), 1959

Quand James eut trente et un ans, il devint associé de son cabinet. Il était aisé sans être follement riche. James avait vu deux associés passer l'arme à gauche, à peine plus âgés que lui, le bon vieux coup de la crise cardiaque, aussi s'accordait-il du temps pour retourner chez ses parents ou voyager à l'étranger. C'était avec plaisir qu'il fréquentait une gamme impressionnante de femmes différentes. Il épousa une jolie fille de Middlebury, non loin de son université du Vermont, sur une douce colline couverte de myrtilles. James et Sigrid achetèrent un quatre-pièces avec vue sur Central Park. Sa superbe femme avait un unique défaut, une cicatrice sur le nez, cadeau d'un inconnu qui avait percuté Sigrid et l'avait fait tomber de son vélo rose Schwinn alors qu'elle roulait avec ses parents dans Prospect Park. « Qu'est-ce que tu fous là, dégage ! » avait lâché l'inconnu vêtu d'un caleçon en Lycra qui était passé en trombe près d'elle sur ses rollers. James trouvait cette histoire presque prophétique. Il aimait Sigrid autant qu'elle l'aimait. Sigrid savait déclencher des rires francs. Ils eurent un fils. Ils l'appelèrent

15

Rufus. Et le surnommaient Ruff. Sigrid déclara qu'elle n'en aurait pas d'autre. Au terme d'une année de congé maternité, elle reprit sa carrière de préparatrice de copie dans l'édition.

Quand James eut quarante ans, rien ne le faisait vibrer. Il avait lu quelque part qu'en atteignant la quarantaine, les gens devenaient malheureux, mais James se satisfaisait d'emmener Ruff aux matchs des Yankees et de faire une pause dans son travail ennuyeux mais lucratif du vendredi au lundi. Il se retrouva à enseigner dans son ancienne université de Columbia, ce qu'il appréciait davantage que le travail en cabinet.

Quand James eut quarante-deux ans, tout se mit à vibrer et à s'entrechoquer en lui – notamment après avoir vu son père porté en terre dans le caveau familial de Cabot, dans l'État du Maine. Un collègue de son cabinet l'attira à l'écart avant les funérailles et lui dit : « Tu as de la chance d'avoir connu ton père à l'âge adulte. Tout le monde ne vit pas jusqu'à quatre-vingt-un ans. » James eut envie de répondre *Va te faire foutre. Je n'ai jamais vraiment connu mon père.* Mais il se contenta de dire : « Merci d'avoir fait le déplacement jusque dans le Maine. Merci beaucoup. »

Quand James eut quarante-cinq ans, Sigrid lui déclara qu'elle était trop souvent seule dans leur appartement et exigea un changement. Ils firent leur voyage annuel dans le Vermont, à quelques mètres de la station de ski et de la colline de myrtilles où James l'avait demandée en mariage. Le week-end fut terne. James s'entretint avec le même collègue qui avait assisté aux funérailles de son père. « La ménopause est un vrai problème, affirma le collègue. Le moment est venu de l'échanger. » James trouva cela un peu expéditif et demanda conseil à sa mère. Celle-ci lui envoya une recette extraite du magazine *Better Homes and Gardens*. Attablés devant un risotto aux champignons que James avait passé une bonne partie de l'après-midi à préparer, il dit à Sigrid : « Le retour d'âge est un grand changement dans une vie, il peut être ton pire ennemi, comme ton meilleur ami. » Sigrid prit leur fils Rufus et déménagea à l'autre bout du pays dans un appartement de style espagnol de Los Angeles. Ces derniers temps, elle fait son footing presque tous les matins sur la plage et boit des bières Sapporo le soir avec son compagnon.

Quand James eut cinquante ans et qu'il couchait avec Akemi, son assistante japonaise bien plus jeune que lui, Rufus l'appela en pleurs depuis Venice Beach. « Papa, on est vraiment dans la merde. Tu pourrais venir me chercher à Los Angeles, s'il te plaît ? » James n'était pas préparé à entendre les mauvaises nouvelles de son fils. Il lui raccrocha au nez, non sans lui avoir rétorqué : « Je suis désolé, Ruff, mais j'essaie de dormir – pour refoutre à l'endroit ce que Dieu a foutu à l'envers. »

Akemi, dont le nom signifiait « grande beauté » en japonais, le regarda tendre le bras vers un carton de pizza V&T sur sa table de chevet. Elle avait remarqué dernièrement que James avait pris l'habitude de grignoter au lit. Elle tira la couverture sur ses épaules, refusant de faire semblant de l'aimer. « Vous ne savez pas vieillir, ici. » James lui dit qu'il avait besoin d'être seul un moment. Et après le départ d'Akemi, il appela Rufus.

Quand James eut cinquante-huit ans et vivait une union heureuse avec Adele, âgée de cinquante-six ans, qu'il aimait car ils n'étaient pas obligés de parler beaucoup, il alla rendre visite à sa mère vieillissante à la maison de retraite qui lui tenait désormais lieu de foyer. Elle avait les cheveux blancs et un dentier blanc, et il était abasourdi de voir à quel point son sourire factice était éclatant. Il n'avait jamais dit à sa mère qu'elle était belle. C'était le genre de femme qui n'aurait pas apprécié le compliment. « Comment vas-tu, Maman ? »

Sa mère le regarda et dit : « Trop, c'est trop. » James fut frappé par la force autant que par le sous-entendu de cette affirmation. Il se demanda si elle songeait à en finir. C'était la porte de sortie des lâches, mais une issue qu'il n'écarterait jamais lui-même. Elle fit un geste en direction d'un vieil homme engoncé dans un peignoir en soie miteux, à deux tables de là. Le vieux crapaud était en grande conversation avec une femme replète entre deux âges, une visiteuse qui devait être sa fille ou une épouse bien plus jeune. « Je ne suis jamais tranquille. Ce vieux débris n'arrête pas de me draguer.

— Tu as toujours la cote, Maman », répondit James. Sa mère sourit et lui pinça la joue. Ce n'était pas comme lui dire qu'elle était belle. Mais trop, c'était trop. Elle repoussa sa chaise et dit à James qu'ils se verraient le dimanche suivant.

Quand James eut soixante ans et que Rufus, désormais marié depuis plusieurs années et père de jumeaux, l'appela pour demander : « Comment je fais pour sauver mon mariage, Papa ? », James se contenta de lui dire : « En évitant de divorcer. » Rufus avait épousé une femme noire nommée Claudia Christie, ce qui signifiait que les petits-enfants de James, Elijah et Winona, étaient multiraciaux, biraciaux, *en partie noirs*. Partout où James allait dans Manhattan, il croisait des *moitié-moitié*. Il avait commis l'erreur un jour d'employer le terme *mulâtre*. Rufus l'avait pris à part et lui avait expliqué que ce mot était interdit. Qu'il s'avise de le répéter encore une fois et il ne reverrait jamais plus ses petits-enfants. Et pourtant, quand

James se promenait dans la rue avec Elijah et Winona, ses sentiments étaient aussi mêlés que leur sang. « Ils sont magnifiques », disaient les gens. *Mais ils ne me ressemblent absolument pas*, avouait-il à Adele.

Par un après-midi ensoleillée d'août, James faisait des lancers de softball avec Elijah dans le jardin derrière la maison. Il passait presque tous les mois d'été et d'automne avec Adele dans leur résidence d'Amagansett près de la plage. Ils gardaient leurs petits-enfants une semaine pendant que Rufus et Claudia assistaient à une conférence sur Joyce à Dublin. James et Adele aimaient siroter des martinis à la mi-journée. Les martinis de midi étaient devenus un rituel à Amagansett, contrairement au golf. Jamais de golf. James s'inquiéta de voir Adele sortir de la cuisine dans son maillot de bain Mildred Pierce des années 1940 et déposer Winona dans une antique bouée ronde. La bouée était bleu et blanc, décorée de crabes rouges, mais on pouvait voir qu'elle était vieille comme Mathusalem car les crabes avaient pris une couleur rose rouillée. James partageait donc son attention entre Winona dans la piscine et Elijah qui lançait la balle de softball avec un sacré, sacré effet de rotation. Le gamin avait un bon bras. Et dans la lumière adéquate – si ce n'était pas curieux, ça – il était son portrait craché.

« Papy, disait Elijah en se préparant pour un autre lancer ; un lancer qui claqua dans la paume de James avec une douleur aiguë. Pourquoi les gens ont besoin de dormir ? »

Ils jouaient sur la vaste étendue de pelouse verte. Ils étaient en short de bain. Tous les deux turquoise. Dans sa maison au bord de l'océan, Adele aimait que le décor soit assorti aux teintes éclatantes des Caraïbes. L'idée que tout puisse être blanc dans une maison de plage lui semblait choquante. En parlant d'Adele. Où était-elle ? Winona flottait sur la bouée en chantant. Elle battait des pieds et chantait. Elle battait des pieds et éclaboussait autour d'elle. L'espace d'un instant, James resta perplexe. Vieillir n'était pas évident. Parfois, il essayait de remonter le temps jusqu'en 1942, l'année de sa naissance.

« Qu'est-ce que tu as dit, Elijah ?

— Comment ça se fait, Papy, qu'on a tous besoin de dormir ? »

James voyait Adele à travers les fenêtres du patio. Elle se versait un autre martini. Elle était au téléphone, discutant sans doute avec un de ses amis artistes pour savoir où emmener les enfants à dîner ce soir-là. À présent qu'ils avaient tous des petits-enfants, le dîner faisait partie de leur routine. Le dîner et les martinis.

« Elijah », dit James en se tournant vers la piscine. Winona s'était endormie. Affalée sur la bouée, elle dérivait en direction du grand bassin.

« Personne ne sait pourquoi les gens ont besoin de sommeil, s'entendit-il répondre à son petit-fils. Le sommeil est un mystère. »

Damascus road

1966   1976   1977   1988   1999   **2010**

Une semaine après l'achèvement de la construction de l'école préparatoire Damascus, un établissement pour les gosses de riches qui n'avaient été admis nulle part ailleurs, un alligator de cinq mètres était sorti du marais pour contempler son ancien territoire. Dans le couloir du rez-de-chaussée, entre le laboratoire de sciences et l'atelier d'arts plastiques, les chemins du principal myope et de l'alligator de cinq mètres s'étaient croisés. Le principal, transfuge du Nord et ancien professeur de latin à Amherst, s'était souvenu d'avoir lu quelque part qu'en cas de rencontre infortunée avec un serpent dans un tunnel ou avec un alligator sur la terre ferme, il fallait courir en zigzag. Il préférait ne pas miser sur la dangereuse lenteur d'un pas chassé et avait préféré s'élancer en ligne droite dans l'atelier d'arts plastiques d'où il avait sorti son téléphone portable et appelé la fourrière.

Quand la fourrière ne s'était pas présentée, le principal avait appelé le shérif de la ville. Un quart d'heure plus tard, un agent de police retraité – un des meilleurs tireurs du comté – était arrivé dans son pick-up Ford et avait abattu l'alligator. L'agent, toujours blond malgré son âge avancé, avait refusé un

21

paiement en liquide. En compagnie d'une poignée d'anciens policiers, ils avaient emporté la carcasse de l'animal. Agnes avait entendu dire qu'on pouvait se rendre n'importe quel soir de semaine au restaurant Great Byrd Lodge, où l'alligator est empaillé et exposé. On peut essayer de deviner sa taille et son poids. Un vieux tableau noir rustique est fixé au mur dans un angle, et un bâton de craie y est relié par une ficelle. Chaque jour, le premier client à deviner le poids et la taille de l'alligator gagne une part de tarte aux noix de pécan ou une pinte de bière brassée locale. Agnes M. Christie, femme au grand âge et fille prodigue du comté de Buckner, dans l'État de Géorgie, n'a jamais dîné au Great Byrd Lodge. Elle préfère le vin à la bière, et de toute façon la tarte aux noix de pécan est trop sucrée. Et Agnes ne s'est jamais aventurée vers l'école préparatoire Damascus, bien qu'elle ne connaisse que trop parfaitement le chemin qui y mène.

« Vous buvez votre Coca-Cola comme si vous aviez un train à prendre. »

C'était en 1966. À dix-neuf ans, Agnes Miller était majorette en deuxième année à l'université du comté de Buckner. Elle arborait une robe à boutons bleu clair et une coiffure bouffante à la mode de Diana Ross et des Supremes. Pour être majorette, il faut de jolies jambes. Les jambes d'Agnes étaient si longues qu'elle aurait pu franchir le Nil d'un bond. Son ourlet était modeste. Elle travaillait à mi-temps à la bibliothèque universitaire. Quand on lui demandait ce qu'elle voulait faire plus tard, elle répondait automatiquement qu'elle voulait devenir enseignante. Peu importait qu'elle aime cette profession ou non. C'était une réponse correcte et plaisante.

« Il se trouve que j'ai un emploi du temps chargé », répondit Agnes en décochant un sourire vers l'homme élégant à la peau brun foncé assis à l'autre bout du comptoir du Kress Five & Dime. En réalité, elle n'avait nulle part ailleurs où aller qu'à la maison, et rien d'autre à faire que ses devoirs. Les cours étaient finis pour la journée et elle était sortie de l'entraînement des majorettes deux heures plus tôt. Elle s'offrait son verre de Coca-Cola quotidien en récompense. Elle était installée à côté de son amie d'enfance, Eloise, qui ne portait jamais de robe quand elle pouvait enfiler un pantalon. C'était la fin d'après-midi et l'ambiance au comptoir était d'un calme singulier. À Buckner, les manifestations et les sit-in s'étaient succédé dans un climat de tension, de retenue et d'ignorance délibérée. Les Blancs avaient d'abord réagi avec colère, puis avec une logique froide : ils avaient tourné leur attention vers les banlieues, y avaient ouvert des restaurants et des boutiques, ils y avaient fait construire des pavillons à étages dans des quartiers neufs où les Noirs n'osaient se hasarder.

« Eh bien, je m'appelle Claude, et il se trouve que j'ai pas mal de temps libre. » Claude Johnson se glissa lestement d'un tabouret à l'autre et s'arrêta juste à côté d'Agnes. Il était ingénieur, dit-il. Et il venait d'être embauché à la Southeast Aviation. Il était vêtu d'un pantalon gris bien soigné, d'un blazer en sergé agrémenté de pièces en cuir aux coudes, d'une chemise et d'une cravate. Il les portait avec aisance et distinction, malgré ses larges épaules et son cou de fermier. Claude offrit à Agnes et Eloise une deuxième tournée de Coca-Cola. Son attention était clairement concentrée sur Agnes mais il faisait de son mieux pour inclure Eloise dans leur conversation. Tout, dans l'attitude d'Eloise, semblait hurler *Dégage*, notamment la manière qu'elle avait de se pencher vers Agnes dès que Claude prenait la parole.

« Je ne suis pas du genre à insister mais je vous appellerai ce soir », promit-il alors qu'ils quittaient le Kress tous les trois. Il raconta aux jeunes femmes qu'il était originaire de Tuxedo, une petite ville en Géorgie, et qu'il avait étudié à l'université de Morehouse. Eloise, dans un élan de politesse initial, mentionna avoir de la famille lointaine à Tuxedo mais elle ajouta aussitôt : « Tuxedo est une ville de ploucs. Mes proches sont médiocres et ils ont eux-mêmes des proches médiocres à Tuxedo et ils ne veulent pas en entendre parler. »

Claude appela le soir même. Il appela avant qu'Agnes ait fait ses exercices de gymnastique. Et avant que les parents d'Agnes aient éteint la lumière dans leur chambre à l'étage. Il appela avant qu'Eloise – qui vivait chez Agnes – se soit lavé les dents avec la brosse de son amie par esprit de vengeance et qu'elle ait ouvert les tiroirs de l'armoire aux pieds en griffes de lion.

« C'est vous, Agnes ? demanda-t-il.

— C'est ça, Claude, c'est moi. Mais si je suis amenée à devenir enseignante, je devrais parler plus correctement et dire "C'est *cela*, Claude".

— Mon chou, je pense que dans le confort de votre propre maison, vous devriez pouvoir dire ce que bon vous semble.

— Ce n'est pas ma propre maison, mais celle de mes parents.

— Y êtes-vous heureuse ?

— Eh bien… Je ne prends jamais vraiment le temps d'y réfléchir. Mais je crois que je pourrais être heureuse n'importe où. » Agnes éclata de rire et sursauta en entendant le velours de sa propre voix.

« J'aimerais que vous soyez heureuse avec moi, dit-il.

— Je ne vous connais pas, Claude.

— On peut y remédier. Si on allait au cinéma samedi ? Je passe vous chercher vers 18 heures pour aller dîner ?

— C'est un bon début. »

Agnes raccrocha et se rendit soudain compte que Claude ne connaissait pas son adresse. Elle compta. Une minute s'écoula avant qu'il ne rappelle. Eloise se tenait dans l'encadrement de la porte de la chambre. Elle portait une chemise de nuit d'Agnes.

« J'espère qu'il ne va pas se faire tuer, celui-là », dit Eloise. Agnes leva les yeux au ciel. Eloise ne savait-elle pas que la mesquinerie était assommante ? La mesquinerie entraînait une chute prématurée des dents. La mesquinerie donnait mauvaise haleine.

« Pourquoi dis-tu des choses pareilles ? »

Eloise secoua la tête. « C'est juste qu'il dégage un certain truc… »

24

Il n'était pas inhabituel, lors des nuits de l'automne 1966, qu'Eloise tende le bras et baisse le drap du côté d'Agnes. Parfois, les cuisses d'Eloise se posaient sur les jambes d'Agnes, et Agnes tournait le regard vers la fenêtre, vers la lune et le ciel étoilé, tandis qu'elle caressait la tête d'Eloise, et sa nuque, et la ligne fine de son dos ferme, et toutes les autres parties de son corps qui l'excitaient. Elles se mouvaient en silence, avec efficacité – elles ne pouvaient se risquer à échanger des paroles. La chambre de Deacon et Lady Miller était juste de l'autre côté du couloir.

Le matin, les filles se levaient d'excellente humeur, prêtes pour une nouvelle journée.

Claude emmena Agnes voir *Nothing But A Man* au cinéma réservé aux gens de couleur, en périphérie de la ville. Ils mangèrent du pop-corn arrosé d'un supplément de beurre. Puis Agnes annonça : « Mon Dieu, j'aimerais ressembler à Abbey Lincoln.

— Vous êtes bien plus belle qu'Abbey Lincoln.

— Claude, vous êtes un menteur. Où avez-vous appris à être aussi charmeur ?

— Bon, je n'ai pas dit que vous aviez une plus belle voix qu'Abbey Lincoln. Là, ce serait vraiment mentir.

— C'est vrai. Je chante faux. » Agnes lâcha un petit rire. « Ils m'ont renvoyée de la chorale à l'église, alors que mon père y est diacre principal.

— C'est mauvais signe.

— Je n'y ai pas remis les pieds depuis.

— Vous êtes orgueilleuse.

— Vous ne me semblez pas quelqu'un de très humble, vous non plus.

— Alors laissez-moi vous écouter chanter. »

Agnes ouvrit la bouche et entonna *Baby Love* tandis qu'ils marchaient vers la Chevrolet Impala 1961 grise. La voiture de Claude n'était pas luxueuse, ni flambant neuve comme Agnes s'y était attendue, mais elle était propre et le chauffage fonctionnait. Agnes n'avait pas chanté une minute que Claude lui prenait la main.

« Bon, Agnes, vous ne rendez service à personne avec cette voix-là, encore moins au Seigneur. »

Elle lui asséna un petit coup de coude. « Je suis *falsetto*. C'est rare, pour une femme, d'être falsetto. »

Il lui rendit son coup de coude. « Vous savez ce qu'on dit à propos de l'orgueil, non ? L'orgueil précède la chute. »

Claude Johnson louait un appartement au-dessus d'un garage, à un kilomètre au sud d'un quartier où vivaient les gens de couleur plus aisés. Là où habitait Agnes, les portes d'entrée étaient peintes en rouge afin d'indiquer au premier coup d'œil qui était propriétaire de sa maison. Claude louait l'appartement à M. Gilbert, gérant de l'unique magasin d'ameublement pour les Noirs en ville. Agnes arpenta les deux pièces du logement, remarquant la couche récente de peinture blanche aux murs et les étagères de livres, une majorité d'ouvrages traitant d'ingénierie ou d'essais : *Les Mille Jours de Kennedy*, *L'Autobiographie de Malcolm X* et *La Structure des révolutions scientifiques*. Ses diplômes de l'université de Morehouse et du Hampton Institute étaient accrochés dans le salon. Sur un guéridon en bout de canapé, des photos représentaient, d'après Agnes, une famille nombreuse composée essentiellement de femmes et d'enfants. Il y avait des fleurs fraîches sur la table basse en noyer.

Agnes saisit une photo de famille et la présenta à Claude : « Vous êtes combien en tout ?

— Demande la fille unique. Bien assez pour occuper notre gent féminine.

— Gent féminine ? » Elle plissa le nez et huma les fleurs avant de reposer la photo sur le guéridon. « Trois, même plutôt deux, ce serait ma limite.

— Ça me semble raisonnable et très juste. »

En arrière-fond, Abbey Lincoln se mit à chanter et Agnes laissa son corps osciller en rythme. Elle adressa un hochement de tête appréciateur à Claude et claqua des doigts.

« Vous avez raison. Elle chante très bien. »

Claude était assis dans le canapé beige qui, comme presque tous les meubles de l'appartement, avait été fourni par M. Gilbert. Claude avait agrémenté la pièce de quelques coussins aux teintes éclatantes achetés chez Sears et d'un tapis angora.

« Il faut que je vous dise quelque chose, Agnes. Je ne compte pas rester ici. »

Elle claquait toujours des doigts. « Claude, vous avez décoré l'intérieur vous-même ?

— Je m'accorde deux, trois ans tout au plus. Puis ce sera la Californie ou New York.

— Ils ne vous traitent pas correctement ici, à la Southeast Aviation ?

— Ne posez pas de questions si vous n'êtes pas prête à entendre les réponses. »

Elle cessa de claquer des doigts. Claude devait être confronté à ses propres difficultés, bien sûr. C'était un homme grand, robuste, à la peau brune. Il s'exprimait bien et ne portait pas de vêtements miteux. « C'est si dur que ça ? »

Claude s'avança dans le canapé. « On ne battra jamais nos enfants, Agnes. Vous me ferez tenir parole, d'accord ? Mon père était adepte du martinet. Il l'empoignait en un clin d'œil. Je pense qu'il ne savait pas comment faire autrement. J'étais un petit Noir à la langue bien pendue. Il me répétait "Fiston, on est dans le Sud. Pourquoi tu peux pas parler de façon raisonnable, comme tes frères et sœurs ? Il faut qu'on arrive à te faire ravaler ce ton-là et à polir un peu ta voix, ou ta vie sur terre ne sera pas longue". Et effectivement, Agnes. J'ai longtemps détesté mon père mais je le comprends, à présent. Du lundi au vendredi, je vais au travail et je polis les contours de ma propre voix.

— Vous êtes le seul dans ce cas ? demanda-t-elle en fronçant les sourcils.

— Mes perspectives seront meilleures n'importe où ailleurs. Je suis instruit. Et j'ai gardé de bons contacts avec mes frères de Morehouse et de Hampton. New York, le New Jersey,

Washington D.C. Même le Massachusetts. Je n'écarterai aucune possibilité. Mais à l'heure qu'il est, je dois étoffer mon CV et aider ma famille de mon mieux.

— Je vois », dit Agnes. Les yeux couleur de miel de Claude s'étaient adoucis, remarqua-t-elle.

Il tapota le siège sur le canapé à côté de lui. « Mais assez parlé de moi. Dites-moi ce que vous voulez, vous, Agnes. »

L'espace d'un moment, elle resta abasourdie. Claude était le premier homme à lui poser la question, ou à l'écouter attentivement tandis qu'elle sculptait avec maladresse ses rêves d'avenir. « Tout, sauf devenir enseignante. »

« C'est mon cousin au troisième degré », avait dit Eloise, la dernière nuit qu'elle avait passée dans le lit d'Agnes. La nuit où Agnes avait roulé loin d'elle et lui avait murmuré : « Il serait temps que tu te trouves un homme à toi, non ? »

Eloise avait persisté. « C'est mon cousin du côté maternel. Tout le monde meurt jeune dans la famille de ma mère. »

Agnes était descendue du lit. « Eloise, je ne peux plus faire ça. »

Eloise n'avait pas cherché à la retenir, bien qu'Agnes ait eu l'impression qu'elle en avait envie. Eloise était bloquée sur les paroles d'Agnes et sur cette idée, cette idée qu'elle pouvait ou devait se trouver un homme. « Quel homme ? demanda-t-elle à Agnes. Est-ce que Claude est capable de te faire ce que je te fais ? » Agnes était sortie en trombe de la chambre, un torrent de larmes inondant son joli visage mais quand elle descendit pour le petit-déjeuner, Eloise et elle étaient à nouveau les meilleures amies du monde. Les deux filles mangèrent un copieux repas d'œufs brouillés et de bacon, de jus d'orange, de lait et de pommes vertes, tranchées comme Eloise les aimait.

« Vous avez été rudement gentils avec moi », dit Eloise à Lady Miller, la mère d'Agnes. Lady Miller était boulangère. Elle se levait la plupart du temps avant l'aube pour travailler à la boulangerie juive de Jefferson Street. Ce matin-là, elle s'était fait porter pâle. L'Esprit saint lui avait conseillé de rester à la maison. Lady avait été jeune elle aussi, et bien qu'elle n'ait pas fait d'études, elle n'était ni sourde, ni aveugle, ni idiote. Elle prépara un colis de provisions à l'attention d'Eloise mais se détourna quand sa fille demanda à son amie d'enfance : « Où vas-tu aller, maintenant ?

— Chez mon cousin, King Tyrone. C'est à peu près le seul membre de ma famille qui soit correct. »

Les parents d'Agnes ne dirent rien lorsqu'elle passa une première nuit chez Claude, mais le lendemain soir après le dîner dominical, son père, un maçon qui avait participé à la construction d'un quart des bâtiments de la ville, attira Claude à l'écart et lui demanda quelles étaient ses intentions envers sa fille. Claude appela Agnes et déclara ne pas vouloir en parler sans consulter sa petite amie avant, au cas où leurs intentions ne s'accorderaient pas. Agnes annonça vouloir terminer ses études à l'université. Elle était en troisième année. Claude promit de rester dans le comté de Buckner jusqu'à ce qu'elle obtienne son diplôme. La mère d'Agnes dit que tant qu'il n'avait pas passé la bague au doigt de leur fille, Agnes ne devrait plus dormir ailleurs que chez elle. Ce soir-là, Claude se gara devant l'épicerie Jackson Quick tandis qu'Agnes entrait y acheter une douzaine de boîtes de Cracker Jack. C'est sous le pop-corn caramélisé de la sixième boîte qu'ils pêchèrent une petite bague en plastique ornée d'une pierre factice couleur magenta. Ils jetèrent les boîtes restantes.

À quarante kilomètres à l'ouest de l'école préparatoire Damascus se trouvait une petite ville qui avait connu des temps difficiles. La bourgade avait perdu un tiers de sa population, partie travailler dans les usines des métropoles pendant les deux guerres mondiales. Mais dans les années 1990, quand on eut comblé les marais, qu'on eut construit les dortoirs, le campus, les courts de tennis et les logements des enseignants, nombre d'habitants trouvèrent un emploi dans l'entretien des infrastructures de l'école, à la cafétéria, comme concierges, vigiles ou jardiniers. Le prix de l'immobilier était resté raisonnable. L'ambiance y était agréable. Les dossiers d'inscription à l'école préparatoire avaient augmenté, et les frais de scolarité avaient suivi l'inflation. Dans les boutiques de Main Street, les propriétaires pouvaient dorénavant employer des salariés à temps plein. Il y avait une demande constante pour les produits de base et haut de gamme. Le barbier local, un pasteur fougueux et parfois ivre, travaillait désormais un dimanche sur deux afin d'accueillir les élèves de l'école préparatoire et les professeurs. Ils aimaient la musique bluegrass diffusée dans son salon et le tambourin Grover dont il jouait lorsqu'il leur coupait les cheveux. Le cinéma du centre, vieux d'un siècle et abandonné depuis si longtemps que la rumeur le voulait hanté par une goule et deux fantômes, projetait des films d'art et d'essai pour un large public. L'endroit faisait également office de salle de concert. Et comme les privilèges sont souvent associés à un désir de produits frais et de viande tendre de qualité, un magasin de produits diététiques ainsi qu'une épicerie fine avaient ouvert afin de répondre à la demande des élèves de Damascus et des habitants plus soucieux de leur santé. La boutique de pêche locale s'était mise à vendre des cannes de marques célèbres, et les pêcheurs du coin proposaient matin et soir des excursions dans les marais. Au terme de l'année scolaire, les familles mettaient en place des bateaux qui effectuaient le trajet entre la Géorgie et la côte du Maine. Une petite école préparatoire située sur une ancienne route sombre et déserte à peine équipée d'un lampadaire, avec pour seul son le crissement des sauterelles et le *croa croa croa* des crapauds de Géorgie, avait redynamisé une ville tout entière. Bien entendu, c'est un renouveau qu'Agnes M. Christie n'a pas vu de ses propres yeux. Elle lit des articles sur l'école préparatoire Damascus lors des temps creux à la bibliothèque de Buckner, où elle est bénévole trois jours par semaine depuis son retour dans le Sud. Avec l'âge, on choisit parfois d'oublier certaines choses. Et parfois, on s'y accroche avec force.

Pendant la dernière année d'Agnes à l'université de Buckner, Claude lui annonça qu'Abbey Lincoln venait chanter à Atlanta. Il était enthousiaste car c'était l'occasion idéale de s'arrêter chez ses parents, et de présenter Agnes à ses anciens frères de Morehouse, ainsi qu'à leurs jolies épouses ou petites amies. Lady Miller embrassa la bague Cracker Jack et donna sa bénédiction à Agnes et Claude. Deacon Miller glissa un billet de cinquante dollars flambant neuf à Claude et lui demanda s'il aurait assez d'essence pour la route. Sur le compteur de la Chevrolet, l'aiguille indiquait une jauge pleine mais le père d'Agnes déposa un bidon d'essence supplémentaire dans le coffre. « Ce serait vraiment idiot de fumer dans l'habitacle », leur dit-il alors qu'ils s'éloignaient.

L'étape dans le comté de Tuxedo, une ville rurale que l'on pouvait traverser en cinq minutes à pied, fut franche et directe. Les parents de Claude étaient des gens discrets qui avaient sorti leur plus belle nappe et leur argenterie dépareillée. Ils servirent un rôti simple et juteux qui ne dégageait pas le même amour absolu que Lady Miller vouait aux fruits secs dénoyautés ou aux herbes méditerranéennes. Il n'y avait pas de centre de table, ni de garniture. La mère de Claude servit le thé glacé dans des bocaux en verre. Et pendant leur visite, deux heures précises à la montre de Claude, un comité d'accueil constitué de sœurs et de frères robustes qui s'étaient succédé pour les saluer. Ils avaient placé en leur petit frère tous leurs espoirs, mais également une bonne partie de leurs économies. Claude parvint à étreindre chacun d'entre eux et à promettre qu'à leur prochaine visite, Agnes et lui resteraient plus longtemps. « C'est le travail, Maman, dit-il en faisant glisser une enveloppe sur la table qui contenait, Agnes le savait, son salaire durement gagné. Je n'ai encore jamais posé de congés, ni maladie, ni vacances. J'économise pour l'heure où je pourrai en profiter. »

C'est au retour d'Atlanta – après le concert d'Abbey Lincoln qui avait pris une heure de retard, et après qu'Agnes eut rencontré la majeure partie des amis de Claude – que le couple se trouva dans un embouteillage sur la Dixie Overland Highway. Claude et Agnes écoutaient la radio, riaient et décortiquaient les événements de la soirée, depuis les chansons choisies par Abbey jusqu'à la façon dont les amis de Claude avaient ouvertement détaillé Agnes et offert leur opinion. « Eh bien, Claude, l'emballage est ravissant et le contenu l'est tout autant. » Agnes s'était d'abord sentie supérieure au contact de la famille de Claude, puis superficielle et idiote avec ses amis qui étaient bien plus actifs au sein du Mouvement des droits civiques qu'elle ou ses parents ne l'avaient jamais été. Elle se fit la promesse silencieuse de lire les essais de la bibliothèque de Claude avec une concentration plus que passagère.

« Tu t'en es bien sortie, dit Claude à Agnes.

— J'ai trouvé certains d'entre eux affreusement prétentieux, dit-elle. Je ne sais pas comment tu as fait, toi.

— Si tu es patiente, les gens finissent par te montrer qui ils sont véritablement. J'ai juste attendu qu'ils révèlent leur véritable personnalité. »

Il était 2 heures du matin quand Claude avait bifurqué dans Damascus Road, une longue portion de route déserte qu'il aurait évitée en temps normal, mais qui constituait un bon raccourci jusqu'au comté de Buckner. Il prenait garde de respecter la limite de vitesse, bien que son pied appuyât plus que d'habitude sur la pédale d'accélérateur. Ni Agnes ni Claude ne remarquèrent la voiture de police jusqu'à ce qu'elle s'engage sur la route à son tour et que l'agent allume le gyrophare bleu et la sirène. Claude ralentit aussitôt et se rangea sur le bas-côté. La lune était haute dans un ciel noir comme l'obsidienne, ils étaient entourés d'arbres aux ramures basses, rabougris sur ces terres marécageuses. Quand l'agent se pencha vers le siège conducteur et alluma une lampe torche, Claude avait déjà sorti son permis de conduire.

« Bonsoir, monsieur l'agent, dit-il sans regarder l'homme mais sans détourner la tête non plus.

— Vous avez un train à prendre ? demanda l'agent.

— Je vous demande pardon ? fit Claude.

— J'ai l'impression que vous êtes pressés d'arriver quelque part. » L'agent était un homme mince, aussi mince que Claude était robuste. Ses cheveux brun cendré étaient dégarnis au sommet de son crâne mais il avait une moustache fournie à l'extrémité recourbée.

« J'étais en excès de vitesse, monsieur l'agent ? » demanda Claude d'un ton neutre.

L'agent s'empara du permis. « Je crois bien que oui. »

Agnes, comme Claude, gardait les yeux droit devant.

L'agent se pencha plus en avant dans l'habitacle et sembla sur le point de rendre son permis à Claude. Il leva son chapeau à l'attention d'Agnes.

« J'imagine qu'avec ce genre de cargaison, je ferais des excès de vitesse, moi aussi. »

Agnes sentit Claude se raidir. Elle posa la main gauche sur son coude. L'agent considéra longuement le permis de conduire de Claude.

« Je vais aller faire une vérification. Ne bougez pas. »

Tandis que l'agent retournait à sa voiture de patrouille, Claude laissa échapper un sifflement discret. La nuit était fraîche. Plus fraîche qu'à la normale et Claude voyait le nuage que formait son propre souffle.

« Je vais redémarrer la voiture, Agnes, annonça Claude.

— Claude, il veut justement que tu réagisses. C'est exactement ce qu'il cherche.

— Sa tête ne me revient pas.

— Reste poli, c'est tout. Reste calme.

— Mais qu'est-ce qui m'a pris... lâcha Claude en agrippant le volant. De m'engager sur cette route ? »

L'agent Jamie Haig appela du renfort. Il fallut environ un quart d'heure pour que William Byrd, agent des forces de l'ordre et meilleur tireur du comté, arrive sur les lieux. William Byrd était un homme aux larges épaules, rasé de près, et ses yeux formaient de profonds lacs bleus quand il souriait, ce

33

qui arrivait rarement. Il avait des joues écarlates et des cheveux qui demeureraient blonds même dans ses vieux jours. L'agent Haig, tout en minceur, s'entretint avec l'agent Byrd à la large carrure, et les deux hommes décidèrent que Claude et Agnes devaient descendre de la voiture le temps qu'ils l'inspectent. Quand Claude, d'un ton aussi courtois qu'il le pouvait, leur demanda ce qu'ils cherchaient exactement, l'agent Byrd porta son épaisse main sur son fusil et dit à Claude qu'il valait mieux ne pas interrompre leur inspection. Les agents regardèrent dans le coffre, entre les coussins des banquettes avant et arrière de la Chevrolet. Ils fouillèrent la boîte à gants sans ménagement, glissèrent la tête sous le capot avant d'ordonner à Claude de remonter en voiture. Claude attendit d'abord qu'Agnes grimpe sur le siège passager.

L'agent William Byrd secoua la tête avec fermeté. « Il faut qu'on jette un œil dans son sac à main. »

Agnes ouvrit son élégant sac noir, récent cadeau de sa mère. *Une robe et un sac neufs. Quelque chose de joli pour le concert d'Abbey Lincoln.* Un nœud commençait à se serrer dans son estomac et elle regarda les doigts malhabiles de l'agent parcourir ses effets personnels.

« Jamie, lança l'agent William Byrd à son mince partenaire. Je crois qu'il va falloir qu'on prenne cette jeune femme à l'écart pour lui poser d'autres questions.

— Quel genre de questions ? » demanda Claude en avançant malgré lui vers Agnes.

L'agent William Byrd montra le sac. « Il y a des articles de contrebande dans ce sac. »

Agnes s'emporta, sa colère montant en flèche. « Il n'y a pas de contrebande là-dedans. Il n'y a que du rouge à lèvres, du parfum et mes papiers d'identité !

— Jamie, dit l'agent Byrd avec une assurance décontractée. Je crois qu'on va devoir appeler du renfort.

— Bon, écoutez-moi, dit l'agent Haig en se tournant vers Agnes, tandis que les extrémités de sa moustache tressautaient. Ce n'est pas grand-chose, rien qui ne puisse être résolu en quelques minutes. On peut arranger tout ça en marchant un peu sur ce sentier. »

Il montra du doigt un chemin sinueux, bordé de saules pleureurs et de marécages.

« Son gars, là, fit remarquer l'agent William Byrd d'un geste du menton en direction de Claude qui serrait les poings. Il est un peu nerveux.

— Vous aimez cet homme ? » demanda l'agent Jamie Haig.

Agnes regarda Claude. Elle songea aux paroles d'Eloise. *Les hommes meurent jeunes dans ma famille.* Elle songea à l'agent robuste dont les doigts chatouillaient son fusil en cet instant même.

« C'est une question personnelle », dit Claude, le corps agité d'une fureur contrôlée.

Agnes acquiesça. « Oui, *je l'aime.* »

L'agent blond William Byrd avança sur le sentier et emmena Agnes entre les arbres des marais. Un quart d'heure s'écoula avant qu'il ne montre à nouveau son visage pâle et qu'il ne revienne sans Agnes. Dans la nuit profonde, une rougeur teintait ses joues déjà écarlates et il adressa un sourire à Claude, d'un air simple et joyeux. Il sortit une flasque de whisky de sa poche de chemise et la leva, avalant plusieurs gorgées. « Jamie, je ne crois pas que la gamine transporte des produits de contrebande mais tu sais que j'ai une vue assez mauvaise. »

Claude était désormais menotté. Un fin filet de sang coulait doucement à l'arrière de son crâne qui avait heurté avec violence la matraque de l'agent Jamie Haig. Avant de s'éloigner, ce dernier murmura à Claude : « Ne tente pas ce coup-là avec Willie. Je te le déconseille fortement. » L'agent Haig passa les doigts dans ses cheveux clairsemés alors qu'il contournait la voiture dans l'obscurité.

« Tu te sentiras mieux après avoir bu un coup. » L'agent William Byrd s'approcha en crabe et, d'un coup de pied, fit un croc-en-jambe à Claude qui fut projeté à terre. Il pencha la flasque au-dessus de la bouche de Claude et lui versa le whisky sur le visage. Claude détourna la tête et pinça les lèvres. Il refusait de boire ce liquide qui lui brûlait la peau comme une soupe chaude.

Peu après, l'agent Haig remonta le sentier en compagnie d'Agnes. L'agent ouvrit la portière passager pour qu'elle monte en voiture et Agnes, le regard toujours rivé droit devant, prit place sur le siège. L'agent Haig posa le sac à main sur les genoux d'Agnes. Sa belle coiffure bouffante s'était avachie.

« J'espère que vous rentrerez tous les deux sains et saufs chez vous, dit l'agent William Byrd en retirant les menottes des poignets de Claude et en le poussant vers le siège conducteur de la Chevrolet. La soirée a été longue pour nous tous. Et comme ça arrive parfois, ça aurait pu être bien pire. »

Claude fit tourner la clé dans le contact et démarra en trombe. Il ne s'en rendait pas compte mais il pleurait. Agnes gardait son sang-froid, cillant légèrement quand Claude lui demanda s'il devait l'emmener à l'hôpital. Elle cilla quand il lui demanda s'ils devaient s'arrêter chez Mme Francine, la sage-femme noire en ville qui était habituée à être réveillée à des heures indues. Il lui demanda si elle allait bien, c'est alors qu'Agnes baissa les yeux vers ses mains et remarqua que la bague Cracker Jack n'était plus à son doigt. Elle se tourna vers Claude, hurlante et hystérique, le supplia de faire demi-tour.

« Agnes, répondit Claude. Je t'achèterai un millier de bagues Cracker Jack, ma chérie. Mais ces hommes nous tueront si on retourne là-bas. Je ne peux pas faire demi-tour.

— Alors ramène-moi chez moi, dit-elle. Ramène-moi tout de suite chez moi. »

Les jours suivants, comme Agnes ne répondait pas au téléphone et ne rappelait pas Claude, Lady Miller en conclut que la rencontre avec la famille de Claude s'était mal passée. Deacon Miller, un homme réservé à l'image de Booker T. Washington, avait été maltraité dans son enfance à cause de sa peau foncée. Il soupçonnait cette population instruite d'Atlanta à la peau plus claire d'avoir snobé sa fille unique qui devait désormais faire bonne figure et les snober à son tour.

Un dimanche matin avant l'église, Claude se présenta à leur porte. Il n'était pas venu depuis deux semaines. Deacon Miller ne l'invita pas à l'intérieur mais Agnes consentit à sortir sur le perron. Claude mit un genou à terre devant elle et la demanda en mariage, lui montrant une bague de fiançailles où scintillaient plus de diamants qu'elle n'en avait jamais vu. Le bijou avait dû lui coûter toutes ses économies.

« Claude, lui dit-elle. Ce n'est pas de ta faute.

— Agnes », répondit Claude, et il répéta son nom, encore et encore.

Mais elle ne consentit pas à l'épouser. Afin de ne pas céder et de s'assurer que Claude ne s'approche plus d'elle, elle évalua les choix qui se présentaient à elle. Le mois suivant, lors de la réception de noces de Charlotte, sa cousine germaine, elle rencontra Edward Christie, un petit homme râblé et sociable. Agnes mesurait trente bons centimètres de plus que lui, mais il la demanda en mariage dès leur premier rendez-vous. Il n'y eut même pas le temps d'organiser une cérémonie à l'église. Lady et Deacon Miller furent les témoins déconcertés et dévastés de l'union civile de leur fille unique. Agnes fit ses valises et rejoignit les proches de son époux dans le Nord. Eddie reçut sa convocation et partit pour le Vietnam six semaines après le mariage.

La famille d'Eddie possédait une maison en briques à quelques rues de Little Italy dans le sud du Bronx. Pour une fille originaire du Sud dont l'univers ne se déclinait qu'en noir et blanc, Little Italy incarnait la nouveauté. Les émeutes du Bronx n'avaient pas encore éclaté. Agnes, jolie et charmante, apprit l'italien au contact des habitants qui se prirent d'affection pour la grande jeune femme qui disait toujours *s'il vous plaît* et *merci* et *comment allez-vous aujourd'hui*. Agnes s'inscrivit à l'université de Fordham où elle termina les études qu'avait interrompues Damascus Road.

Agnes ne devint pas professeure d'anglais. Son premier emploi fut pour la ville en tant qu'assistante de projet. Ce qui avait commencé par un poste administratif sécurisé avec une bonne retraite à la clé allait se muer en une carrière gratifiante dans le développement urbain. Agnes et Eddie prénommèrent leur première enfant (née neuf mois après leur mariage) Beverly, en l'honneur de la grand-mère d'Eddie. Dès que Beverly fut en mesure de marcher à quatre pattes, elle suivit Agnes partout. Ce manque d'indépendance emplissait Agnes de doute et de déception, mais l'enfant était gentille et de nature joyeuse, comme Eddie.

Les absences d'Eddie Christie les aidaient à maintenir l'harmonie de leur couple. Quand son époux rentrait à la maison, Agnes ne feignait pas son amour. L'amour était un muscle. On l'utilisait. On l'entraînait, et l'amour vous offrait force et souplesse en retour.

Au printemps 1969, un an après l'assassinat de Martin Luther King à Memphis, Agnes reçut à minuit un appel d'Eloise qui rendait visite à sa famille dans le comté de Buckner.

« Agnes, dit-elle, j'ai presque été obligée de tuer ta mère pour obtenir ton numéro. »

Au son de la voix d'Eloise, Agnes porta une main protectrice à son ventre. Elle attendait son deuxième enfant, elle était au milieu de son dernier trimestre.

« Comment vas-tu, Eloise ? s'entendit-elle lui demander.

— Tu me connais, Agnes. Donne-moi un truc à quoi m'accrocher et je me porte à merveille.

— Tu vas bien, alors ? »

Il y eut une pause. « La plupart du temps, oui.

— Tant mieux.

— Écoute, s'empressa de dire Eloise. Claude a été abattu dans son appartement à Dorchester, dans le Massachusetts. Ils pensent que c'était peut-être un cambriolage. C'est un de ses collègues qui l'a trouvé.

— Claude ? » s'entendit-elle dire à nouveau. Elle n'avait pas prononcé son nom depuis trois ans. « Claude ? Mort ? » Le Massachusetts était à cinq heures à peine de chez elle.

« Je suis désolée, Agnes, dit Eloise. Certains d'entre nous ne sont pas taillés pour la vie dans les grandes villes. »

Agnes raccrocha et alla se coucher. La mère d'Eddie appela le docteur. Quand ce dernier demanda à Agnes ce qui n'allait pas, elle lui expliqua qu'elle sentait mille et une douleurs déchirantes sous sa peau. Le docteur annonça qu'elle souffrait d'une bursite aiguë, ce qui pouvait parfois toucher les femmes enceintes. Lady et Deacon Miller vinrent s'occuper de leur fille unique, mais le brouhaha du Bronx et de New York en général leur tapait sur les nerfs. Au bout de deux semaines, ils rentrèrent chez eux.

Une petite fille naquit quatre semaines avant terme. Elle vint au monde à la maternité du Columbia Presbyterian. Cette fois, Agnes mourait d'envie de tenir son bébé dans ses bras, de sauver l'enfant de la couveuse, de la lumière artificielle de l'hôpital. Elle était heureuse de materner cette nouvelle fille, de lui chanter des berceuses, et fut plus heureuse encore quand Eddie et elle purent ramener le bébé à la maison. Elle la prénomma Claudia et quand Eddie, qui venait de rentrer de la guerre, fit remarquer que Claudia n'était pas un nom porté dans sa famille, Agnes massa la main calleuse de son époux et lui dit : « J'aime juste ces sonorités, c'est tout. »

On ne peut jamais fumer dans un hôpital

2009

Je suis infirmière diplômée d'État aux urgences de l'hôpital Columbia Presbyterian. Mon titre officiel est « coordinatrice des ressources ». J'ai quatre infirmières qui travaillent avec moi : quatre infirmières qui obéissent à mes ordres. Je pourrais me balader ici et jouer les dictatrices – si je le voulais. Me balader ici comme un de ces chirurgiens, avec des airs de je-sais-tout comme si Dieu leur avait instillé au bout des doigts le pouvoir de tout guérir. Mais quand je viens au travail, je sais que l'important, ce n'est pas moi. Ce ne sont pas non plus mes collègues. Ce sont les patients, ici, dans cet hôpital. Mon visage sera peut-être le dernier qu'ils verront. Et c'est une bénédiction. Un honneur. C'est dégrisant.

J'aurais pu être docteure, moi aussi. Mais je ne me suis jamais résolue à m'inscrire en école de médecine. Dans mon cursus d'infirmière, j'ai toujours obtenu d'excellentes notes. Mon fils de quinze ans, Peanut, relisait mes devoirs. Il levait les yeux d'un texte que j'avais rédigé et disait « Bon sang, Maman, t'es intelligente ».

Et je me contentais de sourire en secouant la tête. « Tu

crois quoi, que tu as hérité tous tes gènes d'intelligence de ton père ? »

Le père de mes gamins, Kevin, est policier – non, je rectifie : il *était* policier. Il est parti dans le désert de l'Arizona où il fait des contrôles d'immigration avec la patrouille aux frontières et il renvoie des gens désespérés au Mexique. Heureusement qu'on a appris l'espagnol au lycée. On a grandi dans le sud du Bronx, à quelques pâtés de maisons à l'est de l'ancienne Little Italy. À l'époque où le Bronx regorgeait de Portoricains, nous avons appris l'espagnol naturellement, à l'oreille, et ça a été une langue facile à étudier au lycée. C'est ce que j'explique à mes enfants : on passe une minute à apprendre et, la minute suivante, cet apprentissage vous transporte. On ne perçoit pas la finalité quand on débute. Alors il faut être futé et ne pas se louper au début. Évidemment, Kevin me taquinait toujours et disait que j'avais eu des facilités avec l'espagnol parce que mon grand-père était cubain, mais il faisait partie de la génération qui ne parlait qu'anglais.

Après avoir eu mes enfants – j'en ai eu quatre –, mes dossiers d'inscription en école de médecine n'ont jamais quitté le tiroir de ma commode. Kevin et moi, on essayait juste de payer les factures à temps. Peut-être qu'un jour, je suivrai une formation d'assistante médicale. Je ferais une bonne assistante médicale. Dans cette branche, on a des horaires plus raisonnables. Moi, ce que je vois, c'est que les docteurs n'ont jamais le temps. Et ils ne gagnent plus aussi bien leur vie, aussi. Avec les docteurs, on entre et on sort, on entre et on sort. L'autre jour, j'ai entendu un docteur hurler sur son supérieur. Ce supérieur en question, il passe son temps à le surveiller, il est sans arrêt sur son dos. « Comment je suis censé examiner cinquante patients en une journée ? Et si je rate quelque chose ? Je suis docteur. Pas magicien dans un cirque. » Six jours par semaine, je déteste sa tronche de snobinard. Mais à cet instant précis, j'ai compati.

C'est donc lui, l'homme James. C'est ainsi que ma sœur Claudia appelle son beau-père : l'homme James. La première fois qu'elle m'a parlé de lui, j'ai dit : « Pourquoi tu ajoutes

homme à son nom, comme ça ? Il a des préjugés ou quoi ? »
Claudia avait secoué la tête. « Il n'a pas de préjugés. Il est
perdu. »

L'homme James est coincé ici, en soins intensifs de neu-
rologie. J'ai promis à Claudia d'aller jeter un œil sur lui pendant ma pause. Elle est quelque part dans le sud de la France
avec son mari, Rufus. D'abord une conférence à Dublin. Puis
des vacances en France. Certains d'entre nous ont les moyens
de mener la belle vie. Ils rentrent aux États-Unis car ce vieux
débris s'est cogné la tête au bord de sa piscine olympique en
voulant sauver ma nièce Winona de la noyade. Personne ne
me l'a expliqué concrètement mais j'ai rassemblé les pièces du
puzzle. Quand j'ai vu le frère de Winona, Elijah, je l'ai pris à
part et je lui ai demandé : « Elijah, qu'est-ce qui s'est passé ? »

Le gamin de cinq ans m'a répondu : « Le truc bidule flottant
s'est retourné et Winnie a été obligée de nager dans l'eau. »

Ça m'a mise en rage, d'entendre une chose pareille. L'inquié-
tude a laissé place à une humeur massacrante. Ça a fait ressurgir tout un paquet d'énergie négative et agressive contre ma
sœur Claudia. J'aurais pu m'occuper de Winona et d'Elijah. J'ai
un appartement d'avant guerre dans Washington Heights, avec
trois chambres et un canapé de luxe. J'aurais pu m'arranger.
Les cousins auraient pu passer du temps ensemble, ce qui arrive
rarement. On se serait tous bien amusés. Je les aurais emmenés
manger une pizza, se promener aux Victorian Gardens, ou au
zoo du Bronx. J'ai un pass annuel, les enfants auraient pu voir
les tigres de Sibérie super flippants. Ils auraient pu entrer dans
la serre aux papillons ou faire un tour en petit train. Claudia
pense que mon fils Peanut est intelligent par défaut, par accident, mais c'est ça, le truc : moi, je m'occupe de mes enfants. Je
ne les abandonne pas. Je ne l'ai jamais fait. Je ne le ferai jamais.
Peut-être que ça m'arrive d'avoir la flemme, mais quelle mère
n'a jamais connu ça ? Quelle mère ne passe pas ses journées
à dire : *Vous êtes mes enfants. Je vous aime.* Sans jamais avoir
un petit instant où elle a envie de crier : FAIT CHIER, FAIT
CHIER, FAIT CHIER.

Alors bon, ce dénommé James Samuel Vincent est étendu là, en soins intensifs, à moitié dans le coma avec la tête éclatée, et son amour de femme Adele a emmené *ma* nièce et *mon* neveu au magasin de jouets FAO Schwarz et au Dylan's Candy Bar de la 60ᵉ Rue, tout ça parce qu'elle a failli les laisser se noyer. Et moi, au lieu de fumer ma cigarette comme je l'aimerais, je me retrouve à garder un œil sur l'homme James car je l'ai *promis* à Claudia. Et d'une manière ou d'une autre, je tiens toujours mes promesses.

Si Claudia prenait le temps de me poser des questions, elle saurait que j'ai mes propres problèmes : une sacrée plâtrée à vous flanquer des migraines. J'ai appelé Mlle Lydia, la baby-sitter de mes jumeaux, pour savoir si ma fille Minerva était bien allée les chercher, car Minerva ne décroche jamais son portable, et pendant que je téléphonais à Mlle Lydia, Peanut m'a envoyé un texto : *Est-ce que je dois aller chez Robotics ? Est-ce que je dois passer chercher Keisha et Lamar ?* Et moi, j'étais là, genre : *Détends-toi une minute, putain. S'il te plaît. Peanut. Détends-toi, OK ?*

Mais Minerva y est allée. Mlle Lydia m'a appelée pour me dire ça, au moins. Et mon cœur a fait un petit bond. Peut-être que Minerva va bien tourner, finalement. J'ai hâte de lui raconter que James et son ivrogne de deuxième femme ont failli noyer ses cousins. J'ai hâte de lui raconter qu'Adele se fait pardonner au Dylan's Candy Bar. Minerva *déteste* le Dylan's Candy Bar, même si elle adore le chocolat et les bonbons.

C'est ça, le truc : j'ai su que Minerva aurait des ennuis quand, à dix ans, je l'ai emmenée à Serendipity dans l'Upper East Side pour un moment partagé entre mère et fille. Je voulais l'inviter à Serendipity parce que j'avais lu quelque part que Diana Ross y avait emmené ses filles fêter leur anniversaire en limousine et manger un bol de glace nappée de chocolat chaud. Je m'étais dit que j'allais donner à Minerva un aperçu de la vie fabuleuse des célébrités. Mais quand on est arrivées là-bas, la boutique était fermée. Ils avaient fait faillite ; je n'avais pas pensé à appeler avant. Je me sentais franchement idiote mais Minerva a simplement haussé les épaules et a dit : « Où on va, maintenant, Maman ? » Et je suis passée très vite de la phase idiote à *c'est bon je maîtrise*. Je n'étais pas prête à décevoir ma fille. Et on s'est mises à marcher comme si je savais exactement où on allait. On a arpenté l'Upper East Side et je sentais le joug de la pauvreté peser sur ma nuque à chacun de nos foutus pas. L'Upper East Side peut vous agresser de cette manière. Depuis les salons de manucure huppés jusqu'aux petites boutiques de luxe équipées d'une sonnette en argent qu'il faut faire tinter avant d'entrer, en passant par les cafés luxueux aux larges baies vitrées qui ressemblent à des œuvres d'art moderne. On est arrivées au Dylan's Candy Bar qui regorgeait de gens, jeunes et vieux, assouvissant leur besoin de sucre. On est restées dehors une minute à regarder la foule entrer et sortir du magasin.

J'ai dit : « Entrons là. » On a suivi la masse humaine. Et Minerva était plus que ravie. Elle s'est affairée à transvaser les bonbons dans des petits sachets qu'elle nouait à l'aide de lacets rouges. Des Whoppers, des Hershey's Kisses, des oursons, des biscuits au beurre de cacahuète, des bonbons au caramel et des réglisses. Et des Skittles. Beaucoup de Skittles. Et Minerva m'a lancé : « Maman, c'est qui Dylan, qui nous donne tous ces bonbons ? » À côté de nous, quelqu'un a murmuré que Dylan était la fille de Ralph Lauren. Et Minerva a fait : « Ralph Lauren ? Son vrai nom, c'est pas Lauren. Son vrai nom, c'est Ralph Lifshitz et il vient du Bronx – comme nous. C'est une façade. C'est une façade pour obtenir un statut social. »

Et c'est là que je me suis dit, *Bon sang, elle est intelligente. Les ennuis nous guettent au tournant. Je dois m'arranger pour l'occuper en permanence.* Pendant un temps, c'est ce que j'ai fait. Avec la gymnastique. Les cours de natation. L'espagnol. L'alto. J'ai même claqué mon fric dans un équipement sportif de crosse. Mais mon couple s'est mis à chanceler, et Minerva aussi.

En cette minute, j'ai tellement envie d'une cigarette que je pourrais tuer quelqu'un. Mais je vais tenir le coup et rester ici avec l'homme James jusqu'à ma prochaine garde. Claudia me saoulera toute l'éternité si je ne tiens pas mes promesses. C'est silencieux et paisible ici. Je n'ai pas souvent le silence et la paix. Avec ce silence, je pense à Kevin et il me manque. Je devrais l'appeler et lui proposer de prendre Minerva. Ce crétin devrait savoir que sa fille est en train de s'effondrer. Il va croire que je veux le récupérer, évidemment. Il va penser que mon appel n'est qu'un prétexte pour la baise. Les hommes pensent toujours que nos appels sont un prétexte pour la baise. C'est drôle, toutes ces choses qu'on comprend de travers, dans un couple. On s'est pas mal plantés. Mais on était plus ou moins sur la même longueur d'onde avec les enfants. Ce sont les trucs qui vont bien qu'on a du mal à protéger. Tu piges ce que je veux dire, James ? Tu m'entends, là-dedans ? J'espère que tu m'entends. T'as intérêt à m'entendre. Putain. Si ça se trouve, tu m'entends pas. Va pas me faire le légume. Accroche-toi, James Vincent. Mais pourquoi on ne peut jamais fumer dans un hôpital, bon Dieu ?

Que le sel soit

1954 1969 1979 1989 **2009**

L'espace d'un moment dans la chambre d'hôpital, le cœur de James Samuel Vincent s'arrêta presque de battre. Cette sensation s'accompagna de la prise de conscience, terrifiante, que Dieu était non seulement une femme, mais aussi que la Sauveuse du monde avait la peau noire. James était gavé d'antalgiques et Son image lui apparut dans un brouillard indistinct, presque onirique. Il se surprit à chercher des mots qui ne venaient pas, à lutter pour bouger les bras comme pour signifier : *Je me présente à Votre jugement*. Mais ses pensées refirent surface dans cette journée bleue étincelante, avec cette piscine turquoise et sa petite-fille, Winona, glissant dans le trou de sa bouée ronde et coulant à pic, ses boucles brunes aux reflets roux s'agitant dans le grand bassin. James avait fait volte-face, avait laissé tomber son gant de base-ball et avait ordonné à Elijah de rester où il était, puis il s'était élancé vers la piscine, aussi vite que ses vieilles jambes de soixante-sept ans le lui permettaient, ce qui avait été relativement rapide, traversant la pelouse impeccable jusqu'au bord en basalte, glissant de la piscine qui avait semblé céder sous ses pieds juste avant qu'il ne plonge, et l'homme James avait sombré dans l'obscurité.

Jimmy Junior. Il était redevenu le petit Jimmy Junior, un gamin de douze ans debout sous le ventilateur au plafond de la cuisine à regarder sa mère casser la vaisselle en porcelaine délicate, les tasses à thé et les soucoupes, le service de huit plats et les assiettes à salade, les flûtes en cristal. Il y avait eu un désaccord entre ses parents. Il y avait toujours un désaccord entre ses parents mais celui-ci avait dégénéré en une violente dispute. Des propos terribles avaient été prononcés, qu'ils ne pouvaient ni effacer ni retirer.

Son père, Jimmy Senior, avait accepté un nouveau poste chez les pompiers de Fresno sans demander l'avis de son épouse. Une nouvelle affectation impliquait un déménagement tous les trois ans, mais Nancy Vincent adorait vivre à Portsmouth. Oui, Portsmouth était une ville chère (surtout pour une famille avec un seul revenu) mais c'était un bon endroit où s'enraciner et élever un enfant.

« Ils ont besoin de pompiers à Fresno. Ils nous fourniront même un logement. » Jimmy Senior était pompier, mais on licenciait à droite et à gauche dans les casernes, suite aux coupes récentes dans le budget de la pittoresque Portsmouth.

Nancy Vincent avait rugi comme une lionne, ce dimanche matin. Elle était rousse mais jamais sujette aux accès de colère ou au mauvais caractère, à moins d'être provoquée. « Je suis allée à Fresno pour une convention de bibliothécaires. Fresno, c'est l'enfer sur terre. Jamais on n'emmènera Jimmy dans le secteur de Fresno. »

Leur précédente affectation, à peine un an plus tôt, avait été à Hartford, dans le Connecticut. Nancy ne s'était pas plainte quand ils avaient quitté Hartford pour s'installer à Portsmouth. Des promesses avaient été faites. Ils resteraient dans cette nouvelle ville jusqu'à ce que Jimmy obtienne son diplôme du lycée.

« Quand on s'installera à Fresno, dit Jimmy Senior, on adoptera un chien.

— Jimmy veut un chat », répliqua Nancy.

Jimmy Senior secoua la tête. « Quel genre de garçon veut un chat ? »

Jimmy voulait surtout rester à Portsmouth. « S'il te plaît, je veux bien adopter un chien ou un chat, si on reste habiter ici. » À douze ans, presque treize, il était déjà plus grand que son père. Le garçon n'imaginait pas qu'il aurait un jour deux fils à lui : un fils issu de son mariage, et un autre d'une aventure extraconjugale. Le fils illégitime aurait le physique, les manières et le tempérament de son père.

« Les déménageurs arrivent le mois prochain. Au dernier jour d'école, finit par dire Jimmy Senior. C'est déjà réglé. Commencez à faire vos valises. »

Son père enfila un manteau en daim neuf. Parfois, lors des soirées estivales à Portsmouth, une brise soufflait depuis l'océan et une veste était la meilleure défense. Jimmy Senior se dirigeait vers le pub du quartier pour boire une Guinness avec ses amis.

« Je vais rendre visite à ma famille, hurla Nancy à son mari.

— Tu n'as pas de famille.

— J'ai mon oncle Monroe.

— Et où tu trouveras l'argent, ma petite ? »

Nancy avait perdu son emploi depuis trois mois. L'économie n'était pas tendre non plus pour les bibliothécaires à Portsmouth, avec ses restaurants, ses boutiques et ses musées. Mais Nancy avait l'œil pour les bonnes affaires. Jimmy Junior et elle adoraient faire des emplettes au Trading Post dans la ville voisine de Kittery.

Une semaine avant eux, Jimmy Senior avait pris un avion pour Fresno afin de repérer les lieux. Quand les déménageurs arrivèrent, Nancy parcourut chaque pièce de leur appartement en duplex en chantant *Bye Bye Love* et en sélectionnant les objets qui lui tenaient à cœur. « Il y a eu un changement de plan », annonça-t-elle à Jimmy Junior. Il fut abasourdi par l'efficacité de classement de sa mère, une compétence développée au fil de son parcours de bibliothécaire, sans doute. Elle empila les photos de Jimmy bébé dans une valise en cuir. Elle laissa derrière elle les photos de son mariage. Elle récupéra le certificat de naissance de son fils et sa carte de sécurité sociale, leurs manteaux d'hiver, les bottes de pluie, quelques pantalons, shorts et T-shirts, puis elle déclara : « Qui a dit que les femmes ne savaient pas voyager léger ? »

Ils remplirent chacun un carton de leurs livres préférés. Jimmy aimait Dickens, Poe et Melville. Il pouvait passer toute une nuit à lire *Moby Dick*.

Jimmy eut à peine le temps de faire ses adieux à ses meilleurs amis. Lukas et Boone étaient deux garçons actifs et acnéiques qui aimaient lire eux aussi jusque tard dans la nuit. Ils péda-lèrent sur leurs vélos Schwinn Deluxe Racer. Jimmy ne le savait pas encore, mais Lukas Falls serait abattu dans son B-52 au cours d'une mission au Vietnam. Boone McAllister deviendrait objecteur de conscience et ouvrirait à Portsmouth un magasin de produits diététiques pour les anciens combattants. La seule chose que savait Jimmy, assis sur les marches de son immeuble ce soir-là, c'était à quel point ils allaient lui manquer. Nancy Vincent ne corrigeait jamais Jimmy quand il disait aux gens que Boone et Lukas étaient ses cousins. Elle disait qu'il était naturel de s'accrocher à une nouvelle famille quand la sienne était restreinte et dysfonctionnelle. Les parents de Jimmy Junior étaient tous deux enfants uniques. Du moins sa mère l'était. Jimmy Senior n'évoquait jamais sa famille, à moins d'être ivre. *Des gens du Maine,* il ne s'étendait jamais davantage. *Des gens du Sud,* expliquait de son côté Nancy Vincent. Le genre de Blancs originaires du Sud qui ne pouvaient pas supporter les préjugés répandus dans leur ville, ajoutait-elle, comme si les paroles pou-vaient remplacer les grands-parents que Jimmy n'avait jamais connus. L'oncle Monroe était le seul parent vivant qu'il restait à Nancy. Il avait pensé jusque-là que cet homme n'était qu'une créature imaginaire – aussi réel qu'un personnage de bande des-sinée, qu'une sirène ou un triton.

« Tiens-toi prêt. Les gens sont bizarres, dans le Sud », l'avait averti Boone. Mais Jimmy eut le sentiment que partout où il allait – sur les aires d'autoroute, dans les stations-service, dans les restaurants ou dans les halls d'entrée des hôtels au cours des trente-deux heures de trajet jusqu'à Tybee Island, en Géorgie – les gens étaient déjà bien assez bizarres. Ils noyaient leurs frites dans le ketchup avec des gestes rageurs, demandaient des indications pour des destinations qu'ils ne suivaient finalement pas, venaient vers vous et papotaient comme si vous étiez amis depuis toujours et qu'ils rattrapaient le temps perdu. Parfois, Jimmy restait dans la voiture tandis que sa mère se hâtait aux toilettes pour « se rafraîchir un peu ». Il demeurait assis là, ses longues jambes surélevées comme une tente sur le siège passager, à manger des Fritos et à observer les allées et venues des gens, voyageur en mouvement mais étrangement figé, immobile. Se rafraîchir, c'était passer un coup de téléphone à son père. Se rafraîchir, c'était sa mère qui ressortait de la station sans même regarder des deux côtés lorsqu'elle regagnait le parking. (Elle avait failli se faire renverser par deux fois.) Se rafraîchir, c'était trop de silence, et les petits pieds de sa mère qui cherchaient une contravention pour excès de vitesse tandis qu'elle enfonçait la pédale de l'accélérateur. Se rafraîchir, c'était l'expression fragile qui s'affichait sur son visage lorsque Jimmy osait s'enquérir de son père.

La route jusqu'à Tybee sembla durer presque une vie entière, avec plusieurs étapes, dont une à Manhattan pour assister à une représentation en plein air de la comédie musicale *Vous ne l'emporterez pas avec vous* – une invective que Jimmy n'estimait pas avoir besoin de s'entendre répéter, ni lui ni sa mère. Ils s'arrêtèrent à Washington D.C. et admirèrent le mémorial de Lincoln. Ils dormirent dans un Holiday Inn du Maryland où ils prirent le petit-déjeuner gratuit en échange de coupons publicitaires.
« Si le petit-déjeuner est gratuit, pourquoi on a besoin des coupons ? » demanda-t-il à sa mère d'un ton irrité.

Elle refusa d'entretenir sa frustration. « Oncle Monroe est un homme gentil.

— Ça remonte à quand, la dernière fois que tu l'as vu ?

— Oh, je devais avoir cinq ans. Je me souviens qu'il avait un étal de poissons.

— Super. Je pourrai vendre du poisson. Je deviendrai pêcheur.

— Ça me semble plutôt chouette, comme projet d'avenir. » La mère de Jimmy prenait la vie du bon côté, d'un air juvénile. Et peut-être resterait-elle jeune pour toujours. Les soucis de la vie de couple ne s'étaient pas inscrits sur son visage comme c'était le cas chez d'autres femmes. Il fallait être jolie pour arborer une coupe à la garçonne : des traits ouverts au monde entier, quand on avait les cheveux courts. Elle s'était coupé les cheveux juste avant leur départ de Portsmouth, à l'aide de ciseaux métalliques. Elle avait laissé un monceau de tresses rousses sur le carrelage noir et blanc de la cuisine. Elle abandonnait aussi derrière elle des rêves de retraite à Portsmouth. Un cottage au cap Cod. Une maison de taille idéale pour une famille de trois.

« Je l'ai achetée avec mon argent durement gagné, dit Nancy quand ils s'étaient éloignés dans la Cadillac rose 1951 coupé DeVille, la seule propriété à son nom. Ton père préférerait mourir que d'être surpris dans ce rose-là. Bon sang, c'est sûrement pour ça que je l'ai achetée. »

L'oncle Monroe les accueillit dans son pavillon deux pièces bancal, avec un hochement de tête et un sourire résolu. Il arborait une barbe grisonnante sur un long visage de chien battu. *Alors ça ! Papa disait que je voulais un chien et voilà que j'habite avec l'un d'eux. Personne ne peut ressembler davantage à un chien que l'oncle Monroe.* C'était une méchante pensée mais une lente amertume s'était installée en lui depuis leur départ de Portsmouth. Il n'avait pas encore vu d'arc-en-ciel, alors que ces derniers étaient un composant essentiel de sa vie. Il y avait beaucoup de soleil et de nuages dans sa Portsmouth habituelle, si bien que les couleurs venaient à lui comme jaillissant de nulle part, explosaient dans le ciel.

Heureusement que Nancy n'avait pas apporté trop d'affaires avec elle. L'oncle Monroe vivait dans une maison d'homme. Ses jours de pêcheurs étaient révolus mais sa maison était pleine de têtes de poissons en plastique, de journaux roulés sur les tables, d'antiques poêles et casseroles, de lits durs, d'un canapé en tissu rêche et d'une petite télé juste bonne à écouter les informations matinales et à savoir si une tempête s'annonçait.

« Tu as une idée toute personnelle du confort, Tonton, avait dit la mère de Jimmy à l'oncle Monroe tandis qu'elle émergeait de la chambre en boitant après sa première nuit passée sur le matelas dur comme la pierre.

— Le confort, c'est pas fonctionnel, avait été l'unique réplique de l'oncle Monroe.

— J'aime bien ton genre de confort, avait dit la mère de Jimmy quand l'eau chaude était devenue glaciale, cinq minutes après qu'elle fut entrée dans la douche.

— L'eau, ça fait rouiller le métal et couler les navires de guerre, avait rétorqué l'oncle Monroe.

— Dixit l'homme qui vend du poisson.

— Je le vendais, oui, ma chère. Je suis *pas* pêcheur. »

Nancy s'était mise à rire. « C'est une blague ou on a des liens de parenté ? »

La semaine suivante, il était allé commander deux matelas neufs chez Sears et les avait installés dans la chambre que Jimmy partageait avec sa mère. Il avait aussi rapporté de chez Piggly Wiggly un bouquet d'asters et de limonium.

Nancy Vincent perdit un peu de son entrain au bout de deux semaines. Elle se mit à faire de longues promenades sur la plage au sable blanc comme le sel, mais le soir – et sans Jimmy. Et elle avait pris l'habitude de marmonner dans sa barbe, des réactions soudaines et brusques qui donnaient à Jimmy l'envie de mettre des bouchons dans ses oreilles :

« Connard. Imbécile. Salaud. Mais à quoi est-ce que je pensais, toutes ces années ? »

« Quand est-ce qu'on rentre à Portsmouth ? demanda Jimmy au troisième dimanche de leur séjour.

— Le moment venu.

— Qu'est-ce que ça veut dire ? »

L'oncle Monroe intervint. « Ça veut dire que ton paternel était un sale con. Et que Portsmouth n'est plus qu'un vieux souvenir.

— Surveille ton langage, Tonton », avertit Nancy.

L'oncle Monroe leva les mains au ciel. « Mon ami King Tyrone vient de rentrer avec un bateau plein de crabes. Tu as déjà tenu un crabe bleu dans tes mains ? demanda-t-il à Jimmy.

— J'aime le homard, rétorqua Jimmy.

— Il ne saurait pas reconnaître un crabe bleu même s'il lui pinçait le nez », admit Nancy.

Le visage de l'oncle Monroe s'assombrit et sembla s'affaisser presque jusqu'à terre. « Alors ça, c'est un vrai péché. Et c'est dommage. »

Tybee, ça signifie sel *dans la langue des Yuchis*, lui expliquait sa mère d'une voix tendre. *Les Indiens Yuchis ont découvert l'île de Tybee. Ils ont été les premiers à la peupler.* Et ils sont où, maintenant ? aurait voulu savoir Jimmy. Une jolie plage avait peut-être un effet sur les autres, mais pas sur Jimmy Vincent. D'abord, il préférait les plages sauvages, hérissées de rochers, d'escarpements et de promontoires dangereux où l'on s'écorchait les genoux. Il aimait les plages glaciales du Maine, les plages de son *père*, et le froid capable de toucher vos terminaisons nerveuses au premier plongeon. Aucun été à Portsmouth n'avait été aussi moite ou collant. Tybee Island donnait une tout autre dimension aux termes *humidité* et *chaleur*. Puisque cette chaleur demandait « qu'on s'y habitue un peu », la phrase fétiche de l'oncle Monroe, Jimmy avait pris le pli de se lever à l'aube, avant que les estivants ne prennent d'assaut la plage et que le soleil ne prenne d'assaut la journée.

Un matin, après avoir décliné pendant presque deux semaines les invitations de l'oncle Monroe à aller pêcher le crabe, Jimmy décida qu'il n'avait finalement rien à perdre à l'accompagner. C'était ça ou subir un autre cours magistral de sa mère sur l'histoire de Tybee Island. Nancy Vincent était déterminée à piquer la curiosité de son fils. *Peut-être que ça te semble anecdotique, Jimmy, mais cette île était une destination en vogue, dans le temps. Prendre le sel, on disait. Les malades venaient de partout pour respirer l'air frais.*

Dans son pick-up, l'oncle Monroe parcourut les six petits pâtés de maisons jusqu'au domicile de King Tyrone. Ce dernier possédait une cabane sur une jetée face aux marais. C'était un homme maigre à la peau sombre, d'une quarantaine d'années. Jimmy fut étonné de trouver son oncle bien plus vieux que le pêcheur. Étonné, aussi, de voir les asters et le limonium qui poussaient en abondance dans le jardin de King Tyrone.

« Piggly Wiggly, mon œil », lâcha Jimmy.

L'oncle Monroe haussa les épaules. « Ne complique pas les choses. »

Ils ne perdirent pas de temps et prirent la mer. King Tyrone n'aimait pas la compagnie de gens qui ne lui étaient pas proches. Parfois même, il n'aimait pas être dérangé par ses proches.

« On appelle ça *l'homme mort* », dit-il. Il brisa un crabe et montra à Jimmy les entrailles charnues. « Et c'est comme ça qu'on différencie un mâle d'une femelle. L'éclat orange signifie que la femelle porte des œufs. »

Ils se tinrent dans le bateau de pêche tandis que les crabes circulaient sur le pont autour d'eux. Jimmy regarda les crabes bleus ramper et se chevaucher dans la petite embarcation gris et blanc, et il eut envie de pleurer. Ils dégageaient quelque chose de beau et de triste.

« On aura un bon repas ce soir », lança l'oncle Monroe à Jimmy en lui assénant une claque franche dans le dos.

Jimmy observa King Tyrone ramasser une douzaine de crabes bleus à main nue et les laisser tomber dans un tonneau en bois. Ses paumes étaient calleuses et insensibles aux pincements.

« Ça ne fait pas mal ? demanda Jimmy.

— On s'y habitue, au bout d'un moment. » Quand il était en mer, King Tyrone songeait qu'il serait agréable d'avoir une femme et des enfants pour l'accueillir à son retour à terre. Mais l'océan était imprévisible. Et la malchance était chose commune dans sa famille. « Les pincements, ça me dérange plus du tout. »

Plus tard dans la soirée, tandis que sa mère déroulait des journaux supplémentaires sur la table de pique-nique dans le jardin derrière la maison, Jimmy regarda l'oncle Monroe plonger les crabes dans une marmite rouge d'eau bouillante à la cuisine. Il contempla leur danse frénétique et le lent changement de couleur. Jimmy ne pensait pas pouvoir y goûter mais son appétit le trahit. Il mangea très bien ce soir-là.

Le lendemain matin, sa mère accompagna l'oncle Monroe chez Stingray, une petite gargote de fruits de mer locale, où elle répondit à une offre d'emploi comme serveuse.

« Autant commencer quelque part, déclara-t-elle. Inutile d'attendre. »

Un jour après que sa mère eut commencé à travailler chez Stingray, Jimmy emprunta le vieux vélo brinquebalant de l'oncle Monroe et parcourut les dix kilomètres jusqu'à Fort Pulaski. Il n'en dit rien à Nancy, de crainte qu'elle s'inquiète de la circulation sur l'autoroute 80. Il acheta un ticket d'entrée et prit des photos qu'il enverrait à Boone McAllister et Lukas Falls. Ses amis lui avaient écrit qu'ils lisaient *À l'Ouest, rien de nouveau*. Il leur répondit par une lettre où il était question d'un soldat confédéré dont le fantôme hantait Fort Pulaski la nuit, à la recherche de sa tête. Après la visite, Jimmy pédala sur les sentiers de terre autour du fort, croisant des plantes, des fleurs et des oiseaux dont le chant paraissait tropical, étranger. *Ces espèces d'oiseaux n'existent pas à Portsmouth*, écrivit-il à Lukas et Boone. Il rentra à la maison à vélo, coiffé d'un vieux chapeau de paille de pêcheur appartenant à son oncle, et pour la première fois, cet après-midi-là, il ne se sentit pas incommodé par la chaleur.

En rentrant de chez Boone un soir, peu avant leur départ de Portsmouth, Jimmy avait entendu une voix reconnaissable, celle de son père. Il s'était retourné, et voilà qu'il voyait Jimmy Senior déambulant dans la rue avec ses acolytes pompiers, transpirant tous la joie, l'alcool et une kyrielle de dépravations diverses. *La diversion,* avait dit son père qui avait asséné une claque dans le dos d'un ami. *Faites en sorte que votre femme soit inquiète en permanence, et elle reviendra toujours. Un cheveu d'une autre fille, un numéro qui n'a aucun sens pour vous mais qui veut tout dire pour elle. Et leur assurance se transforme en torrent de larmes. J'ai jamais connu de femme qui ne doute pas d'elle.* Tandis que Jimmy Senior parlait, une femme s'accrochait à son bras, une autre rousse – une femme qui devait être sa mère, Jimmy avait essayé de s'en convaincre l'espace d'une demi-seconde. Sauf que ses vêtements faisaient plus jeunes, plus moulants. Un pull rouge assorti à sa chevelure et un pantalon de ski. Jimmy avait regardé autour de lui et au-dessus, s'attendant presque à voir un télésiège mais il n'y avait pas de télésiège à Portsmouth.

Jimmy Senior appela une fois depuis Fresno. « Fresno, c'est l'enfer, avoua-t-il à Nancy. Moi, j'ai le désert. Toi, tu as la plage. »

Le père de Jimmy ne parla pas de se remettre avec elle. La mère de Jimmy ne parla pas de divorce. « Tybee Island est jolie, dit Nancy. J'aime cette partie de l'Atlantique. Les gens sont simples et gentils.

— Tu es encore dans cette phase de lune de miel où tout est rose. Attends d'apprendre à les connaître.

— C'est exactement ce que je vais faire, je crois. Attendre. » Elle s'autorisa à employer l'accent traînant du Sud.

« Passe-moi mon fils, s'il te plaît.

— *Ton* fils ? C'est *moi* qui porte les vergetures, s'esclaffa-t-elle.

— Eh bien, à ton retour, Nancy, tu me trouveras avec du beurre de cacao.

— Qui te dit que je vais revenir ? »

Le père de Jimmy ricana et quand Jimmy prit le combiné, il lui dit : « Jimmy, n'oublie jamais : le monde privilégiera toujours une brute à un imbécile. Et ta mère est une imbécile.

— Tu me manques, Papa », dit Jimmy en regardant sa mère. L'expression sur son visage lui fit comprendre qu'il était Judas. Et qu'elle était le Christ. Il ne pouvait pas savoir qu'une année à peine s'écoulerait avant que son père ne déménage à Huntington, Long Island, et ne les fasse venir là-bas. Ce serait la plus longue période stable et salariée de Jimmy Senior. Son fils obtiendrait son diplôme au lycée de Huntington et une bourse d'étude lui permettrait de s'inscrire à l'université du Michigan.

« Jimmy boy, je crois que j'ai besoin d'aller faire une sieste, déclara Jimmy Senior. C'est l'heure de refoutre à l'endroit ce que j'ai foutu à l'envers. »

La marée du soir montait et Jimmy retroussa son pantalon beige avant de patauger jusqu'aux genoux dans l'Atlantique. Il n'avait pas nagé dans cet océan depuis leur arrivée à Tybee Island. La grève était plane, le sable doux et fin. Sur la pointe des pieds, Jimmy avança dans l'eau et l'océan tiède lui répondit en envoyant une superbe vague qui lui fit perdre l'équilibre et le fit tournoyer dans un rouleau, le défiant de reprendre son souffle. Dans les entrailles du courant aux abords de Tybee Island, Jimmy ne releva pas le défi. Il ordonna à ses muscles de se détendre, à son foutu cerveau de se calmer jusqu'à ce que l'océan finisse par le relâcher. Il remonta à la surface et inspira l'air frais. Il avait oublié. Il avait oublié à quel point il nageait bien. À quel point il était agréable de... *nager.*

James Samuel Vincent ouvrit les yeux, il était de retour dans sa chambre des soins intensifs neurologiques au Columbia Presbyterian. « Ma petite-fille ? » essaya-t-il de demander à Beverly, la divinité noire. Mais ses paroles émergèrent brouillées : « MAPATAFAILLE. »

Le visage flou de Dieu s'approcha de lui. Il dégageait des effluves de tabac. Donc, Dieu fume, songea-t-il.

« On était inquiets », dit Beverly.

Donc, Dieu s'inquiétait. Cela signifiait-il que lui, James Samuel Vincent, était destiné au paradis, ou à l'enfer ? Il cilla une fois encore, essayant de lire l'expression sur le visage de cette divinité inconnue. Elle ne lui apparaissait pas clairement. Elle était aussi insaisissable que ses pensées. La pièce semblait léviter autour de James, alternant entre un bleu scintillant et un éclat blanc aveuglant.

« MAPATAFAILLE », essaya de nouveau James.

Beverly Christie, habituée aux effets étonnants des antalgiques sur les personnes âgées, se pencha et répondit : « Rufus et Claudia arrivent. »

Ruff, prononça l'esprit de James. *Mon fils Ruff*. Mais ses lèvres lâchèrent : « Mrouf Wouf. » Il comprit alors que sa bouche était bloquée. Étouffée dans du plastique. Il était sous aide respiratoire. À cette prise de conscience soudaine, James se débattit et agita les jambes.

« Vous avez fait une mauvaise chute, dit Beverly. Vous vous êtes cogné la tête. »

Il était vivant, donc. Mais ses membres ? Pourquoi n'arrivait-il plus à bouger ses membres ?

« Vous avez été transféré au Columbia Presbyterian, expliqua Beverly. Adele est avec les enfants. »

James sentit quelque chose. Un picotement. Une piqûre. *Nom de Dieu. Seigneur. Mon Dieu.* Les larmes furent plus fortes que lui. Il n'avait pas pleuré depuis plus de trente ans. Et pour qui pleurait-il, d'ailleurs ? Pleurait-il pour lui-même ?

« Winnnnn », dit l'homme James.

Et Beverly le comprit. Elle caressa ses cheveux argentés et murmura : « Winona et Elijah vont être tellement contents. Ils demandent de vos nouvelles. On leur a dit que leur Bubby dormait aussi profondément que Rip Van Winkle, mais pas pour cent ans. »

Acte premier

1971   1980   1990   2000   **2009**

Des paroles prononcées dans le jardin de notre maison du Bronx, notre petit lopin de terre où des tomates poussaient en pots et des concombres s'accrochaient à la clôture grillagée que nous partagions avec notre voisin italien, Alfredo « Freddie » Maddalone. *Lance les pièces. Où sont Rosencrantz et Guildenstern ?* Ma mère, Agnes, jure que mes premiers mots d'enfant ont été *Où sont les pièces ?* J'étais à genoux et elle venait d'arroser le rôti du dimanche dans notre cuisine américaine bleu sarcelle. Beverly et moi tapions sur des casseroles et des poêles quand j'avais dit : *Où sont les pièces ? Lancez les pièces, Rosencrantz et Guildenstern.* Je n'avais pas encore deux ans et elle avait été terrifiée de m'entendre prononcer ces paroles aussi distinctement. Étant originaire du Sud, autrement dit superstitieuse depuis son tout premier souffle, elle avait pensé *Seigneur, quelque chose ne tourne pas rond chez mon bébé. Ce n'est pas naturel qu'un enfant assemble des mots pareils.* Mais elle s'était souvenue alors que mon père, qui avait repris la mer, nous avait lu une pièce de théâtre à la place de *Ferdinand le taureau* ou de *Bonsoir lune,* à Beverly et moi.

61

Il va falloir que je parle à Eddie à son retour, avait dit ma mère. Mon père était à bord d'un porte-avions militaire dans le sud de la mer de Chine. C'était sa dernière mission au Vietnam.

Ma mère avait appelé M. Maddalone pour qu'il m'entende répéter ces mots, car elle savait parfaitement que ses amies penseraient qu'elle se vantait. M. Maddalone et sa défunte épouse avaient enseigné l'italien à Agnes, mais aussi la recette des *pasta e fagioli,* du homard à la sauce vénitienne (une pincée de noix de muscade, juraient-ils) et des *pizzelle* dans une machine à gaufres. Après le décès de sa femme, M. Maddalone avait continué à préparer des *pizzelle* chaque dimanche et à les apporter chez Agnes, emballées dans du papier sulfurisé.

Parle, Claudia, m'avait encouragée ma mère. *Dis-le. Encore une fois. Claudia, parle.* Mais je n'avais rien dit. C'est Beverly qui s'était juchée sur la tortue en plastique du bac à sable avant d'arracher sa robe d'été et sa culotte. Elle avait agité ses hanches de bébé, claqué ses cuisses potelées et chanté *Ride Captain Ride* sous les rires de M. Maddalone alors que ma mère se précipitait pour la rhabiller.

IRA ALDRIDGE AS "OTHELLO."

« Eh bien, Agnes, avait dit M. Maddalone en riant. L'avenir semble tout tracé pour vous. Une de vos filles est poète. Et l'autre est sûrement exhibitionniste. »

Je ne suis pas devenue poète. Je suis devenue universitaire. Je fais du trafic de Shakespeare et de l'homme ordinaire. Je suis titularisée et il y a une liste d'attente pour assister à mon cours. Mes séminaires débutent généralement par un portrait de William Henry Brown, propriétaire de bateaux à vapeur retraité et originaire des Antilles qui, en 1816, avait fondé le premier African Grove Theatre dans le centre de Manhattan.

Je l'accompagne de photos du théâtre du Globe sur la rive sud de la Tamise. Je pose cette question : « Qui peut revendiquer Shakespeare ? » Je recrée de mon mieux l'univers de Shakespeare à l'attention de mes élèves. Cet *autre* Londres. Divisé par la Tamise. Les riches traversent par bateau. Les citoyens ordinaires se laissent porter par leurs deux pieds sur le pont de Londres. Des artistes de théâtre. Dans mon esprit, des exilés, plutôt. Qui travaillent pour de maigres revenus. Qui bravent des épreuves improbables afin de parfaire leurs talents. Bankside, libre de la surveillance aiguisée du gouvernement en place. Imaginez la pollution. La misère. Et la puanteur. Les jeux d'argent. Les arnaques. La prostitution. La mort qui guette à chaque coin de ruelle sombre. Remerciez Dieu que les tavernes existent. Les seuls endroits où femmes et hommes de labeur peuvent boire et manger à satiété. Ou partager un grand éclat de rire. Tant de racaille, diriez-vous. Mais ha ha ! C'est pourtant là que se trouve l'action. C'est à cette encre que notre Barde trempe sa plume. Où ses acteurs jouent. Shakespeare ne peut pas se permettre d'enfoncer la tête dans le sable. Le spectacle doit véritablement continuer. Il a en permanence des délais exigeants. Il apprend à travailler vite. Son public arrive – la majeure partie des spectateurs n'a aucune instruction – et veut un bon spectacle. Ils apportent des fruits pourris et de la viande avariée. Allez. Fais-nous rire. On est restés debout toute la journée. On veut bien rester debout encore un moment. Montre-nous le bouffon. Le roi assassin. Le prince misérable. La reine au cœur de pierre. Et que Dieu te vienne en aide si on a le malheur de s'ennuyer. Un contrat est passé entre Shakespeare et son public. Il est, après tout, fils d'un commerçant en fourrure. Il entraîne avec lui quiconque est disposé à voyager. Il consent du moins à vous retrouver à mi-chemin. J'ai appris, au cours de mes années d'étude, que chacun peut trouver son compte dans Shakespeare. Bien entendu, Rufus préfère l'histoire « des pièces ». Sa narration fonctionne plutôt bien auprès de nos amis universitaires. Mais nous avons traversé l'Atlantique pour les vacances d'hiver et sommes venus nous installer dans un coin isolé de la Bretagne. Ici, l'histoire de mon mari ne trouve nulle part où s'enraciner. Ses anecdotes n'ont aucun terreau fertile. Et le terreau fertile est capital, paraît-il, il apporte l'eau et les nutriments qui limitent l'érosion. Et qui permettent la maturation des nouvelles plantes.

Nous sommes dans un village du nord-ouest de la Bretagne, dans le département du Finistère. Nous sommes venus faire des recherches sur les contes populaires gaéliques et les traditions celtes. Nous logeons dans une modeste ferme du XVIIᵉ siècle aux étroits couloirs, aux petites portes et fenêtres conçues pour économiser l'électricité et conserver la chaleur. Nous sommes venus écouter les cousins de Rufus, Guy et Estern LeComte, qui parlent cette langue ancienne. Mon mari a prévu d'écrire une interprétation moderne de *Croyances féeriques des contrées celtes* de Walter Y. Evans-Wentz, et des *Contes populaires de la Haute-Bretagne*, rédigés par le folkloriste du XIXᵉ siècle Paul Sébillot. Mais il y a eu très peu de temps d'écriture et beaucoup de mise en scène. Rufus suit partout les fermiers rabougris avec sa caméra 8 mm.

Quand nous sommes arrivés dans le Finistère, j'ai regardé à gauche et à droite, observant l'impressionnante immensité de la lande, et j'ai murmuré à Rufus : *Enferme-moi dans une chambre et je me couperai bientôt les cheveux.* Le Finistère porte bien son nom en français, puisqu'il signifie le bout du monde, et, Dieu m'en soit témoin, c'est exactement la sensation que cela donne.

« Laisse-lui une chance, à cet endroit, Claudie ! avait répondu Rufus dans un murmure. Ce n'est pas si morne que ça. On aura plein de temps pour manger, dormir et baiser. »

Il n'existe aucun problème au monde que Rufus ne pense pouvoir résoudre par un cunnilingus. Cet acte lui est synonyme de rumination, de relaxation – de distraction. Une cuisse en guise d'oreiller. Un endroit où poser la tête et faire une sieste.

« Et qui va s'occuper de Winnie et d'Elijah ? » La question est incisive. Une pique – même si elle n'est pas totalement injustifiée. Ces derniers temps, je suis pleine de piques. Elles me prennent toujours au dépourvu. Comme une carence en vitamine D.

« On s'occupera nous-mêmes de nos foutus enfants, rétorque Rufus, ses joues et son visage pâles rougissant soudain. On s'en occupera, *nous*. »

En août, notre fille de cinq ans, Winnie, a failli se noyer dans la piscine du père de Rufus à Amagansett. Les ambulanciers lui ont fait du bouche-à-bouche pour la ranimer. Rufus et moi passions quelques jours relaxants dans le sud de la France après un séminaire sur Joyce à Dublin. Nous étions en train de manger une *socca* (une galette aux pois chiches) quand Rufus avait reçu l'appel de sa belle-mère. Je ne mangerai plus jamais de socca. On a réussi à sauter dans un avion pour JFK le soir même. Pendant le vol, je suis restée assise à fulminer et à penser que si mon père était encore en vie, ma mère ne serait jamais allée s'installer dans le comté de Buckner, en Géorgie. Si le cancer n'avait pas étiolé mon père et ne l'avait pas transformé en ce maigre homme de paille, il aurait pu réciter les répliques de Rosencrantz et Guildenstern à ses petits-enfants. *Winona ? Elijah ? Où sont les pièces ? Vous voulez bien lancer les pièces à Papy ?!* À l'hôpital de Columbia Presbyterian, ma sœur Beverly – une infirmière d'État aux tendances exhibitionnistes – nous a accueillis avec une rage fulgurante : *Voilà ce que ça donne. Vous avez préféré les leur confier à eux, plutôt qu'à nous,* avait-elle dit. *Vous et votre trip de statut social. Elijah m'a déjà raconté tout le bazar. Pendant que Winnie buvait la tasse, tes beaux-parents sirotaient un martini.*

Maintenant, Winnie se réveille la nuit en hurlant et en battant des bras, et elle cherche à attraper un « machintruc qui flotte, une bouée roseroserose » ! Elle refuse de s'approcher d'une piscine. Était-ce un accident ? Absolument. *Évidemment.* Mais Rufus et moi avons dû expliquer à son père et sa seconde épouse, Adele, qu'on ne peut pas mélanger la piscine, les martinis et les enfants. Ces temps-ci, nous subissons d'importantes tensions. Le genre de tensions qui – j'ai pu le voir avec mes amis – poussent à la séparation les couples moins soudés.

Le Finistère en janvier n'est habituellement pas aussi impitoyable, nous a-t-on assuré. Pendant les mois d'été, c'est le secteur de la Bretagne où les touristes viennent batifoler, gambader et savourer les températures clémentes. Jusqu'à présent, je n'ai trouvé aucune clémence ici. Ne suis-je pas d'humeur ? Franchement non. Mes humeurs sont maussades comme les nuages au-dessus de ma tête. J'emmitoufle Winona et Elijah dans des bonnets, des écharpes, des pulls en laine épaisse sous leurs parkas. Nous arpentons les champs désolés où le printemps verra pousser des artichauts et des choux-fleurs. Nos jumeaux sont pleins d'énergie et ont besoin d'activité physique. Ils s'élancent devant moi et baptisent des nuages au hasard.

Chouette

Cerf

Baleine

Licorne

Homme

Très peu de neige, qui se déposera à peine sur vos manteaux pendant votre promenade. C'est ce que nous ont dit les vieux cousins, aux premiers flocons. La neige a vite fondu mais le froid s'attarde et menace d'abîmer les récoltes de Guy et Estern. Je jette un coup d'œil par-dessus mon épaule. Et où est mon mari ? Rufus est à la traîne, comme d'habitude, et n'est plus qu'un minuscule point noir dans les champs. Il avance d'un pas tranquille, en conversation animée avec Guy et Estern. Il lève et baisse les bras. Guy et Estern LeComte sont-ils vraiment les cousins de mon mari ? Je suis certaine qu'ils sont amants mais comme j'ai refusé de prononcer le moindre mot en français depuis que nous avons posé le pied dans le Finistère, je ne vois aucune manière polie d'aborder la thématique de la sexualité avec eux.

Pendant les mois d'hiver, Estern prépare les repas dans la cheminée. Un feu d'artifice crépite dans l'âtre. Le dîner de ce soir consiste en un gigot d'agneau à la broche. Nous nous rassemblons pour regarder le bois brûler et cracher des étincelles rouges, bleues et orange. Winona et Elijah font semblant de camper dans le Maine, ils supplient Estern et Guy de leur donner des chamallows à griller et de raconter des histoires traditionnelles que Rufus enregistre avec sa caméra. Je rappelle aux enfants qu'ici, il n'y a pas de chamallows grillés. La nourriture à la ferme est d'une élégance simple. Le jus succulent de l'agneau goutte dans une poêle en fonte qui parfumera les rutabagas, les pommes de terre et les blettes. Je suis chargée de préparer le dessert et je m'essaye à la recette des pommes aux groseilles, au sucre et au beurre noisette. Je suis installée en bout de table, je pèle et vide les pommes vertes et dures tandis que Rufus interroge Guy et Estern. Afin de divertir les enfants, Guy noue un mouchoir devant ses yeux et devient saint Hervé, le moine aveugle qui aimait les animaux et avait apprivoisé un loup pour labourer ses champs. Rufus traduit, l'air si jeune, accoudé à la table fendillée de ses cousins récemment retrouvés, essayant de ne pas envahir leur espace. Elijah et Winnie lancent des os d'agneau aux quatre bâtards qu'ils ont surnommés *Tous Les Chiens*, au grand ravissement des deux vieillards.

Les cousins de Rufus font un effort pour m'inclure dans la conversation. Ils parlent plus lentement. Je réponds en anglais. Quand je les regarde – oui, oui, ma petite minute égocentrique – je pense à mon défunt père, Edward Christie, et à mes « oncles » Levi, Reuben et Jeb : des hommes qui ont grandi dans la ségrégation raciale du Sud et des lois Jim Crow, et qui se sont installés dans des grandes villes américaines. Jamais, pour tout l'or du monde, ils n'auraient voulu d'une existence semblable à celle de Guy et d'Estern, mais il est bien possible que les deux fermiers français leur survivent tous.

La Bretagne se dépeuple, d'année en année. Les jeunes ne veulent plus devenir fermiers et partent vers d'autres ailleurs. Les anciens, qui ont passé leur vie à la ferme, restent et meurent. Et quand leurs enfants vendent, les élégantes fermes en pierre deviennent des résidences secondaires.

« On pourrait racheter la ferme », annonce Rufus après le dîner. Nous faisons la vaisselle dans la cuisine de Guy et Estern.

« Tu as déjà trait une vache ?

— Oui, répond Rufus. Dans le Vermont, pendant un camp d'été à la ferme. J'ai passé huit semaines à traire des vaches.

— C'était pour de faux. »

Rufus plonge une assiette dans l'eau et crée des vaguelettes. Il rince la mousse et me pose l'assiette entre les mains pour que je la sèche. Alors que je m'exécute, je note dans mon esprit les ustensiles pratiques qui manquent dans la cuisine de Guy et Estern. Un ouvre-boîte électrique. Des maniques et des torchons neufs. Un assortiment de couverts corrects, aussi. Je leur enverrai un colis à notre retour à New York. Les deux fermiers louent un étal au marché du village, en été. Ils vendent aux touristes qui débarquent d'outre-Manche des artichauts dans des petits bocaux en verre, des carottes marinées et du chou-fleur, ainsi que du beurre frais aux épais cristaux de sel. Ils pratiquent le troc afin de ne pas payer d'impôts sur leur ferme délabrée de trois pièces.

« Et *toi*, tu as déjà trait une vache, Claudie ?

— Les vaches, je les mange. Il faudrait aussi que je prenne leur lait ?

— Petite maligne. » Il se penche et me dépose une bise sur la joue. « Tu veux monter t'amuser un peu ?

— C'est bien pour ça qu'on ne pourra jamais avoir une ferme, lui dis-je. On se noierait dans nos trop nombreuses distractions. » Rufus grimace au verbe *noyer* et je me rends compte que j'ai lancé une autre pique, malgré moi.

Je suis fils unique, dit Rufus. *Et quand mes parents partiront, je n'aurai plus personne d'autre que toi, Claudie, et les enfants. Je ne connaîtrai pas ma famille.* Parfois je lui réponds : *Mais moi, j'ignore d'où vient ma famille, à part qu'elle vient d'Afrique, et ça pourrait être n'importe où sur le continent.* J'avais un ami qui a voyagé au Ghana et s'est arrêté sur le rivage devant un des quarante forts où l'on vendait les esclaves enchaînés avant de leur faire traverser l'Atlantique. Mon ami, qui voyageait avec un groupe de sa paroisse, se rappelle s'être rangé en ligne avec les autres sur le port, où un historien local les a détaillés de la tête aux pieds et a déclaré : « Vous, vous venez de l'Est, et vous, vos ancêtres venaient du Nord, et les vôtres du Sud, et vous, vous êtes originaire de l'Ouest. » Mais je ne suis jamais allée là-bas, moi. Personne n'a prélevé ma salive à l'aide d'un coton-tige, ni analysé mon ADN pour m'indiquer un vague point cardinal. Aucun élément de l'Afrique ne s'est encore solidifié en moi.

Nous avons retrouvé le père de Rufus en décembre chez V&T, une pizzeria à quelques rues de notre appartement de l'université de Columbia. Nous avons commandé deux pizzas extra-larges au pepperoni et avons regardé le fromage et la sauce déborder de la fine croûte.

« Les enfants nous manquent, à Adele et moi », dit James en enlaçant Elijah et Winona. Les enfants n'ont pas perdu une seule seconde et ont grimpé sur la banquette à côté de lui.

« Comment se passent les réunions aux Alcooliques anonymes pour Adele, Papa ? demanda Rufus.

— Vous ne devriez pas nous punir pour ce qui était un véritable accident, dit l'homme James. Claudia, fais-lui entendre raison, s'il te plaît. Nous avons été punis.

— James, rétorquai-je. Je préfère ne pas discuter de ça devant les enfants.

— De nos jours, lâcha-t-il en secouant la tête, les gens traitent les gamins comme s'ils étaient en sucre. Les gamins ne fondent pas.

— Ça, c'est vous qui le dites. » Je souris et coupai ma pizza avec mon couteau et ma fourchette. Question physique, James est un canon. Un Gregory Peck dans ses vieux jours. Une crinière de cheveux à peine gris et des yeux bleu acier qui déshabillent les femmes sans que cela soit désagréable, compte tenu du visage qui les déshabille. Je l'ai senti me déshabiller une ou deux fois. Il a offert à Winona un immense cahier de coloriage de chez Putumayo sur le thème de l'Afrique et d'épais crayons pastel aux couleurs insolites comme aubergine. Des enfants chevauchaient des girafes dans la savane. Des zèbres broutaient. Des autochtones en tenues exotiques jouaient de la guitare et du tambour. Winnie était ravie et captivée. C'est une mordue de coloriage.

« Des tickets pour toi, annonça James en se tournant vers Elijah. On va aller voir le match de basket à Columbia. »

Grand-père et petit-fils levèrent le bras pour toper dans leur main avec souplesse.

« Papa, dit Elijah. Papy nous a pris des billets pour aller voir le match de Columbia contre Princeton. »

« Super. C'est super. » Rufus changea de sujet : « Tu sais que Maman s'est fait une frayeur ? »

L'homme James ne parle jamais de sa première épouse, Sigrid. « Et alors, elle va mourir ou survivre ? Elle est partie ou elle est encore là ?

— Je crois qu'elle va survivre, James », répondis-je. *L'amour* – c'est l'amour de mon mari pour sa mère qui m'a convaincue de l'épouser, bien que, ces derniers temps, j'aime Rufus un peu moins souvent. Je pourrais aimer Rufus davantage.

« Elle va survivre, intervint Rufus. Une *frayeur*, par définition, implique qu'elle a frôlé le pire – qu'elle a survécu au pire – à moins que ta question ait une portée existentielle.

— Ne me joue pas ton numéro de Joyce, fiston », avertit l'homme James. Rufus est un universitaire spécialiste de Joyce. L'homme James a enseigné le droit à Columbia pendant de nombreuses années, établissement où il avait luimême étudié. À plusieurs reprises, il a insinué de manière assez évidente que nous devions nos postes titularisés à son enseignement et à son historique dans cette université. Il grignote sa pizza à l'ancienne, pliant la croûte en deux comme un sandwich.

« Elijah, Winona, soupirai-je. Vos serviettes sur les genoux. Vos *serviettes*. »

Rufus fit signe à Elijah et Winona de se glisser sur la banquette entre nous. Mais Winona était captivée par son coloriage et Elijah secoua la tête : *non*.

« Vous voyez ? dit l'homme James. Ils aiment leur papy. » Il se pencha et pinça la joue d'Elijah. Notre fils ressemble à l'homme James. Il marche comme lui et parle comme lui.

« On espérait, Adele et moi, que vous pourriez venir à la maison le matin de Noël. Ouvrir les cadeaux de Winnie et d'Elijah avec nous. »

Les enfants gardent le silence. Ils sont attentifs. L'homme James leur a manqué. Les paroles de ma sœur me reviennent pourtant et me heurtent de plein fouet. J'ai commis une erreur en laissant Winnie et Elijah tisser des liens plus forts avec les parents de Rufus qu'avec les miens.

« On va passer le matin de Noël avec la sœur et la mère de Claudia, cette année », dit Rufus. Il chercha à me prendre la main, que je lui donnai avec plaisir.

« L'après-midi de Noël, alors, persista James.

— Tu es au courant du projet qu'on a, Maman et moi ? » Rufus saupoudra sa pizza d'origan. « Maman et moi, on retrace notre arbre généalogique. Grâce à elle, j'ai retrouvé la piste de cousins éloignés en Bretagne. Elle va prendre un avion depuis la Californie pour se joindre à nous à Noël, elle aussi.

— Donc je suis exclu. Pas de Thanksgiving ? Pas de Noël ?

— Papa, on est ensemble maintenant. Profitons-en.

— Les enfants manquent à Adele, une maison sans gamins à Noël…

— Mais Adele est juive, non ?

— Tu te montres insolent, Rufus ? Je croyais t'avoir élevé mieux que ça, dit James en rougissant. Il y a beaucoup de Juifs qui célèbrent Noël. Nous, on fête Hanoukka et Noël cette année.

— La question n'est pas la judaïté d'Adele.

— Alors pourquoi en avoir parlé ? »

Rufus épongea l'huile sur sa part de pizza à l'aide d'une serviette en papier.

« Je n'ai pas envie de fêter Noël avec *vous*. Et voilà que tu veux jouer les papys poules ? Et on est censés être contents ? Je t'ai donné la responsabilité de mes enfants et Winnie a failli se noyer. »

L'espace d'un instant, le silence régna. La pizza coagulait. « Peut-être le lendemain de Noël, Rufus ? » suggérai-je.

Adele adore Elijah et Winona. Le premier mari d'Adele – elle m'a raconté quelques anecdotes – jouait des poings. Quand on y pense, elle n'a pas perdu au change. L'homme James est plutôt affectueux.

« Je vais voir ce que veut faire ma mère, déclara Rufus avant de mâcher sa pizza avec lenteur.

— Alors c'est décidé, dit l'homme James. Je ne peux pas parler à la place de la Bretagne tout entière, mais vous savez que les Français ont la réputation d'être antisémites. Quand Adele et moi sommes allés à Paris, elle m'a dit qu'elle ne s'était jamais sentie aussi juive. Elle n'est pas pratiquante mais on s'est retrouvés à parcourir le vieux quartier du Marais pour essayer de supporter les Français.

— Je suis désolé, Claudie, dit Rufus. Mais je n'arrive pas à croire que ce connard qui a traité nos enfants de mulâtres m'accuse maintenant d'être antisémite.

— C'est quoi un mulâtre, Papa ? » Elijah a cinq ans, il est de dix-sept minutes plus âgé que sa sœur Winnie. Le concept de race et de couleur n'est pas une composante de l'équation. Pas encore. À chaque fois que je repense à cette soirée chez V&T, je me dis : *Un jour, Elijah ne sera plus aussi innocent.*

« Rien du tout, répondit Rufus.

— Papy nous a traités de *rien du tout* ? » demanda encore Elijah.

Winnie leva les yeux de son coloriage et la pointe de son crayon déborda des contours de la girafe qu'elle remplissait.

« Elijah, murmurai-je. On parlera de tout ça quand on sera rentrés, d'accord ? »

L'homme James se tourna vers Elijah.

« *Mulâtre*, c'est un ancien terme pour décrire les gens d'origines mélangées. C'est un mot que j'ai dû apprendre à ne plus employer. C'est... désuet. Blessant. Et je ne le savais pas.

— On peut avoir l'addition ? demanda Rufus.

— Les enfants n'ont pas fini de manger, répliqua l'homme James. Laisse manger les enfants. »

De ma main gauche, je serrai fort celle de Rufus et je croisai le regard de la serveuse qui débarrassait le box voisin. Plus tard dans la soirée, Rufus se roulerait en position fœtale sur le sol de notre chambre. Il dirait qu'il est intolérant au lactose et qu'il n'aurait pas dû manger de pizza. Je lui poserais une bouillotte d'eau tiède sur le ventre et la déplacerais de façon circulaire. Je lui dirais que tout est possible. Nous vivons dans une époque d'allergies et de maladies auto-immunes. C'est le millénaire de l'anxiété.

« Tu penses que tu dois forcément aller en France pour retrouver tes origines ? Tu es en partie irlandais, aussi.

— Et ça ne suffit pas que je me sois spécialisé dans l'œuvre de Joyce, Papa ? Tu veux que je sois encore plus irlandais que ça ?

— N'oublie pas que je me suis retrouvé aux urgences après avoir sauvé Winnie. Je ne l'ai pas laissée se noyer. J'ai *sauvé* ma petite-fille.

— Toutes mes félicitations, James Samuel Vincent. » Cette fois, j'intervins aux côtés de mon mari. « Si je n'avais pas déjà bu deux verres de vin, je proposerais de porter un toast. Mais contrairement à d'autres, moi je sais quand m'arrêter. »

L'homme James sembla un instant désarçonné. « Même les meilleurs d'entre nous baissent leur pantalon, de temps à autre », dit-il d'une voix forte.

La serveuse approcha. Elle jeta un regard en coin vers l'homme James.

« Je ne m'adressais pas à vous, jeune femme », ajouta James.

J'étais assise à l'extrémité de la banquette et Rufus me poussa presque pour sortir. « Claudie, allons-y, je t'en prie.

— Moi, j'ai baissé mon pantalon il y a environ quarante ans. »

Winnie écrasa la paume de sa main sur la table et s'esclaffa. « Papy a baissé son pantalon ! » Son rire explosif résonna comme une douce mélodie à nos oreilles. Rufus et moi affichâmes un sourire. Un sourire de parents inquiets. La serveuse s'éloigna en vitesse avec l'addition.

« Et qu'est-ce que ça veut dire exactement, Papa ?

— Tu vas à beaucoup de conférences, tu finiras toi aussi par baisser ton pantalon... Si tu ne l'as pas déjà fait.

— Sans déconner... dit Rufus. Devant ma femme et mes enfants. Tu me dis *ça* maintenant ?

— Les enfants. Claudia. Bouchez-vous les oreilles. » L'homme James se leva de sa banquette et posa les mains sur les épaules de Rufus. Par la grande baie vitrée, les étudiants de Columbia allaient et venaient sur le trottoir. Les éclairages de Noël scintillaient. « Tu n'es pas obligé d'aller jusqu'en Bretagne pour rencontrer des cousins que tu n'as encore jamais vus. Ruff, tu as un demi-frère à Raleigh, en Caroline du Nord. Hank Camphor, c'est son nom. Hank. »

Il fallut quelques secondes à Rufus avant d'enregistrer les paroles de l'homme James. Il traversa le restaurant et appuya son front contre la vitrine. Quand il se retourna, il riait aux éclats. Il sortit de chez V&T sans cesser de rire et lança : « Ne t'approche pas de ma famille, Papa. Ne t'approche pas de moi. »

Et c'est ainsi que nous sommes venus jusque dans le Finistère. Mon mari refuse de parler de Hank Camphor qui vit en Caroline du Nord et il ne répond pas aux appels téléphoniques de son père. Presque tous les jours, je me lève alors qu'il fait encore nuit noire dehors et je remue les braises du feu fatigué d'Estern. J'attends les cris de Winnie. Ils annoncent le matin et font hurler Tous Les Chiens. Ses cris désorientent le coq. La paix cesse à la ferme à l'instant où Winnie se met à hurler. Rufus est toujours le premier à se précipiter dans la chambre des enfants. Il fonce. Je ralentis.

« Winnie. Winnie. Tout va bien », dit Rufus d'un ton désespéré. Quand j'ai enfin rassemblé le courage d'entrer dans la chambre, je m'assieds à l'autre bout du lit de Winona, loin de mon mari. Mais ensemble, ensemble, nous berçons doucement Winona. Elijah ne se réveille jamais. J'ignore comment c'est possible. Ou bien est-il doué pour faire semblant ? Estern et Guy font une brève apparition dans leurs longs pyjamas en flanelle. Je me demande ce qu'ils pensent de leurs jeunes cousins américains. Rufus leur dit que tout va bien. Que Winnie a juste fait un autre cauchemar.

« Tout ne va pas bien, non », rétorqué-je d'un ton sec à Rufus quand Guy et Estern sont partis.

— Je ne sais plus quoi faire », dit Rufus. Winnie se rendort toujours aussi vite qu'elle s'est réveillée. Elle se rendort, blottie entre nos poitrines, et le lendemain matin elle a oublié ses cauchemars.

« Claudie, qu'est-ce que tu veux que je fasse pour réparer tout ça ? »

Rufus et moi sommes déjà plus âgés que nos parents quand ils ont fondé leur famille. Comparés à nous, ils n'étaient que des bébés. Comme nos amis, nous avons attendu avant d'avoir des enfants. Nous avons attendu – de pouvoir gagner de l'argent. Nous avons attendu – de pouvoir nous concentrer sur nos carrières prometteuses. Nous avons attendu – mais *pour quoi* ? Je me dis que mes parents auraient parfaitement géré la situation avec Winona. Je me dis qu'ils auraient saisi le problème à bras-le-corps. Je me dis qu'on est fatigués. Et les gens fatigués ne peuvent se donner aucun qualificatif – quand ils sont en fuite permanente.

« Rufus, m'entends-je dire. On n'est pas chez nous. On est restés assez longtemps ici. »

ROSEN-CRANTZ and GUILDEN-STERN are DEAD

by Tom Stoppard

Entracte

1969

Voici la pièce de théâtre appartenant au père de Claudia, Eddie Christie. L'ouvrage qu'Eddie avait volé à un officier pendant une permission à terre dans Subic Bay. Le livre qu'Eddie Christie portait dans sa poche arrière à son retour du Vietnam en 1971. La pièce de théâtre qu'il lisait en guise d'histoire du soir à Claudia et Beverly. Le livre que Claudia (une gamine de trois ans qui tentait de se débiner de sa sieste l'après-midi) avait empoigné et dont elle avait déchiré la couverture en son milieu. Une déchirure si nette et franche que le visage d'Eddie Christie, d'habitude joyeux, s'était affaissé, et il avait saisi Claudia par les pieds dans le jardin, si bien que la tête de la fillette ne faisait plus qu'une avec la terre, l'herbe et les fourmis à l'affût des miettes de *pizzelle* de M. Maddalone. Claudia avait senti les fourmis se précipiter dans sa queue-de-cheval et patrouiller sur son cuir chevelu. Elles l'avaient piquée, ou bien n'était-ce qu'une sensation de piqûre. Claudia n'avait pu s'empêcher de hurler. Ses cris avaient attiré Agnes dehors, suivie par sa sœur Beverly qui venait de descendre de la sieste.

Beverly avait pointé l'index : *Claudia, Claudia a déchiré le livre de Papa.*

Ce n'est qu'un livre, Eddie, avait dit Agnes, les larmes aux yeux.

Eddie n'avait jamais élevé la voix sur personne dans leur modeste maison en briques. Il était rentré vivant de la guerre du Vietnam. Il était revenu en un seul morceau, et sain d'esprit. Globalement. Il parlait parfois aux murs. Mais Eddie Christie était globalement, globalement... un homme raisonnable.

Je t'aiderai à recoller les pages, Eddie, avait lancé Agnes. *Les filles et moi, on t'aidera, mais d'abord, il faut que tu me donnes notre enfant.* Eddie avait remis Claudia à l'endroit et tous les quatre étaient rentrés dans la cuisine, s'étaient assis sur les chaises en vinyle rouge éclatant, où ils avaient réparé la couverture de *Rosencrantz et Guildenstern sont morts* de Tom Stoppard, si bien que le livre était presque comme neuf. Eddie Christie avait souri, puis il avait embrassé sa femme et ses filles. « Eh bien, ça alors ! avait-il dit. Mesdames, regardez-moi ça ! »

Acte ~~deux~~

1969

Qu'est-ce qu'il lit, Eddie ?

Qui aurait pensé qu'Eddie était un type instruit ?

Je me suis engagé dans la Navy en 1966. J'étais en deuxième année à l'université.

Eddie, tu es poète ?

Non, j'aime juste lire.

Shakespeare. Regardez, Eddie lit Shakespeare.

J'ai volé le livre à un officier alors que nous faisions escale dans la baie de Subic. C'est la seule et unique chose que j'aie volée de ma vie. L'officier ne cessait de parler de sa femme, sa femme ceci, sa femme cela, et comment sa femme avait assisté à une représentation de *Rosencrantz et Guildenstern sont morts* dans le West End à Londres et lui avait envoyé un exemplaire qu'il puisse lire. Il était assis au bar à boire du scotch et à se vanter à n'en plus finir. Toutes ces vantardises, ça m'échauffait les oreilles, et j'ai commencé à me languir d'Agnes. Certaines de nos épouses étaient occupées à élever nos enfants ou à travailler, elles n'avaient pas les moyens de voyager ou de se divertir. Certaines attendaient un deuxième enfant. Quand il avait détourné la tête, je m'étais approché de lui et j'avais piqué le livre sur son tabouret. Les gros péchés commencent toujours par des petits.

Je me suis engagé dans la Navy pour échapper au Bronx que j'aimais trop : les clubs de salsa, les femmes et l'excitation de rouler à toute vitesse dans Fordham Avenue après minuit au volant de ma Buick Skylark, capote baissée. J'adore rire. J'ai toujours le sourire aux lèvres car j'ai appris très tôt que les emmerdes se mettent toujours en travers de votre chemin. Et que si vous ne savez pas rire, alors que Dieu vous vienne en aide. Je pouvais claquer un salaire entier dans un nouveau costume et une paire de chaussures avant d'aller à une fête au Palladium, à l'Embassy ou au Tropicoro. À l'époque, on ne pouvait pas sortir avec une fille le soir habillé comme un clochard. Il fallait faire de vrais efforts. J'ai fait tellement d'efforts que je me suis fait recaler à l'université locale. Mon père ne parlait jamais espagnol mais bon sang, à ce moment-là, il avait su trouver une sacrée kyrielle de mots à mon intention. Moi qui, avant, ne payais qu'une simple facture de charges, j'ai dû payer un loyer à la maison. Alors que Papa avait déjà remboursé la maison depuis un moment. J'ai compris le message. Et quand un recruteur m'a abordé, je me suis engagé dans la Navy.

Mon père s'occupait des pièces détachées chez Sokolov & Brothers, une manufacture de pianos dans le quartier de Mott Haven, dans le Bronx. Vingt-neuf ans durant, il avait travaillé avec des Allemands et des Italiens qui le pensaient blanc comme eux. Mais Papa était cubain, originaire de La Havane. Peu après son arrivée aux États-Unis, il avait pris une épouse noire et un nom américain. Eduardo Christonelli-Garcia devint Eddie Christie. Puis il avait acheté une maison individuelle dans le sud du Bronx. Je devais prendre sa suite à l'usine mais, quand mon tour est arrivé, les gens n'achetaient plus vraiment de pianos. Ils préféraient aller au cinéma, rester devant la télé ou passer leur temps en discothèque. Mon père tenait les statistiques. *À une époque, on trouvait soixante fabricants de pianos rien que dans le Bronx. C'était comme ça. Le Bronx était la capitale mondiale des fabricants de pianos.* Les gens avaient de tels a priori sur le Bronx. Mais son boulot était là. Il en était fier. Quand j'ai atteint l'âge adulte, l'industrie des pianos était morte et enterrée. Les usines faisaient faillite du jour au lendemain. Sokolov & Brothers a été l'une des dernières à tenir le coup. Lorsqu'elle a fermé ses portes en 1959, mon père a reçu un piano droit et une modeste retraite. Puis il a pris un poste à mi-temps de concierge à mon école.

Au cours de ma première mission en mer, on m'avait affecté comme assistant à la salle de chaufferie (catégorie de salaire E-2). Il ne m'avait pas fallu longtemps pour trouver mes marques. Ou pour me rendre compte que ce n'était pas l'idéal. On nous surnommait les *Snipes*. On travaillait sous le pont. On arpentait les tréfonds du bateau. J'aime le ciel bleu et l'air frais de l'océan. Mais j'avais eu la présence d'esprit de ne pas me plaindre car, au moins, je suivais un apprentissage technique, des compétences qui pourraient m'ouvrir les portes des grades supérieurs. Je m'étais engagé dans le cadre d'un A-4. En termes civils, cela signifie quatre ans. Je voyais au long cours. Content de ne pas être serveur au mess des officiers. Ils imposaient généralement ça aux soldats noirs, et plus tard aux Philippins. Ils nous collaient à la cambuse ou aux cuisines, ils nous faisaient préparer les repas ou laver le mess. Mon cousin Reuben Applewood s'était engagé dans la Navy un an avant moi et m'avait mis au parfum, alors je m'attendais à subir un certain degré d'injustice. C'est peut-être parce que je m'y étais préparé que ça ne s'est pas produit. Lors de ce premier déploiement en 1967, je m'en suis plutôt bien sorti. Les hommes d'équipage, blancs et noirs, ne sympathisaient pas franchement mais ne se complaisaient pas non plus dans une haine mutuelle. On restait chacun dans notre coin, on organisait nos vies à part. Je m'attachais surtout à surveiller que le carburant ne fuie pas et ne fasse pas exploser le navire. C'est une mort terrible. Et cela arrive plus souvent qu'on le pense. Lors de mon deuxième déploiement, ça avait tourné au vinaigre. L'ambiance avait changé. James Earl Ray avait abattu Martin Luther King. Il lui avait pointé une Remington calibre .30-06 en direction du cou et de la tête. Le moment choisi par Ray n'était pas anodin non plus. Le Dr King n'était pas partisan de la guerre. Il avait commencé à faire des remous au sujet de notre présence au Vietnam. Des remous qui ne plaisaient pas à tout le monde. Quand la nouvelle de sa mort s'était répandue dans les bases d'Amérique et du Vietnam, des soldats blancs avaient enflammé des croix. Ils avaient sorti des fûts de bière et avaient organisé des célébrations arrosées. *Communiste. King est communiste* était le leitmotiv. Ces mots-là, bon sang, ça donnait envie d'en découdre. Pas besoin d'être membre des Black Panthers pour péter un plomb, avec leurs conneries. La vie sur l'*USS Olympus* était passée de brûlante et moite à moite et tendue. Parfois, je me retrouvais pris entre les sarcasmes des Blancs et l'exaspération des Noirs. Comme Rosencrantz et Guildenstern, je connaissais le début mais je ne pouvais présager de la fin. Je m'asseyais sur ma couchette avec mon petit bouquin sur les genoux, et je n'écoutais plus leurs conneries. C'est marrant. J'avais pris cette pièce de théâtre en horreur lors de mon premier trajet, je n'avais aucune intention de la lire, mais c'était difficile de trouver des livres sur l'*USS Olympus*. Et qui aurait cru que Rosencrantz et Guildenstern me feraient autant rire ?

ROS : La moitié de ce qu'il a dit voulait dire autre chose, et l'autre moitié ne voulait rien dire du tout[1].

C'était exactement l'impression qu'on avait quand nos politiciens tentaient de justifier cette guerre. Ce bon vieux président Johnson nous avait plongés dedans jusqu'au cou.

Un soir, mon cousin Jebediah Applewood était venu dans mon dortoir, crachant du feu. On aurait cru un taureau enragé. Jeb, Reuben et Levi (le frère cadet de Reuben) ont grandi dans la même maison. Nous sommes cousins du côté de ma mère – détail que nous n'avions pas ébruité dans la Navy, de peur que les officiers nous affectent à des détachements différents, où il serait impossible de nous voir.

« Il faut qu'on fasse quelque chose au sujet de ce fils de pute de premier maître », avait dit Jeb.

Je connaissais bien le premier maître, Nelson « Nelly » Mammoth. L'alcool avait un effet tranquillisant sur la plupart des marins mais le premier maître Mammoth, lui, devenait – comment dit-on déjà ? – pugilistique. On le surnommait Nelly dans son dos car il avait deux personnalités en une. Dans ses fonctions de maître d'équipage, cet abruti n'avait pas d'égal. Il était responsable de la supervision de l'équipe de maintenance du navire et il s'acquittait de cette tâche d'une main de fer. Il n'existait aucune partie de l'*USS Olympus* que Nelly ne connaisse parfaitement. Il surveillait et instruisait les matelots de pont, il s'assurait que les munitions et les missiles soient correctement chargés dans les immenses monte-charges du navire jusqu'au hangar et au pont d'envol. La rumeur voulait

1. Tom Stoppard, *Rosencrantz et Guildenstern sont morts*, traduction de Gérald Garutti, Presses universitaires du Midi, « Nouvelles Scènes », 2017.

qu'il soit capable d'utiliser presque n'importe quel équipement. Et ses fonctions semblaient lui procurer un réel plaisir. Mais le premier maître Nelson Mammoth, lui, c'était une autre affaire. Il prenait un malin plaisir à harceler les marins noirs à propos du Projet 100 000. Il aimait vous demander en quelle année vous vous étiez engagé, savoir si c'était avant, pendant ou après le Projet 100 000 – à l'époque où ils autorisaient n'importe quelle tête de nœud à entrer dans l'armée. Nelly vous faisait passer un test de QI sur place et vous balançait toutes les insultes racistes possibles. Peu lui importait que le programme de recrutement des 100 000 soldats supplémentaires se soit limité à l'armée de terre et aux Marines. Seuls cinq pour cent des marins de la Navy étaient noirs, mais même ce pourcentage était trop élevé à son goût. Quand il s'approchait de moi, dégageant une odeur de bourbon – son alcool de prédilection –, je m'adressais à lui dans un charabia d'italien, de grec et d'espagnol. Alors il sifflait et me disait : « Attends, laisse-moi deviner, tu t'es engagé avant ? » Je ne lui répondais jamais. Pendant dix-huit mois à bord, le premier maître Nelson Mammoth avait pris des notes sur chaque marin noir de l'*USS Olympus*. On était en guerre. Et on était en train de perdre. On aurait pu penser qu'il avait mieux à faire de ses journées. La couleur déformait les perspectives de Nelly, mais la mer y mit fin.

« T'en penses quoi, Eddie ? »

J'interrompis ma lecture et je souris à Jeb. « Je crois que Rosencrantz et Guildenstern devraient se montrer un peu plus habiles. Hamlet ne mord pas à l'hameçon.

— Non, Eddie, à propos de Nelly Mammoth. »

J'ai songé à notre cousin Reuben. Il aurait su exactement quoi répondre à Jeb. « Je ne crois pas qu'il en vaille la peine, Jeb. Enfin, à long terme, on finira par s'en remettre. »

Jeb surplombait ma couchette. Je prenais la couchette du bas pour éviter de me cogner la tête au plafond.

« Hier soir, Nelly a cassé le nez d'un serveur. Ce malade de fils de pute lui a pété le nez simplement parce qu'il avait oublié de servir du foutu ketchup. Et le gamin a trop peur de le dénoncer.

— Pourquoi tu le traites de fils de pute ? Pourquoi tu insultes sa mère ? On ne la connaît pas, cette femme. Peut-être qu'elle est sympa. » Je voulais que Jeb me lâche et me laisse continuer tranquillement ma pièce de théâtre.

Il soupira. Il avait l'habitude de m'entendre déblatérer sur *R&G*. « T'es avec moi, oui ou non ?

— Ça dépend, répondis-je. Je suis toujours avec toi, mais cette histoire n'a rien de nouveau, Jeb. De quoi on parle, *exactement* ? Le gamin va finir son temps, comme nous tous. Et puis il oubliera ces conneries. Je ne sais pas vraiment ce que tu espères accomplir. »

Jeb ouvrit le casier en aluminium à côté de nos couchettes et sortit sa pile de magazines *Jet*. Il lisait les articles mais matait surtout les pages centrales. Je voyais bien qu'il me snobait par son silence. Et que ça continuerait toute la soirée. Nous étions comme des frères, sur l'*USS Olympus*. Aujourd'hui, on ne se parle plus beaucoup. Après la guerre, je suis rentré dans le Bronx et Jeb est retourné en Géorgie. Aux dernières nouvelles, il travaillait comme déménageur et s'était installé quelque part dans le New Hampshire. Mais j'ai reçu une carte postale de lui : *J'avais trouvé la Norvège assez froide mais l'hiver dans le New Hampshire est un sale fils de pute bien glacé.*

Encore à jurer, avais-je pensé. *Encore à jurer.* « Pourquoi tu ris, Eddie ? » avait demandé ma femme.

Nous étions marins de haute mer sur l'*USS Olympus*, un porte-avions de 322 mètres basé à Yankee Station dans le golfe du Tonkin. Un porte-avions, c'est un énorme bâtiment. Il glisse sur les flots les plus profonds de la planète comme si de rien n'était. Il m'arrivait parfois de circuler parmi les différents postes et je m'émerveillais devant les machines. Comprendre leur fonctionnement global m'aidait à dormir la nuit. Au cours de mon deuxième déploiement, on m'avait affecté au pont d'envol. Nous formions une équipe de soutien pour les pilotes de la

Navy qui effectuaient des surveillances et lançaient les attaques aériennes quotidiennes contre les Nord-Vietnamiens.

L'*USS Olympus* accueillait plus de quatre mille marins. Dans certains quartiers, huit hommes pouvaient dormir dans une cabine, tête contre tête. On les entendait ronfler et pleurer et se branler. Parfois, s'ils se fichaient de risquer leur vie, on les entendait baiser. Et ce n'était jamais ceux qu'on croyait. Ça leur prenait soudain, aux mecs, et s'ils étaient de mauvais poil, ils devenaient capables de n'importe quoi. Comme Jeb et moi. Quand on a fini par en avoir marre du premier maître Nelson Mammoth.

Si Reuben avait été avec nous sur l'*USS Olympus*, les choses auraient sans doute tourné différemment. L'été, ma mère m'envoyait dans le Sud. *Pour apprendre à connaître ma famille*, disait-elle. Je passais mes vacances avec Reuben, Jeb et Levi, on jouait au base-ball et on faisait tout un tas de bêtises. Reuben était de deux ans notre aîné, alors, même à cette époque, c'était lui le « sergent », chargé de nous éviter les ennuis. J'avais grandi dans le Bronx avec des voisins très différents et je n'étais pas bloqué dans un nuancier de couleurs noire et blanche, mais quand j'allais dans le Sud, ma mère me faisait toujours le même discours sur Emmett Till. Tout était un raccourci vers Emmett Till. *Je ne veux pas avoir à revenir ici et voir ton visage dans un cercueil, c'est bien compris ?* On en discutait, Reuben, Jeb, Levi et moi. Et on en riait – on ne riait pas d'Emmett, mais de toutes ces choses qu'on n'avait pas le droit de faire sans aucune raison valable, comme nager avec d'autres enfants dans une piscine pleine de chlore. On riait car quand on vient d'ailleurs, qu'on voit réservé aux Noirs par ici, réservé aux Blancs par là, ça n'a aucun sens et on perçoit à quel point la situation tout entière est ridicule. Reuben nous disait souvent : *Dès qu'un Blanc te zyeute de façon louche, choisis ton océan. L'Arctique. L'Atlantique. L'Indien. Le Pacifique. L'Austral. Et garde ton calme.* Chaque semaine, on nous donnait de l'argent de poche pour aller en ville acheter une bande dessinée flambant neuve. Nous devions partager le livre à nous quatre. On le lisait ensemble, puis chacun à notre tour. Mais pour aller acheter nos bandes dessinées, il fallait se rendre à la librairie de Main Street. La propriétaire du magasin Sadie's Fine Books and Whatnots avait un vieux bulldog beige qui s'installait sur les marches de l'entrée. Il bavait, grognait, dévoilait ses crocs jaunes et bloquait le passage, si bien que Mlle Sadie, une grande femme blanche et mince pareille à un oiseau rare, riait et disait *Oh, les garçons, vous venez pour votre bande dessinée, entrez, entrez.* Et Reuben disait, *C'est le moment de prendre la mer. Choisissez votre océan.* Il était le premier à entrer. Et le bulldog bondissait et claquait de la mâchoire quand Reuben franchissait le seuil, et ce dernier faisait de son mieux pour détourner son attention et nous permettre de passer à notre tour sans encombre. Plus d'une fois, le bulldog s'était lancé sur sa cheville ou son tibia, le mordant jusqu'au sang. Et Mlle Sadie sifflait et lançait à son chien : *Viens ici, mon chéri, viens,* puis donnait le livre gratuitement à Reuben qui rentrait en boitant à la maison devant nous, le numéro hebdomadaire de *Flash Gordon* dans les mains.

Une chose est sûre : je dors mal, ces temps-ci.

———————

J'ai la tremblote.

———————

Depuis quand j'ai chopé cette tremblote ?

———————

Le premier maître Mammoth avait une femme. C'est ça qui me dérange le plus, vous savez ? Sa femme et ses enfants. Je pense aux anniversaires et aux fêtes de famille devenus longs et vides après qu'on est passés à l'action et que le premier maître Mammoth a fait le grand plongeon.

Je repense au brouillard, comme il envahissait le navire. Et à la façon dont il avait souri en me voyant fumer une cigarette sur le pont. Il aurait dû savoir que je ne fumais pas. Il aurait dû prendre le temps d'apprendre à me connaître mieux. « Le Nouvel Homme aux Normes anormales », avait-il dit. Ses dents étaient tachées de café. « Qu'est-ce que tu fais ici en pleine nuit ? »

Ses dents jaunes scintillaient à travers le brouillard.

« La vaste mer bleue n'est pas bleue du tout », avais-je dit. Ç'avaient été les dernières paroles qu'avait jamais entendues le premier maître Mammoth.

Ces derniers temps, je reste assis sur ma couchette inférieure et j'écoute les voix qui m'appellent. Qui m'appelle ? J'entends et je vois des choses étranges…

Écoutez, écoutez-moi maintenant. Rosencrantz et Guildenstern sont morts. Je les ai vus arpenter avec nonchalance le pont d'envol de l'USS Olympus sur la mer de Chine. Je les ai vus lancer des pièces, jouer à pile ou face et dire un foutu paquet de conneries. Ils me demandent ce qu'ils ont fait à Hamlet pour qu'il les traite ainsi. Je leur dis la vérité entre deux chargements d'ogives sur les bombardiers A-4 – des bombes qui tueraient les civils et les Viêt-congs sans distinction. Vous avez conspiré avec le roi Claudius. Vous avez été des cafards, les gars. Le prince Hamlet était votre meilleur ami. Vous étiez censés le soutenir, les gars. Et voilà qu'ils sont mécontents et qu'ils me traitent de Maure ingrat. Un Maure ? Eh bien, ça c'est nouveau. Aux dernières nouvelles, je n'étais qu'un homme noir au Vietnam. Homme noir au Vietnam, conduis-nous à Londres, disent-ils. Croyez-moi sur parole, mes frères, il vaut mieux ne pas s'approcher de Londres. Vous êtes sûrs de perdre la tête si vous séjournez là-bas, mais Rosencrantz et Guildenstern se contentent de lancer leurs pièces, de secouer la tête et de dire, Maure, on ne peut pas te faire confiance. On t'a vu jeter le premier maître Mammoth par-dessus bord. Tu es un meurtrier. Toi et l'autre Maure, vous avez assassiné un homme. Vous n'auriez pas dû faire une chose pareille. Et moi, je réponds, Vous pensez que je ne le sais pas ? Puis je compte les minutes jusqu'à la pause-déjeuner et je me hâte d'aller trouver Jeb à la blanchisserie.

« Jeb, dis-je. Rosencrantz et Guildenstern se foutent encore de moi. »

Jeb aime travailler à la blanchisserie. Il dit que faire la lessive lui rappelle le comté de Buckner, en Géorgie. Il m'empoigne par le bras, regarde autour de lui pour s'assurer que personne n'écoute. Il me dit d'attendre devant la cantine des Noirs. On ne mange jamais avec les marins blancs, à moins d'y être obligés. On reste surtout entre nous, Jeb et moi.

« Putain, mais qu'est-ce qui déconne chez toi, Eddie ? » Jeb me retrouve dix minutes plus tard, je bois un café froid. « Tu cherches à nous faire atterrir en cour martiale ? Tu peux pas venir me voir comme ça et parler de Chuck à voix haute. »

Chuck, c'est le surnom que les soldats noirs donnent parfois aux soldats blancs. Ils ont envoyé une mission de sauvetage pour retrouver Nelly mais personne ne sait depuis quand il a disparu. On sait seulement qu'il ne s'est pas présenté au mess des premiers maîtres pour le dîner ni pour le film du soir.

Homme à la mer, ont-ils annoncé. Le premier maître Mammoth s'était mis à boire plus que de raison. Il devenait un poivrot de haut niveau.

« Je veux juste te dire, Jeb… » Ma voix faiblit. « Ils sont *dans* ma tête. »

— Il faut que tu me donnes cette foutue pièce de théâtre, Eddie. Donne-moi cette saloperie de bouquin, prends-toi un exemplaire de *Jet* ou d'*Ebony*. Je suis sérieux, maintenant.

— Jamais de la vie. »

Je veux expliquer à Jeb que, parfois, Rosencrantz et Guildenstern se glissent en douce derrière moi et me chuchotent que Chuck revient à la nage. Je dis Chuck. Ils disent Nelly ? Je dis Nelly. Ils disent Chuck ? C'est comme la guerre. Des cercles à l'intérieur d'autres cercles. Mais cette information se range dans la longue liste de toutes les choses que JEB N'A PAS BESOIN

DE SAVOIR. Chaque soir après le dîner, le capitaine de l'*USS Olympus* annonce dans les haut-parleurs combien de bombes ont été lâchées, cite les hommes qu'on a perdus et les cibles détruites. Jeb se fourre un oreiller sur la tête et montre le mur où il a accroché sa liste : JEB N'A PAS BESOIN DE SAVOIR. Comme la plupart des marins sur ce navire, on n'a jamais posé le pied au Vietnam. Mais j'ai vu des troufions et des pilotes revenir dans des sacs ou avec des membres amputés. J'ai vu les expressions d'outre-tombe sur les visages de certains soldats qui n'arrivaient pas encore à comprendre la chance qu'ils avaient eue. Qui la réfutaient. Je suis content de n'avoir pris part à aucun combat.

« Peut-être qu'il te faut un peu de shit pour te calmer les nerfs. » Jeb m'observe.

« Je ne veux pas de shit, Jeb. Je ne veux pas être défoncé au point de ne plus pouvoir me tenir droit.

— Qu'est-ce que tu veux vraiment, Eddie ? Tu me perturbes et tu m'embrouilles avec tes conneries. »

J'acquiesce. « Je veux revoir Agnes et les filles. Je veux rentrer dans le Bronx. Je veux manger un repas fait maison. Je veux m'asseoir sur mon porche et ne penser à rien.

— Alors garde ton sang-froid. Sinon, on sera tous les deux dans la merde », conclut Jeb.

Rosencrantz et Guildenstern sont morts. Écoutez, écoutez-moi maintenant. Je les ai vus à la dérive sur une embarcation fluviale dans le golfe du Tonkin. *Revenez, revenez*, leur ai-je crié. *Londres n'est pas dans cette direction.* Mais ils ont secoué la tête, ils ont lancé leurs pièces et dit : *Maure, il faut qu'on quitte cet endroit. Ce n'est pas notre guerre. On ne peut pas rester.* Ils m'ont proposé de les accompagner mais il ne se passe jamais rien de bon dans le golfe du Tonkin. Ros et Guil auront de la chance s'ils survivent ne serait-ce qu'un jour. Jeb me dit que leur départ est un cadeau des dieux. Une putain de bénédiction. Merci Seigneur Jésus, ces deux fils de pute de fouineurs sont enfin partis. Jeb affirme que mes sens se sont apaisés depuis leur départ.

Je ne savais pas que mes sens s'étaient agités. Seulement mon sens de la morale. Jeb rétorque que la morale peut lécher son cul de Noir, et quand on débarquera dans la baie de Subic, on ira voir tous les spectacles érotiques d'Olongapo. On se trouvera une douzaine de prostituées et on baisera. Mais Ros et Guil me manquent. Je n'ai plus personne à qui parler, ni à qui confier certaines choses.

Comme la façon dont le premier maître Mammoth avait craché ses insultes racistes au serveur et lui avait asséné un coup de poing vicieux sur le sommet du crâne, sous prétexte que le môme de seize ans, un petit type originaire d'une ville de Nouvelle-Angleterre, avait une torsion dans les poignets impossible à redresser et un balancement dans sa démarche impossible à corriger, même de force. Et comment, au cœur de la tempête, le premier maître arpentait le navire tel un démon en cage, ivre de sa liqueur joyeuse, paranoïaque. Il cherchait le petit serveur pour son passage à tabac hebdomadaire, l'avait jeté au bas d'un escalier et l'avait laissé là, recroquevillé comme une pelote de laine. Et tous les membres de l'équipage, Jeb et moi inclus, détestaient le premier maître Mammoth mais personne ne pouvait se résoudre à prendre la défense du gamin. Il éveillait en nous un sentiment indéfini qui incitait à le haïr davantage.

Ça pourrait être toi, avait fini par dire Jeb.
Ça pourrait être nous, avais-je dit.
Demain, avions-nous convenu.
Et c'est ainsi que nous étions passés à l'action.

Acte trois

2010

C'est à cette reprise londonienne de *Rosencrantz et Guildenstern sont morts* que Claudia et Rufus, alors son petit ami, avaient invité son père et sa mère pour les cinquante ans d'Eddie Christie, leur offrant les billets d'avion. C'est après cette reprise de *Rosencrantz et Guildenstern sont morts* que Rufus avait demandé à Eddie Christie la main de sa fille. C'est pendant cette reprise de *Rosencrantz et Guildenstern sont morts* qu'Eddie Christie, quinquagénaire potelé en smoking noir et chapeau haut de forme, avait fermé les yeux et récité chaque phrase, car il les connaissait toutes par cœur, et par expérience. De même quand Claudia s'était tournée vers lui plus tard et lui avait demandé « Alors, Papa, la pièce t'a plu ? », Eddie Christie avait acquiescé et roulé le programme de la représentation dans sa main. C'était la toute première pièce de théâtre qu'il voyait, mais il ne pensait pas que ce serait la dernière.

Petite, Claudia sautait de pièce en pièce dans la maison des Christie, parlait aux murs et jouait des scènes de *Rosencrantz et Guildenstern sont morts*. Parfois, au milieu de ses répliques, elle levait les yeux et voyait son père l'observer.

Claudia. Claudius, disait-il. Le roi Claudius a tué le père du prince Hamlet. Pourquoi diable Agnes a-t-elle appelé notre enfant Claudia ?

En entendant les paroles d'Eddie, la fillette tremblait de peur à l'idée d'être à nouveau suspendue tête en bas, mais son père la soulevait alors doucement et la portait sur ses épaules. *Où sont les pièces ? Claudia, Claudia, aide-moi à retrouver les pièces.*

Sur le bureau de Claudia, chez elle, il y a un exemplaire corné de *Rosencrantz et Guildenstern sont morts*. Voilà des années qu'elle n'a pas lu la pièce mais, pendant ses voyages, elle l'emporte en guise de porte-bonheur. Elle a fait les valises à la hâte et n'a pas emporté le livre en Bretagne.

Eddie post-Vietnam

1972

Au cours des premiers mois qui suivirent son retour chez lui, Eddie Christie semblait heureux de s'occuper de ses deux filles. Il les laissait courir dans l'escalier et à travers toute la maison en d'interminables parties de cache-cache. Elles lui évoquaient des pigeonneaux – de petits oiseaux prompts à s'envoler. Il imaginait leurs bras agiles se changer en ailes. Il les imaginait s'élever par la fenêtre de leur maison en briques et ne jamais revenir s'il s'avisait de les effrayer. Aussi, dès qu'un souvenir de la guerre le submergeait, il se détournait brusquement d'elles, en quête d'un coin où se ressaisir.

Ce fut Claudia, à trois ans, qui surprit Eddie Christie en grande conversation avec le mur du salon. Elle lui demanda à qui il s'adressait.

Il lui répondit qu'il brisait le quatrième mur.

« Qu'est-ce qu'il y a de l'autre côté du mur ? demanda-t-elle.

— Une scène.

— Et qu'est-ce qu'il y a sur la scène ?

— Eh bien, une pièce de théâtre, naturellement. »

Et c'est ainsi qu'il entreprit de jouer *Rosencrantz et Guilden-*

stern sont morts avec ses filles. Et que Claudia se mit à parler aux murs et à croire en l'existence des amis d'Hamlet comme les enfants croient au père Noël. Et parfois, quand les murs rugissaient et s'agitaient dans la tête d'Eddie Christie, Claudia se glissait derrière lui et murmurait : « Qu'est-ce qu'ils font aujourd'hui, Rosencrantz et Guildenstern ?

— Ils lancent juste leurs pièces.

— Pile ! s'exclamait-elle.

— Face ! » acquiesçait-il en vidant la monnaie de ses poches de jean – des pièces de cinquante cents, ou vingt-cinq, dix, ou encore un petit penny – qu'il déposait sur le parquet. Le tintement de sa monnaie. Le son qu'émettait sa monnaie.

Il savait que dans le meilleur des cas, il n'était pas censé parler tout seul ni aux murs, mais tant qu'il pouvait fixer ses pensées quelque part, il avait une longueur d'avance sur la majorité des anciens combattants. Ses filles lui faisaient savoir quand il pétait vraiment un plomb. Elles le pinçaient pour le faire rire ou lui disaient quelque chose de si idiot, de si totalement insensé et mièvre – *Oh, regarde Papa, on t'a apporté la lune* – pour chatouiller son cerveau et effleurer son cœur d'un souffle d'absurdité qu'il en oubliait un instant le mur et tenait leur lune au creux de sa paume.

À 18 heures chaque soir, Eddie s'asseyait dans le salon et regardait Walter Cronkite aux informations de CBS. Il se préparait des sandwichs de mortadelle à trois étages, avec des cornichons, de la moutarde et des poivrons sur un pain à la semoule croustillant. Il suçotait des bonbons au butterscotch en guise d'apéritif, déposant les emballages argentés dans une coupelle sur la table ronde en verre du salon. Eddie était enrobé de nature mais l'exercice physique dans la Navy avait conféré une certaine fermeté à son embonpoint. En traquant ainsi les nouvelles sur la guerre de Nixon, Eddie développerait une bedaine qui le mènerait sur le chemin de la vieillesse.

« Agnes, annonça Eddie un soir, assis au pied de leur lit à baldaquin. Il est temps que je trouve une occupation.

— Tu penses à quoi ? » Agnes ne jugeait pas correct de chercher elle-même un emploi pour son mari. Il risquait de le lui reprocher plus tard.

« Je ne sais pas », dit-il.

Agnes arrêta de se brosser les dents, sortit de la salle de bains et vint s'asseoir à côté de son époux sur le lit. Elle se brossait les dents en récitant l'alphabet, de A à Z, puis à rebours, comme on le lui avait enseigné enfant. « Tu vas trouver, dit-elle. Je suis déjà reconnaissante que tu sois ici, avec les filles.

— C'est vrai ? »

Agnes acquiesça. « Bien sûr, Eddie. C'est vrai. » Ils ne mangeaient presque jamais de fruits de mer et Agnes ne pouvait se permettre d'acheter un rôti de bœuf ou du steak qu'une semaine sur deux. Mais tout bien considéré, la viande rouge n'était qu'un détail mineur.

Eddie tendit la main vers la nuisette noire d'Agnes. Elle préférait les nuisettes moulantes aux négligés. À son contact, le corps d'Agnes se raidit mais elle ne s'écarta pas. Ils avaient essayé de faire l'amour la semaine de son retour, mais il avait tout gâché. C'était peut-être les prostituées avec qui il avait couché à Olongapo. Eddie voulait se convaincre qu'il n'avait pas apprécié ces relations sexuelles et que les femmes n'avaient été qu'une simple distraction mais il avait éprouvé du plaisir dans ces péchés charnels.

« Pas ce soir », dit Agnes. Elle éteignit sa lampe de chevet.

« Une autre fois, alors. » Ils s'étaient mariés vite. Et jeunes. Parfois, Eddie avait le sentiment qu'il manquait un bouchon en liège à leur bouteille et que le vin risquait de tourner au vinaigre.

Une fois Agnes partie au travail, Eddie ne faisait pas les tâches ménagères ni les courses qu'elle lui avait confiées : les paniers de linge à laver, sécher et plier ; la liste d'articles à acheter durant la journée qui l'obligerait peut-être à croiser des mamans bavardes et des enfants bruyants ; l'aspirateur, le balai, la serpillière à passer sur les sols. Il trouvait des tâches qui lui plaisaient.

Il construisit une cabane dans un bouleau rabougri de leur jardin derrière la maison. Il orna l'arbre de planches récupérées dans les poubelles et les terrains vagues. Eddie enfilait d'épais gants de travail et avertissait les filles : *Regardez mais ne touchez pas, sinon il faudra qu'on vous fasse une piqûre anti-tétanos.* Les aiguilles terrifiaient Beverly et Claudia. Si le cœur leur en disait, Eddie et ses filles interprétaient des scènes décousues de *Rosencrantz et Guildenstern* en parcourant les tas d'ordures. Les gamins du quartier s'arrêtaient et observaient bouche bée le petit homme à la peau brune et ses enfants récitant un texte dans une langue qui leur semblait étrangère.

« Ils annoncent quoi à la météo aujourd'hui, Alfred ? » criait Eddie à travers le porche mitoyen de son vieux voisin, Alfred Maddalone.

« Couvert puis dégagé. »

Tandis que les filles apprenaient à faire du hula-hoop et à sauter à la corde sur le trottoir irrégulier, Eddie et Alfred Maddalone passaient le temps à apostropher les junkies occasionnels qui sortaient en douce avec la télé des voisins, leur cuvette de toilettes ou leur frigo Maytag. Debout sur le porche, ils agrippaient la balustrade avec la ferveur de supporters des Yankees pendant un match. Ils étaient à la fois juges et jurés – ils lançaient des condamnations à la prison de Rikers, menaçaient de prendre des photos si le junkie ne rapportait pas la chaise longue du voisin. Parfois, ils recevaient autant qu'ils avaient donné. Un juron magistral. Un majeur triomphant. Quelques cailloux volants qui manquaient de justesse la tête de Claudia ou de Beverly. La menace d'une visite nocturne ponctuée de cocktails Molotov. Les deux hommes ne reculaient jamais, et les voyous en avaient conclu que pénétrer chez eux et repartir les mains pleines ne serait pas sans conséquences.

Les rumeurs disaient qu'Alfred avait des liens avec la mafia, mais pour ce qu'Eddie en savait, le vieil homme avait toujours été réglo. Il avait possédé une pharmacie de quartier dans une rue aux abords d'Arthur Avenue, il sortait du lit à 3 heures du matin s'il s'agissait de soulager les nausées d'une jeune femme enceinte ou les calculs rénaux d'un pauvre oncle. Peu après sa retraite, il avait vendu son officine afin de financer les études universitaires de son fils, Nicholas Maddalone.

« Fais entendre raison à mon père », suppliait Nicky. Le fils était devenu un dentiste reconnu, il exerçait dans un cabinet de Madison Avenue et rendait visite à son père un dimanche sur deux. Il gagnait si bien sa vie qu'il affichait des publicités dans le métro. Les trois hommes s'installaient sur le porche d'Alfred et trempaient des biscuits à l'amaretto dans leur café noir corsé. « J'ai une grande maison à Nyack. Il n'est plus obligé de supporter tout ça. Regardez ce qu'ils ont fait de notre quartier. Ces Portoricains, ils ne sont pas humains. Ils ont un côté je-m'en-foutiste, ceux-là. »

Eddie voulait demander à Nicholas, *Et je suis quoi*, moi, *si eux sont* ceux-là ? *Un moulinyan ?* Enfants, Nicky et lui avaient mangé des gnocchis dans le même bol, s'étaient engouffrés en trombe dans les deux maisons sans distinction, laissant derrière eux une traînée de boue qui menait Bella Maddalone au bord de l'infarctus, elle qui passait le balai et la serpillière dans sa cuisine trois fois par jour. Ils avaient énuméré fièrement les filles de l'école catholique Notre-Dame de Claremont qu'ils voulaient se taper, quand leur pénis n'avait de relations intimes qu'avec leur propre main.

« Il y a toujours un *ceux-là*, dit Eddie. À chaque décennie, de nouveaux *ceux-là*. Tes grands-parents ont été *ceux-là*, dans le passé. » Les Maddalone étaient originaires des Pouilles, le talon de la botte italienne. Ils brunissaient au soleil estival. Eddie expliqua cela dans un italien massacré mais son ami ne parlait plus la langue paternelle. Comment s'adresser à lui, désormais ?

Nicky termina son café. « Tu as besoin d'un garant pour un emprunt, Eddie ? Si tu déménages, il déménagera aussi.

— Je suis chez moi, ici », répliqua Eddie.

Nicky se leva. Il faisait encore ses courses dans Arthur Avenue le dimanche. « Ah ouais ? Et qu'est-ce que ça t'apporte de bon, Eddie ? Tous les gens sympas sont partis. Il ne reste personne. »

Les soirs d'été, quand la chaleur du ciment, des bâtiments et des trottoirs était retombée et que l'on sentait de la fraîcheur dans l'air, Eddie adorait contempler le ciel du Bronx avec sa femme et ses filles. Ils grimpaient l'échelle de la cabane dans l'arbre et se serraient, coude contre coude, pour savourer le panorama. Au Vietnam, le ciel et la vaste mer de Chine bleue se mêlaient, se métamorphosaient avec une époustouflante facilité. Eddie se savait sans cesse à la merci de la nature : des flots sous lui, et des cieux au-dessus. C'était aussi un véritable soulagement de pouvoir encore compter les étoiles, de voir au-delà du brouillard pollué new-yorkais, certaines nuits.

Il emmenait les filles à Crotona Park et les jetait dans la piscine. Beverly et Claudia apprirent vite à nager. Quand Agnes se plaignait des dégâts que l'eau faisait à leurs tresses malgré les bonnets de bain, Eddie haussait les épaules. « Personne ne fait de commentaires sur la coiffure d'un noyé. L'eau emporte tout. »

Agnes s'adonnait rarement à la pâtisserie : pour les anniversaires et les dates clés, pour les fêtes, la tourte obligatoire aux patates douces. Elle avait vu de ses propres yeux l'énergie que sa mère mettait aux fourneaux et avait convenu dès son plus jeune âge que cette activité dévorait la vie d'une femme mariée. Mais quand elle avait le mal du pays ou qu'elle s'inquiétait des factures mensuelles, jaillissaient alors saladiers, tamis et verres mesureurs – une fournée de biscuits à la lavande ou un *hummingbird cake* pour réconforter Eddie et les filles.

« Papa et ses amis ils sont bébêtes », murmura Beverly dans la cuisine américaine bleue. Agenouillée sur un tabouret devant le plan de travail, elle regardait sa mère étaler la pâte des biscuits à la lavande à l'aide d'un rouleau à pâtisserie.

« Ah bon ? » Agnes était perplexe. Eddie ne semblait pas avoir beaucoup d'amis dernièrement. À une ou deux reprises, elle l'avait encouragé à appeler son cousin Jeb ou à aller boire un verre avec Nicky Maddalone, ou avec ses copains d'avant la guerre, mais la réponse d'Eddie était invariablement la même. « Je vais le faire, un jour. »

« Il t'a dit quoi Papa ? demanda Agnes d'une voix enjouée. Au sujet de ses amis ?

— Maman, je les ai jamais vus mais c'est deux Blancs qui parlent bizarrement. Papa dit qu'ils sortent du mur et lui lancent des pièces. Parfois, on leur lance des pièces aussi. »

Pendant le dîner ce soir-là, elle se montra aimable et affectueuse envers Eddie. Plutôt que de se rendre directement au travail le lendemain matin, Agnes fit les courses et rentra à la maison. Elle franchit le seuil en silence. Elle trouva Eddie et les filles dans la cuisine. Elles étaient assises sur des chaises juchées sur la table, et Eddie était perché à leurs côtés. Beverly tenait un rouleau en carton – un télescope ? Claudia entrechoquait deux couvercles de poêle à frire. Ils tintaient comme des cloches à un mariage. Eddie se pencha et martela la table de son pied, si bien qu'elle se mit à tanguer autant qu'un canot sur l'océan. Des draps à pois étaient suspendus aux murs à l'aide d'une corde à linge fixée par du scotch. Le tissu formait un fossé autour de la table. L'eau s'écoulait à flots de l'évier sur le lino. Les feux de la gazinière étaient allumés. Et sur chacun d'eux bouillait une casserole d'eau.

« *Très bien, messieurs, c'est plus ou moins ce que nous vous avons dit*, lança Eddie en jetant un coup d'œil au mur par-dessus les draps. *Inutile de tortiller du cul pour chier droit.*

— *Jamais, jamais, au grand jamais* », crièrent les filles avec un accent affecté.

Leurs queues-de-cheval oscillaient, leurs sandales frappaient la table, leurs mains sur leurs hanches minces.

« *Vous n'êtes qu'une paire d'imbéciles*, s'écria Eddie dans un haussement d'épaules. *Sur un vaisseau fantôme.*

— *Guildenstern est un imbécile*, répliqua Claudia.

— *Non, c'est Rosencrantz l'imbécile*, dit Beverly.

— *Mais c'est toujours Ros qui gagne !* » couina Claudia avec délectation. Elle bondit, effectua une petite danse et faillit tomber de la table.

« C'est donc ce que tu fais quand je suis au travail toute la journée, Eddie ? »

Agnes entra dans la cuisine et éteignit les feux, l'un après l'autre. Elle contempla les bulles d'eau dans les casseroles.

Eddie et les filles se figèrent.

« Qu'est-ce que tu fais à la maison ?

— Aux dernières nouvelles, j'habite ici. »

Eddie sauta de la table. Il regarda autour de lui et essaya de voir la cuisine du point de vue d'Agnes. « Les filles et moi, on... on jouait.

— Vous jouez dangereusement. » Elle plissa les yeux. Elle devait bien s'en douter. Comment avait-elle pu ne pas s'en douter ?

« Je croyais que tu me faisais confiance.

— Beverly, Claudia. Descendez de la table et aidez votre père à ranger ce bazar. Passé un certain stade, je ne fais plus confiance à personne, Eddie. Tu devrais faire pareil. De toute évidence, tu as trop de temps libre. »

Pour la première fois de leur vie commune, l'ambiance se glaça entre Eddie et Agnes. La tension atteignit aussitôt les filles. Beverly et Claudia se chamaillaient pour savoir qui n'avait plus l'âge de boire dans un gobelet en plastique, qui trichait à Docteur Maboul ou ce qu'il était advenu de la tête de leur poupée Ken.

Eddie assistait à la messe de 11 h 15 le dimanche matin à l'église catholique Notre-Dame de Claremont. Agnes et Claudia préféraient le confort de la maison. L'église signifiait que Beverly avait Eddie pour elle seule. Elle agrippait la main de son père tandis qu'ils longeaient les bâtiments abandonnés couleur sable et qu'il lui racontait les histoires des gens qui n'y vivaient plus. Pendant la messe, Eddie autorisait Beverly à remplir une fiole en plastique d'eau bénite afin de baigner ses Barbie. Ils appelaient cette concoction *Parfum d'Eau bénite*.

Le prêtre vint trouver Eddie pendant la collation dans la salle commune de la paroisse. Autour d'un café et de viennoiseries de la veille généreusement offertes par des paroissiens, il déclara : « Eddie, j'ai entendu dire qu'on cherchait un concierge à l'école catholique de Claremont. Ce serait un plaisir de vous avoir là-bas. »

Eddie n'avait jamais pu se résoudre à voir son vieux père traîner un balai et une serpillière. Où passerait cet élan moteur qui l'aidait à avancer, s'il acceptait ce même fichu boulot ?

« Qu'est-il arrivé à votre ancien concierge ? demanda Eddie sans vouloir paraître bouleversé.

— C'était une personnalité difficile. »

Eddie poursuivit son enquête auprès d'Alfred Maddalone. « Mains baladeuses, rapporta M. Maddalone. On l'a surpris à peloter une gamine dans un placard à balais. »

Eddie entreprit de calculer tout ce qu'il pourrait faire avec une rentrée d'argent supplémentaire. Le bénéfice irait dans le budget des vacances familiales. Lorsqu'il partagea la nouvelle avec Agnes, il apporta dans la cuisine une carte des États-Unis. Il la déplia sur la table en forme de trèfle qui lui écorchait parfois la peau. Il entoura les chutes du Niagara et des campings dans les monts Adirondacks. L'année prochaine, le barrage de Hoover ou le Grand Canyon, peut-être ? Un voyage à Washington D.C., certainement ?

Agnes s'interrompit alors qu'elle rangeait des petits pois dans le congélateur et s'apprêtait à verser un verre de lait froid aux filles. Beverly et Claudia devaient boire un verre de lait chaque jour. Des os solides vous permettaient de vous tenir fermement sur vos deux pieds et de prendre la fuite, si nécessaire.

« Eddie. » Agnes se pencha vers son mari. « Je ne le pensais pas quand j'ai dit que je ne te faisais pas confiance. N'accepte pas cet emploi à cause de moi, je t'en prie. » Elle ne supportait pas l'idée qu'Eddie passe d'un uniforme à un autre. Elle faisait des efforts quotidiens pour éviter de le comparer à Claude Johnson.

Il commença un mardi, au lendemain du Labor Day. Elle modifia son emploi du temps afin de déposer les filles à la garderie. Eddie était chargé d'aller les récupérer. Il n'enfila pas son uniforme avant le travail et arriva plus tôt pour se changer dans le vestiaire des garçons. Il retira l'uniforme avant de repartir du travail car il souhaitait que les filles l'identifient avant tout comme leur père.

L'organisation logistique se déroulait presque sans accroc, mais Agnes allait parfois boire un verre le soir avec ses collègues de l'aménagement urbain. Elle avait toujours un sourire en réserve pour Eddie quand elle rentrait tard. Elle était heureuse de le voir dans son pantalon élégant, sa chemise et ses souliers.

Cette année-là, l'école catholique Notre-Dame de Claremont engagea en intérim un acteur de théâtre chargé de mettre en scène *La Nuit des rois*. En plus d'une impressionnante collection de costumes empruntés à de précédents spectacles, Barrett Bass se présenta vêtu d'un veston en tweed anglais et de souliers en cuir noir si brillants et neufs qu'Eddie huma l'air en quête d'une odeur de vache.

Eddie balayait de façon précise et saccadée. S'il prenait le rythme et s'affairait, une heure lui paraissait un quart d'heure. Et s'il commençait au cinquième étage du bâtiment et descendait progressivement jusqu'au rez-de-chaussée, il terminait par l'amphithéâtre où Barrett Bass répétait avec ses élèves l'après-midi.

« Mes chers jeunes comédiens, disait Bass. À l'heure actuelle, vos intentions s'empêtrent dans un mélange de dialecte déconcertant qui nous éloigne de l'époque élisabéthaine et nous dirige droit vers les cours de récréation du Bronx. Nous devons nous rebeller contre ces dialectes sur scène. Cette pièce de Shakespeare est l'une des plus jouées. Alors efforcez-vous de délier vos langues et de faire honneur à Sir William. »

Eddie se rendit à la bibliothèque de l'école et emprunta un exemplaire de *La Nuit des rois*. La bibliothécaire, bénévole à mi-temps et coordinatrice de l'association des parents d'élèves, trouva sa demande touchante.

L'effectif de Claremont était essentiellement composé d'enfants noirs et portoricains. Eddie aurait pu passer d'une classe à l'autre et compter sur les doigts de la main les jeunes irlandais ou italiens. Beaucoup d'entre eux avaient des proches au Vietnam, ou en cavale afin d'échapper à la mobilisation. Eddie avait toujours un *bonjour* ou un *au revoir* à l'attention des élèves lorsqu'il nettoyait les cabines des toilettes ou vidait les poubelles. Tandis qu'il cirait la rampe du vaste escalier en colimaçon ou qu'il replâtrait le bureau des professeurs, Eddie répétait les répliques de *La Nuit des rois* à voix basse. Il acquit la réputation de souffleur parmi les élèves. Ils lui criaient une réplique de la pièce et Eddie leur récitait la phrase suivante. Il se rendait compte qu'il effectuait désormais les tâches ménagères qu'Agnes exigeait de lui. Il désinfectait les toilettes, il astiquait la cuisine de l'équipe enseignante, les tables et les chaises de la cantine. Il y avait du travail pour deux mais Eddie ne se plaignait jamais.

La classe de cinquième répétait la scène quatre du premier acte de *La Nuit des rois* dans l'amphithéâtre quand Gabriel Ruiz oublia sa réplique. Ils répétaient depuis plusieurs semaines mais Gabriel avait toujours un trou de mémoire à la même scène.

DONNA DANS LE RÔLE DE VIOLA

À coup sûr, mon noble seigneur,
Si elle s'est abandonnée à son chagrin
Autant qu'on le dit, jamais elle ne me recevra.

GABRIEL DANS LE RÔLE D'ORSINO

Fais un esclandre, franchis toutes les bornes de la courtoisie,
Plutôt que de revenir sans résultats.

DONNA DANS LE RÔLE DE VIOLA

Supposons que je lui parle, mon seigneur, que lui dirai-je ?

GABRIEL DANS LE RÔLE D'ORSINO

Oh ! alors, révèle-lui la passion de mon amour,
Gagne-la par le récit de ma sincère foi ;
Le rôle t'ira bien de jouer mes souffrances :
Elle prêtera plus d'attention à ta jeunesse
Qu'à un ambassadeur de plus grave apparence.

DONNA DANS LE RÔLE DE VIOLA

Je ne le pense pas, mon seigneur.

GABRIEL DANS LE RÔLE D'ORSINO

Cher garçon, crois-le,
Car c'est mal présenter ton âge heureux
Que de dire que tu es un homme : la lèvre de Diane
N'est pas plus douce et plus vermeille ; ta petite voix flûtée,
Claire et haut perchée, est celle... de... de ?

Eddie réparait l'accoudoir d'une chaise de l'amphithéâtre quand Gabriel regarda autour de lui en quête d'un secours. Barrett Bass, bras croisés, tapait du pied avec impatience.

« *D'une jeune fille*, lança Eddie au fond de la salle d'une voix chantante. *Et tout te prédestine au rôle d'une femme. Ton astre, je le sais, est favorable à cette affaire. Que quatre ou cinq d'entre vous l'escortent ; tous, si vous le voulez : pour moi je ne me sens jamais mieux que lorsque je suis seul. Réussis dans cette entreprise, et tu vivras aussi libéralement que ton maître, disant que sa fortune est tienne*[1]. »

Barrett Bass éclata de rire et avança sur la scène. « Eh bien, quelqu'un ici connaît son texte. Peut-être devriez-vous avoir un rôle dans notre pièce ? » Il avait entendu parler du concierge shakespearien.

« Il faut que j'aille vérifier un radiateur. » Eddie déjeunait toujours dans la chaufferie où il pouvait jauger son humeur et, s'il sentait son esprit bouillir, il pouvait parler aux murs.

---

1. William Shakespeare, *La Nuit des rois*, traduction de Jean-Michel Déprats, Éditions Gallimard, « La Pléiade », *Comédies*, t. II, 2016.

« Venez, rien qu'une minute ou deux, insista Barrett avec un sourire. Faites-nous ce plaisir. »

Eddie descendit l'allée rouge entre les rangées de fauteuils, sa boîte à outils métallique dans les mains. Il ne monta pas sur scène.

« Hé, Ruiz, lança-t-il en se gardant de croiser le regard de Barrett Bass. Tu aimes le foot ?

— Non », répondit Ruiz avec un haussement d'épaules. Il arborait une coupe afro et des boutons d'acné à la Michael Jackson. « Je préfère le base-ball.

— Encore mieux. » Eddie sourit. « Quand les répliques s'emmêlent dans ta tête, imagine-les fixées à une balle de base-ball. Joue avec les mots, tu les retiendras davantage. »

Eddie quitta l'amphithéâtre. Il évita d'assister aux répétitions le restant de la semaine. Ce fut la période la plus déprimante de son travail à Notre-Dame de Claremont. Les heures se traînaient, aussi lentes que des limaces.

« Vous avez tué combien de personnes au Vietnam ? » demanda Barrett.

Eddie était agenouillé dans la salle des professeurs et retirait la peinture écaillée des moulures. Le principal se servait une tasse de café et deux enseignants bavardaient près de la fontaine à eau bleue.

Eddie ignora d'abord la question. Il avait chargé des ogives dans des bombardiers. Il avait vu des hommes partir et ne plus jamais revenir. Il avait parfois senti l'odeur du napalm sur ceux qui rentraient.

« Je n'étais pas sur le terrain, répondit-il.

— Mais vous en avez tué ? demanda Barrett Bass.

— Indirectement. » Eddie se releva. « Il est possible que j'aie tué une personne de façon directe.

— Rien qu'une ?

— Une, c'est déjà beaucoup. Une, c'est bien assez. »

Le silence s'abattit sur la salle des profs. Barrett Bass afficha un sourire dubitatif. Il avait manifesté en faveur du désarmement nucléaire à Londres, dans ses années universitaires. Son interprétation moderne de *Richard III* avait provoqué une petite émeute à New York et à Édimbourg. Il était à présent dans la course pour un poste de directeur artistique adjoint dans un théâtre en vogue de l'Off-Broadway.

Ce n'était pas le sourire sur le long visage du professeur de théâtre qui irrita Eddie, mais plutôt la manière dont il posa la main sur son épaule, comme pour épousseter une petite saleté qu'Eddie n'aurait pas vue sur son uniforme. Et ce n'était pas tant le fait que Barrett ait épousseté cette saleté imaginaire, mais qu'au même instant, le principal et les enseignants aient éclaté de rire. Pas un rire de méchanceté, plutôt de nervosité ou de conscience de classe, ou quelle que soit la raison qui pousse les gens à se comporter d'une certaine manière quand ils devraient prendre le contrepied. Eddie s'empara du balai appuyé contre le meuble des dossiers suspendus et il entreprit de balayer. Il commença autour du professeur de théâtre, comme il avait vu faire sa mère et Bella Maddalone pendant son enfance. Il balaya autour de Barrett Bass, puis directement sur ses souliers en cuir. Eddie essayait d'éliminer un problème. Ses mouvements gagnèrent en vitesse, son balai collecta des moutons de poussière à mesure que les chaussures brillantes perdaient de leur lustre. Barrett Bass reculait à chacun des coups de balai d'Eddie Christie. Au sixième, il s'affala sur le cul.

Cette fois, les rires du principal et des enseignants s'étouffèrent. Dans sa jeunesse, Eddie avait apprécié les beaux souliers et les vêtements. Il avait consacré une petite fortune à sa garde-robe. Mais il portait désormais des chaussures lacées à semelles antidérapantes. Il se pencha et tendit la main à Barrett Bass, mais ce dernier se balançait d'avant en arrière sur le parquet. « Je crois que mon pied est cassé. »

Le lendemain matin, Eddie se présenta au travail et trouva le principal qui l'attendait devant le vestiaire de l'équipe enseignante.

« Eddie, dit le principal. C'est une chance qu'il ne porte pas plainte contre nous.

— Ce type est un merdeux, rétorqua Eddie, qui n'avait pas encore enfilé son uniforme de concierge. Alors, qu'est-ce qu'on fait ? »

Le principal rougit. Eddie remarqua qu'il lui bloquait le passage au vestiaire. « Au nom de l'église Notre-Dame de Claremont, je suis désolé que les choses se passent ainsi. Mais les employés et les professeurs doivent faire preuve d'un comportement exemplaire... »

Eddie glissa les mains dans ses poches et fit tinter sa petite monnaie. « Est-ce que ça signifie que je ne pourrai pas voir la représentation hivernale de *La Nuit des rois* ?

— Compte tenu des derniers événements, acquiesça le principal, je vais vous demander de ne pas assister à la pièce. »

Alfred Maddalone contacta un cousin qui contacta un autre cousin, et Eddie obtint un emploi à temps plein chez le fleuriste Ronaldo's House of Flowers dans Arthur Avenue.

« Eddie, l'avertit M. Maddalone. Ouvre bien les oreilles. Ces gars-là, ils ont des relations. Et certains d'entre eux ne sont pas réglo. N'emprunte jamais d'argent à personne. Ne fraternise pas. N'oublie pas que tu n'es pas leur ami. La seule fois où tu peux être leur ami, c'est aux mariages, aux funérailles ou aux baptêmes. Et le papier, le papier n'existe pas. N'écris jamais rien. Plus d'un abruti s'est fait buter pour un petit mot oublié ou abandonné quelque part. »

Quand Agnes lui demanda ce qu'impliquait son nouvel emploi, Eddie expliqua qu'il était assistant directeur. Ils s'accordaient à penser que c'était un cran au-dessus de concierge.

Au premier abord, Ronaldo's House of Flowers n'avait rien de particulier mais, en y regardant à deux fois, on repérait un escalier à l'arrière du magasin. Au premier étage se nichait un restaurant sicilien aux murs décorés de fresques. Eddie était monté une fois – il avait porté un carton d'artichauts à la romaine dans les cuisines de la mère de Ronaldo, qui tenait également le rôle de chef. C'était le genre d'établissement qui ne prenait jamais aucune réservation.

Sur le toit du restaurant se trouvait une serre où Ronaldo cultivait des plantes et des fleurs à l'année. Trois jours par semaine, il envoyait Eddie dans le secteur des fleuristes de Manhattan y récupérer des plants. Eddie développa un talent pour sélectionner les fleurs de choix et négocier le meilleur prix. Il rentrait le vendredi avec des roses qu'il offrait à Agnes et aux filles. Cet été-là, il installa un jardin d'herbes aromatiques derrière la maison qu'il agrémenta de pensées, de violettes, de romarin et de fenouil.

Ce fut une époque paisible pendant laquelle Eddie se mit à réciter *Rosencrantz et Guildenstern* aux fleurs car, chez Ronaldo, il n'avait pas le temps de parler aux murs. Les roses le comprenaient et Eddie était ravi quand une plante qu'il avait soignée trouvait un foyer en dehors du magasin. Les hommes qui arrivaient en Cadillac, en Lincoln et en Town Car, vêtus de costumes sur mesure, pensaient qu'il lui manquait une case, qu'il était simplet, idiot. Pas besoin de faire grand-chose pour encourager leur erreur de jugement, il lui suffisait d'être noir.

C'était le deuxième week-end de juin quand une pluie de balles s'abattit sur Ronaldo's House of Flowers. Eddie s'en souviendrait longtemps, car les journaux mentionneraient plus tard à quel point Arthur Avenue était bondée ce jour-là, un samedi après-midi étouffant où des familles déjeunaient aux terrasses des cafés et faisaient leurs courses. Eddie venait de passer le jet d'eau sur le trottoir et se lavait les mains quand un groupe d'hommes sortit de la boutique. Il reconnut l'un d'eux, un capo qu'on appelait Sal, le diminutif de Salvatore Galliano. Salvatore mangeait à l'étage tous les samedis, et tous les samedis il s'arrêtait et admirait les fleurs sur les présentoirs extérieurs. Il n'en achetait jamais, pas même pour l'épouse ou les maîtresses qui l'accompagnaient parfois. Mais ce samedi-là, Salvatore s'arrêta devant les oiseaux de paradis.

« Combien ? » demanda-t-il à Eddie.

Ces derniers temps, Ronaldo avait laissé Eddie s'occuper de la caisse. Eddie se sécha les mains et s'approcha de Salvatore Galliano.

« Trois dollars pièce. Quarante pour le bouquet. »

Salvatore plongea la main dans sa poche en quête de son portefeuille et poussa un juron. Le portefeuille était resté sur la table à l'étage, à côté de sa deuxième part de *cheesecake* à la pistache. Il fit signe à un de ses hommes d'aller le chercher à l'instant même où une berline noire se rangeait près du trottoir. Il y eut un instant, une fraction de seconde pendant laquelle le temps sembla s'écouler à l'envers. Un type en costume trois pièces blanc se glissa hors de la berline noire. Les balles crachées par le fusil qu'il brandissait fauchèrent les hommes de Salvatore Galliano avant qu'ils n'aient eu le temps de protéger leur chef ou de riposter. Le regard d'Eddie se riva dans celui du tireur. Était-ce une illusion, ou bien était-ce un homme noir, un *homme de main* noir à peine plus âgé que lui ? Comment expliquer le besoin de reconnaissance qu'éprouva soudain Eddie, son sentiment envahissant de fierté et de haine, d'amour et de répulsion ? La rage plongeait son corps dans une confusion totale. L'adrénaline prit le relais. Eddie renversa les fleurs, les envoya valser à gauche, à droite, projeta Salvatore Galliano à terre avec lui, et l'entraîna loin des balles assassines.

« Je suis un ancien combattant, expliqua Eddie plus tard à la police et aux journalistes qui le pressaient de questions au sujet de la fusillade. J'ai vu tellement de choses entrer et sortir des murs que, la plupart du temps, je ne suis pas sûr d'avoir la tête sur les épaules. »

Il tourna brusquement le dos aux objectifs et engagea un dialogue enthousiaste avec les fleurs décimées. Deux hommes étaient morts. Salvatore Galliano s'en était sorti indemne, et Eddie était déterminé à faire entendre à tous qu'il n'était pas un témoin fiable. Qu'on s'avise de le faire comparaître à la barre des témoins, il serait désespérément inutile.

Alfred Maddalone lui rendit visite et le félicita de son

incroyable performance. « Je n'aurais pas pu mieux jouer ce coup-là moi-même. »

Les vitrines de Ronaldo's House of Flowers furent condamnées pendant six mois après la fusillade. Eddie perçut six mille dollars d'indemnités de licenciement. Avec Agnes, ils convinrent qu'il aurait été idiot de refuser le prix de leur silence. Ils l'ajoutèrent à leurs économies, et il servirait à couvrir les frais d'études universitaires de Claudia.

Quand Alfred Maddalone évoqua une nouvelle piste d'emploi, Eddie se souvint du dicton : *Aide-toi et le ciel t'aidera*. Le taux de chômage à New York en 1972 frôlait les onze pour cent. Eddie postula une fois, trois fois, quatre fois pour un poste à la Metropolitan Transportation Authority. Seize mois plus tard, il partit travailler au département des Ponts et Tunnels comme caissier de péage sur le pont George Washington. Il n'avait jamais le temps de lire *Rosencrantz et Guildenstern sont morts* pendant la journée et il était souvent trop exténué le soir pour ouvrir le petit livre. Eddie essaya, avec plus ou moins de réussite, de tourner la page de la guerre et du premier maître Mammoth. Il essaya, avec davantage de réussite, de retomber amoureux d'Agnes. Parfois, Eddie parlait dans son sommeil. Agnes glanait ainsi des détails sur son époux qu'il ne partageait jamais et au sujet desquels elle n'osait pas le questionner. Eddie avait une pile de pièces dans sa cabine de péage. Dès qu'un automobiliste traversait le pont sans argent, Eddie lui offrait quelques bribes de culture générale – *Saviez-vous que la construction du pont a coûté soixante millions de dollars ? Ils l'ont terminé en 1931. La partie inférieure porte le nom, assez logiquement, de Martha Washington* – avant de sourire, de lui faire signe de passer et de glisser une pièce à lui dans la caisse avec les autres billets et la petite monnaie.

Saison estivale

1983

La famille noire s'installa dans la maison voisine de Hank et de ses parents, pendant le week-end du Memorial Day. Ils arrivèrent en milieu d'après-midi. Le soleil tapait fort mais le vent était d'humeur généreuse. Une brise fraîche soufflait depuis la côte du Golfe, si bien que les gens pouvaient savourer un moment de répit sans chaleur.

Le père de Hank, Charles Camphor, tenait un ensemble de clubs de golf flambant neufs. Plutôt que du métal, Charles avait préféré du bois – de plaqueminier précisément. Il expliquait comment les manches et les têtes en bois solide amélioraient ses coups. Il présentait les clubs à son cousin germain, Big Seamus, le père de Seamus III. Les cousins Camphor étaient venus admirer la maison victorienne à cinq chambres et trois salles de bains, son balcon en fer forgé, sa porte de garage automatisée et le porche qui entourait le bâtiment tout entier. La bâtisse se dressait sur quarante ares de terrain à Sunset Beach, une communauté clôturée et sécurisée dans le comté de Buckner, en Géorgie. Elle était vendue avec les majestueux saules pleureurs et les buissons de genévrier stratégiquement plantés afin d'absorber les bruits du marais où prospérait la faune sauvage. Les sons de la nature étaient atténués pendant la journée mais prenaient de l'ampleur la nuit.

Les cousins de Charles Camphor détestaient voir leurs femmes s'extasier devant le bidet qu'il avait fait installer pour son épouse, et la cuisine digne d'un chef étoilé – une cuisine avec un îlot central en marbre – pour une femme qui n'était pas capable de faire bouillir une casserole de riz. L'épouse de Charles, Barbara Camphor, s'était glissée en douce le matin même jusqu'au centre-ville, au Mrs Trudy's Roadside Restaurant, où les cuisiniers noirs arboraient encore les uniformes d'avant la guerre de Sécession et où les ventilateurs au plafond ne faisaient que propager la chaleur. Barbara avait dépensé près de cinq cents dollars pour un assortiment parfait : gombo, riz rouge, poulet frit, sauce relish, pesto de feuilles de moutarde et, entre autres, une salade de pommes de terre à l'ancienne. Des plats savoureux qu'elle n'avait pas l'énergie de préparer mais qu'elle pourrait s'approprier, une fois déposés dans les casseroles adéquates.

Les steaks et les saucisses grillaient sur le barbecue. Les plats de chez Mrs Trudy furent disposés sur la table de pique-nique en bois. Barbara vint se placer près de son mari. Ils avaient tous deux les yeux bleus, les cheveux clairs et semblaient tourner naturellement vers le soleil. Hank avait hérité de leur beauté mais ses cheveux bruns avaient tendance à onduler. Alors que Charles traînaillait avec ses cousins, Barbara retira brusquement ses espadrilles bleu marine. À l'été 1983, les espadrilles étaient à la mode mais Barbara les portait pour leur simple confort. Elle n'avait pas à se préoccuper de la mode. Elle aurait été élégante en vidant un poisson.

« Qui a appris à Barbara à faire cuire un œuf ? » Les cousins de Charlie et leurs épouses riaient et bavardaient.

« Barbara, qui t'a appris la différence entre une purée et une salade de patates ? » demanda la femme de Big Seamus.

Barbara sirotait une bière Milwaukee. « Alors j'en conclus que je me suis bien débrouillée aux fourneaux. » En rentrant du restaurant de Mrs Trudy, elle avait roulé devant leur ancienne maison du centre-ville. Elle n'aurait pas été assez grande pour accueillir la famille de Charles, ce qui était une bénédiction. Dans son enfance, ses parents – deux ouvriers d'une usine à Pabst – recevaient la famille et les amis à l'improviste. Tout le monde savait laisser son ego sur le pas de la porte. On s'arrêtait car on avait envie d'être là, et on s'attardait car la compagnie était agréable. Elle aimait leur nouveau quartier mais le côté intime et l'esprit de camaraderie lui manquaient.

Elle avait endossé le rôle d'hôtesse, elle circulait sur la pelouse et versait aux proches de Charles de larges verres car c'était la raison essentielle de leur visite : le repas à l'œil et les alcools de Charles. Ils ignoraient cependant que, la veille au soir, Barbara avait transféré dans des carafes le bourbon, le gin et le rye whiskey de qualité, et avait remplacé le contenu des bouteilles par des liqueurs bon marché qu'ils engloutissaient à présent. Hank l'avait aidée ; il aimait aider sa mère à jouer de drôles de tours aux cousins de son père. C'était un des grands plaisirs de la saison estivale.

Ce jour-là, ils riaient et tuaient le temps, quand un des cousins – le maigre avec un regard de faucon pèlerin – demanda : « Qui habite la maison d'à côté ?

— Pour le moment, personne », répondit Charles. La bâtisse victorienne jaune avec son saule pleureur devant était vide quand Charles et Barbara avaient acheté leur logement neuf mois plus tôt.

« Un endroit pareil… » Le cousin faucon pèlerin contempla la façade de la maison de Charles, de haut en bas. « Tu dois plutôt bien t'en tirer, hein ? »

Charles regarda Barbara : c'était le cousin qu'elle lui avait conseillé de ne pas inviter. Il y en a un dans chaque famille. *Charles, chéri, tu es trop gentil. Certaines personnes sont toujours affamées*, l'avait-elle averti. *Même après le festin.*

« Disons juste que le prix était le bon. » Et il lui frotta les côtes avec la tête de son club de golf flambant neuf. Tout le monde s'esclaffa.

C'est alors que le camion de déménagement apparut au bout de la rue paisible et s'engagea dans l'allée de la maison jaune voisine. Derrière le camion, six personnes à la peau brune étaient assises dans une Volvo argent.

« Dites-moi que vous ne voyez pas ce que je vois », lança le cousin faucon pèlerin. Les autres éclatèrent de rire de cette manière jovialement méchante qui suivrait une bonne partie de leur progéniture dans l'âge adulte. Charles resta figé, et ses nouveaux clubs également. Ce fut Big Seamus qui retourna la situation.

« Chut, intervint-il d'un ton brusque. Il ne faudrait pas que les nouveaux voisins de Charlie nous prennent pour des rustres. » Hank se souviendrait de cette bonté, trente ans plus tard quand il vendrait la maison de ses parents à Big Seamus.

Les nouveaux voisins descendirent de la Volvo argentée et avancèrent vers la porte de leur nouveau foyer. L'espace d'une seconde, la mère sembla jeter un regard dans leur direction, mais Hank l'avait peut-être simplement imaginé. Elle portait une robe d'été bleue impeccable et des espadrilles bleu marine comme celles de sa mère, avec des talons qui lui donnaient quelques centimètres supplémentaires. La femme marchait aux côtés de son mari, suivie de quatre enfants : une adolescente délicate aux cheveux bouclés qui lui tombaient sur les épaules, vêtue d'une robe à motifs cachemire violets ondulant à chacun de ses pas. Un petit basset aux oreilles tombantes trottinait à sa droite. Puis venait un garçon à lunettes et à la coupe en brosse. Hank, qui venait d'avoir treize ans, estima qu'il devait avoir le même âge que lui. Les derniers à descendre de voiture furent deux faux jumeaux potelés. Le garçon et la fille avaient environ quatre ou cinq ans. Ils arboraient des costumes de marin légers, comme leur père, Reuben Applewood, un capitaine de la marine américaine récemment retraité.

Hank songea à la famille de canards dans le livre illustré qu'il avait tant aimé à la maternelle, *Laissez passer les canards*. La famille avait la même nuance brune que les colverts, sans le col chatoyant. Il est une saison où les colverts muent et perdent la teinte de leur cou. Pendant cette période, ils ne peuvent plus voler.

« J'ai travaillé dur pour préparer ce repas, dit Barbara en détournant l'attention des invités, concentrés sur les nouveaux voisins. Pas vrai, Hank, mon chéri ? Alors rentrons tout ça avant que la chaleur n'y fasse des dégâts, et à nous aussi. Une intoxication alimentaire, c'est bien le genre de chose qu'on ne veut avoir qu'une seule fois dans sa vie. Je dois prendre un avion demain matin, mais vous pouvez rester au frais sous la clim et vider la cave de mon mari. »

À l'aéroport de Buckner le lendemain matin, Barbara embrassa Charles avec presque trop de passion avant d'embarquer.

« Ne fais rien que je ne ferais pas moi-même », dit-elle. Elle se rendait à une conférence régionale de la Croix-Rouge à Atlanta.

« Je m'économiserai pour ton retour, chérie. » Charles asséna une petite claque sur les fesses de Barbara.

Elle recula et passa les doigts dans les cheveux de Hank. Parfois, elle enroulait l'épaisse chevelure noire et brillante entre ses doigts et disait : *Mon bébé, c'est l'heure d'aller nager.*

« Hank, lâcha-t-elle. Essaie de ne pas grandir trop vite. »

Trois jours durant, Hank espionna le garçon d'à côté, attendant le moment où il pourrait lui lancer un salut naturel. Ses épaisses lunettes en écaille lui donnaient un air sérieux et sévère. Comme si les pensées du garçon avaient toujours deux longueurs d'avance sur lui et qu'il était furieux de leur indiscipline. (C'était une sensation que Hank connaissait très bien, surtout quand sa mère était en déplacement.)

Hank le rencontra enfin au retour d'une leçon de voile au country club de Sunset Beach. Le voisin promenait le basset aux oreilles tombantes.

« Tu n'as pas peur que ton chien s'enfuie ? » demanda Hank. Le basset marchait sans laisse à plusieurs mètres devant le garçon, la truffe à l'affût du moindre secret que le trottoir aurait pu receler.

« Tipper sait traverser la rue, répondit le garçon. Et puis de toute façon, il n'y a pas beaucoup de circulation dans une impasse.

— Tu l'as dressé ? demanda Hank en se sentant soudain idiot.

— Non, c'est le chien de ma sœur, en fait. Il ne s'intéresse pratiquement à personne d'autre qu'à Lonnie.

— Alors pourquoi c'est toi qui le promènes ?

— Les jumeaux sont absolument inconsolables. Quand ils sont dans cet état d'esprit, je n'aime pas être à la maison. »

Hank s'apprêtait à se moquer de la suffisance du garçon mais se ravisa. « Je m'appelle Hank, annonça-t-il simplement.

— Huck ?

— Non, Hank... Comme Hank Williams. » Il se mit à chanter et à yodler.

« C'est de la musique country, ça », lâcha le garçon en reculant d'un air de mépris avant de sortir un Rubik's Cube de sa poche. Il s'y attela avec dextérité, le fit pivoter entre ses mains, aligna les jaunes, les verts, les blancs, les bleus, mais peina avec les rouges.

« Et qu'est-ce qui cloche avec la musique country ? » s'enquit Hank qui avait remarqué la manière dont les baskets Chuck Taylor du garçon s'incurvaient légèrement. Il avait les pieds tournés en dedans.

« Rien, mais les gens du coin en jouent tout le temps. » Le garçon avait dû remarquer le regard insistant de Hank sur ses pieds car il les écarta vers l'extérieur. Pour la première fois, il observa vraiment Hank. « Certaines chansons d'Elvis Costello sont plus ou moins de la country. Et lui, je l'aime bien.

— Moi aussi, j'aime bien Elvis Costello, ajouta Hank, soulagé d'avoir trouvé un terrain d'entente.

— Tu aimes bien Blondie ? »

Hank acquiesça.

« Les Pretenders ? »

Hank acquiesça une fois encore.

« Pink Floyd ?

— Hm hm. » Hank sortit les mains de ses poches. Il gagna soudain en confiance. « J'aime Queen et Black Sabbath, aussi. »

Le garçon se détourna de son Rubik's Cube. « Ouais, fit-il dans un haussement d'épaules. Mais comment Freddie va pouvoir faire mieux que *Bohemian Rhapsody* ? Moi, je m'appelle Gideon... »

Gideon leva la main pour toper. À treize ans, Hank mesurait déjà un mètre soixante-quinze. Quand il entrerait à l'université, il aurait pris encore vingt centimètres. Gideon, dont les jambes attendaient de rattraper le reste de son corps, lui arrivait à peine aux épaules.

Les deux garçons arpentèrent le pâté de maisons deux fois, Tipper ouvrant la marche. Quand ils s'arrêtèrent, ils se trouvaient à nouveau devant la maison de Gideon. Sa sœur était sur le porche et lisait un numéro de *Teen Beat*. Tipper l'aperçut et gravit en courant les marches de la véranda. Lonnie baissa son magazine et embrassa le chien sur la truffe. Ses cheveux étaient remontés en un chignon bouclé de ballerine, elle portait une robe chasuble rose et des sandales.

« Elle aime bien *Teen Beat*, dis donc », commenta Hank.

Au cours des trois derniers jours, il avait aussi espionné Lonnie, qui lisait sur le porche.

« Te laisse pas avoir par Lonnie. Elle pourrait cacher n'importe quel livre derrière son magazine. Anaïs Nin. Colette. D. H. Lawrence. N'importe quel bouquin exotique que ma mère cache dans son bureau.

— Tu penses qu'Anaïs Nin, ça me plairait ?

— Contente-toi d'écouter Black Sabbath. Qui te dit que ça lui plaît, en plus ? On a besoin de s'occuper, par ici. Il n'y a rien à faire.

— C'est pas vrai, rétorqua Hank, se sentant soudain obligé de défendre son quartier. On peut faire de la voile au country club. Il y a le tennis. Et plein d'activités pour tous les âges. On peut nager, faire du vélo sur les pistes cyclables. Et le samedi soir, il y a le cinéma en plein air.

— On finira par aller au country club, dit Gideon. En attendant, j'ai mon Rubik's Cube, et Lonnie ses lectures *exotiques*. »

Hank n'aimait pas la façon dont Gideon prononçait *exotiques*. Il n'aimait pas non plus la façon dont il disait *absolument inconsolables*. Il n'était pas certain d'apprécier Gideon tout court.

Ce dernier serrait les doigts autour de son Rubik's Cube, le faisait tourner et pivoter à nouveau.

Hank porta son attention sur Lonnie, dans la véranda. « Mais elle a l'air tellement digne et gentille.

— Ne te fais pas d'illusions. Lonnie sera chirurgienne un jour. Elle dit que pour comprendre l'anatomie humaine, il faut d'abord comprendre la passion. La passion construit et détruit les choses. Les corps, aussi.

— Elle a quel âge, déjà ? »

Gideon rangea son Rubik's Cube dans sa poche de chemise. « Tu voudrais venir chez moi, un de ces jours ? demanda-t-il.

— Bien sûr, répondit Hank.

— Très bien. » Gideon rentra sans regarder derrière lui.

La nuit, Tipper franchissait la petite trappe pour chiens de la cuisine et sortait hurler. Hank pensait qu'il se languissait peut-être de sa maison d'avant, comme Lonnie et Gideon, mais il se souvint qu'il n'avait même pas encore demandé à Gideon d'où il venait.

« C'est la race qui veut ça », dit Charles. Hank et son père contemplaient les étoiles dans le jardin derrière la maison. « C'est dans le sang des chiens de chasse, de hurler et d'aboyer. Évidemment, ce n'est pas un vrai chien de chasse, si tu veux mon avis : trop trapu. Un chien comme ça, ce n'est bon à rien d'autre qu'à faire marrer.

— Papa ? » Hank sélectionna ses mots avec soin. « Je me disais que le garçon d'à côté pourrait peut-être venir à la maison ?

— Non, fiston, je ne crois pas.

— Pourquoi ? »

Charles se redressa dans sa chaise longue. Il était vice-président à la S&S Bank. Le titre n'était pas aussi contraignant qu'il y paraissait mais il impliquait certaines obligations. Dans les années 1980, les citoyens démunis commençaient à percevoir un changement. C'était l'époque de Reagan, et ce dernier voulait offrir autant que possible à l'Homme ordinaire, afin que l'Homme ordinaire ne reste pas ordinaire trop longtemps. Au cours de l'ère Reagan, Charles verrait le développement urbain exploser sur l'île. Il donnerait le feu vert à un grand nombre de constructions. Charles avait un enfant en bonne santé et une maison à cinq chambres. Et une épouse qui aimait tant aider son prochain qu'elle s'absentait toujours de la maison. La responsabilité d'enseigner la réalité des choses à son fils lui incombait. « Il n'y a pas de clôture entre nos deux jardins. Vous pouvez vous retrouver dans le kiosque et discuter autant que vous voulez.

— Mais il fait chaud, dehors.

— Ça ne manque pas d'ombre sous le kiosque.

— Papa, ça va être bizarre s'il m'invite chez lui mais qu'il ne peut pas venir chez moi.

— Il y a d'autres garçons. Et c'est pas le bon moment.

— Comment ça, Papa ? On est en été. »

Charles adressa un sourire à son fils. Il avait un beau sourire qui s'étirait sur la moitié de son visage quand il avait terminé sa journée à la banque.

« On ne leur a même pas apporté de panier de bienvenue, ajouta Hank. Quand on a emménagé ici, les voisins nous ont apporté des paniers de bienvenue le premier jour.

— Et ta mère a tout jeté. Tu connais son opinion sur les aliments riches en calories. On est la seule maison d'Amérique à ne pas avoir un pot de mayonnaise dans le frigo.

— Bon, je lui demanderai. Je demanderai à Maman.

— Fais ça, oui, dit Charles en fermant les yeux. Les paniers de bienvenue – les préparer et les apporter chez les voisins – c'est un boulot de femmes.

— Pas à propos du panier de bienvenue. À propos de Gideon. »

Charles Camphor garda les yeux fermés. Hank ne savait pas s'il s'était endormi ou s'il était déterminé à ignorer ses propos.

Ce soir-là, Hank était allongé au bout de son lit en hauteur, les pieds dans le vide, et il fantasmait sur la sœur de son nouvel ami. Quand Gideon lui avait dit que Lonnie lisait des romans exotiques, Hank était rentré à la maison et avait cherché le mot dans son dictionnaire de poche Merriam-Webster.

EXOTIQUE : qui est différent, lointain ou inhabituel ; *œuvres littéraires ou artistiques possédant un thème ou une nature exotique.*

Hank voulait dire à Gideon qu'il n'était pas aussi naïf qu'il le croyait. Charles Camphor conservait une impressionnante collection pornographique à la cave. Hank ne visionnait pas toujours les vidéos car elles étaient trop captivantes, il était facile de perdre la notion du temps en regardant Seka tailler des pipes ou se faire sodomiser. Mais *Playboy*, *Hustler* et *Penthouse*, voilà les magazines que Hank empruntait chaque mois. Il développa ses propres opinions et sa vision du monde en feuilletant le *Penthouse Forum* de Bob Guccione (pour les portraits et la politique). Après sa lecture, Hank déboutonnait son pantalon, disposait ses photos préférées et se branlait au son de Black Sabbath.

Avant que Barbara Camphor ne s'envolât pour sa conférence – après le départ des cousins Camphor, qui leur avaient laissé le ménage et le rangement – Hank l'entendit déclarer : « Charles, j'ai un vagin heureux. Tu ne causeras pas de chagrin à mon vagin. »

Si la conversation et les détails n'avaient pas été aussi intimes, Hank en aurait sans doute parlé à Gideon. Mieux encore, il aurait peut-être demandé à Lonnie Applewood : *Qu'est-ce qui rend un vagin heureux ?* Et elle l'aurait sans aucun doute giflé pour lui avoir posé la question. Le lendemain matin, Hank avait interrogé sa mère sans détour.

« Vous êtes heureux, Papa et toi ? »

Barbara se brossait les dents. Son avion décollait dans deux heures. « Hank, mon chéri, j'ai gagné au loto quand j'ai dégoté Charles.

— Maman ?

— Oui, Hank ? Qu'est-ce qui te tracasse ? Pourquoi tu me poses la question ?

— J'ai cru vous entendre vous disputer, hier soir. »

Sa mère rinça sa brosse à dents et entreprit d'appliquer son maquillage et son fard à paupières. Hank la trouvait jolie sans cela. « Le jour où on ne se disputera plus, c'est là qu'il faudra t'inquiéter.

— Alors vous n'allez pas divorcer ?

— Hank, dit Barbara en lui décochant un sourire. Les gens sont paresseux. Ils divorcent parce qu'ils contentent trop leur partenaire, ou pas assez. Dans un couple, il faut fixer ton propre cap. »

Mais Barbara Camphor n'avait pas téléphoné depuis trois jours, pas depuis son départ d'Atlanta. C'était la première fois qu'elle ne laissait pas de message, ou ne prenait pas de nouvelles de Hank ni de Charles pendant son absence.

La maison de Gideon Applewood sentait le gingembre. Sur le plan de travail, sous une cloche de verre, trônait un gâteau à étages à la noix de coco agrémenté de gingembre confit. Gideon aimait les gâteaux à l'ananas mais Lonnie y était allergique, aussi le fruit était-il banni de la maison.

« On était dans les îles Turques-et-Caïques pendant les vacances de Noël, Lonnie a bu un cocktail à l'ananas et sa gorge a enflé. Depuis, elle ne se déplace jamais sans Benadryl. » Hank remarqua que Gideon lui agitait des bribes d'informations sous le nez au sujet de Lonnie, comme autant de carottes, puis qu'il se taisait et voyait si Hank mordait à l'hameçon.

C'était une maison dédiée au confort, avec des meubles dans lesquels on pouvait se laisser aller. Et des livres, du sol au plafond – des livres qui débordaient des étagères intégrées laissées par les anciens propriétaires. Au cours de sa première visite, Hank ne vit la mère de Gideon qu'une seule fois. Elle était dans la nurserie, occupée avec les jumeaux. Gideon et Hank passèrent le plus clair de leur temps dans la salle de jeux. Hank enfournait sa deuxième part de gâteau à la noix de coco, *Another Brick in the Wall* des Pink Floyd jaillissait à plein tube de la radio, et Gideon – qui ne pouvait jamais rester immobile, comme Hank commençait à le remarquer – sautait sur place. Il ne dansait pas. Il sautait. Au lieu d'insérer une pièce de monnaie dans le flipper, Gideon frappait la machine de toutes ses forces à chaque fois qu'il voulait l'allumer ou faire une nouvelle partie. La salle de jeux était la pièce la plus chaotique de la maison, entre le bruit de la chaîne hi-fi, du flipper, la montagne de jouets, de vélos, et la table de billard avec son revêtement de velours qui faisait rougir Hank car en la regardant, il avait eu un flash pornographique qui incluait Lonnie.

« Comment tu as réussi à avoir un flipper ?

— Au chantage.

— Sans déconner ? demanda Hank.

— Ouais, mon père nous a acheté plein de trucs pour qu'on accepte d'emménager ici. C'était ça ou...

— Ou il aurait dû te supporter dans un état *absolument inconsolable*. »

Gideon arqua les sourcils. « Si on veut, oui.

— Et qu'est-ce qu'il a promis à Lonnie ?

— Qu'on irait à New York pendant les vacances de Noël pour un séjour culturel.

— Tes amis doivent te manquer. Ceux de l'Ohio. »

Gideon lui sourit. Son sourire traduisait la méchanceté dans une langue universelle. La méchanceté finissait toujours par prendre le dessus chez les gens. « Tu as des amis, Hank ? »

Charlotte Applewood était maîtresse de primaire et reprendrait son emploi à temps plein après le jour férié du Labor Day. Un bilan des résultats scolaires de ses futurs élèves avait confirmé ses soupçons et ses réserves quant à un retour dans le Sud. L'année scolaire s'annonçait longue et pénible. Charlotte s'était mis en tête d'accorder du temps aux jumeaux car elle n'en aurait plus ni l'occasion ni l'énergie après la rentrée. Comme Barbara Camphor, elle n'avait aucun talent culinaire. Si bien que sa tante Lady Miller, chef pâtissière à la boulangerie Gottlieb, lui envoyait plusieurs fois par semaine des cookies au chocolat, des bonshommes en pain d'épice ornés de raisins secs et divers gâteaux selon son inspiration. Lady Miller avait jadis cru au mensonge qui voulait que les filles ne s'aventurent jamais loin de chez elles – voir sa nièce revenir à Buckner alors que sa propre fille, Agnes, préférait rester dans le Nord, était une pilule difficile à avaler.

« On est en 1983. Les choses ne sont plus comme avant », aimait à répéter Lady Miller au cours des soirées tranquilles quand sa nièce l'appelait et menaçait de retourner dans l'Ohio. Charlotte avait assisté à trois groupes différents d'aide aux mamans, mais il y avait toujours cette énergie, ce *quelque chose* sur lequel elle n'arrivait pas à mettre le doigt, qui lui donnait envie de prendre toutes les dispositions nécessaires pour protéger ses enfants.

Charlotte annonça à son mari, dès son retour du travail, que Gideon avait un nouvel ami. Ils étaient dans la salle de jeux.

« Tu es sortie aujourd'hui ? » demanda Reuben Applewood. Il venait d'être nommé proviseur de l'université noire de Buckner.

« Je suis allée en ville. J'ai emmené les jumeaux au parc Robert E. Lee.

— Ça te fait beaucoup de travail. Pourquoi tu n'es pas simplement allée au country club ? »

Charlotte faisait sauter les jumeaux sur ses genoux. « On n'est plus à Shaker Heights, Reuben. Alors je ne le dirai qu'une seule fois : pour le bien de mon âme et de mon corps, aucun de mes enfants ne mettra les pieds dans ce country club.

— Charlotte, il faut qu'ils continuent leurs cours de natation. Ils sont bons nageurs mais pas assez bons pour s'en sortir s'ils tombent à l'eau au milieu de l'océan. Je veux qu'ils soient à l'aise quand ils sont à l'école de voile.

— Bon... dit Charlotte en haussant les épaules. Alors ils

devront aller à la piscine du YMCA en ville et partager l'eau avec la racaille. »

À Shaker Heights, la banlieue progressiste de Cleveland qui prônait la mixité raciale, Gideon Applewood avait laissé derrière lui :

1. Un meilleur ami
2. Une cabane dans les arbres (que son père lui avait construite pour son sixième anniversaire)
3. Une visionneuse View Master rouge qu'il avait donnée au petit frère de son meilleur ami (qui les suivait partout où ils allaient)
4. Les milk-shakes de chez Tommy
5. Les hot dogs noyés de chili con carne
6. L'équipe de base-ball des Indiens de Cleveland et les hot dogs du stade noyés de chili con carne et de moutarde
7. Mme Frost, sa professeure de littérature de cinquième qui bariolait de rouge ses résumés de lecture mais écrivait toujours entre parenthèses : *Sois toi-même, Gideon, et garde cette pertinence*
8. Le 33 tours des Pretenders sorti en 1979, qu'il avait oublié sur le sol de sa chambre
9. La lettre d'amour à l'intérieur de la pochette de l'album des Pretenders, rédigée par Cassidy, la première fille qu'il avait embrassée
10. Le numéro de téléphone de Cassidy au dos de cette lettre. Ils avaient mis au point le projet fou de s'enfuir ensemble à Vancouver – un plan qui impliquait des sacs à dos, des trajets en stop ou à bord de carrioles mennonites
11. La promesse de plonger tête la première au milieu de la circulation de l'autoroute 77 si ses parents refusaient de faire demi-tour pour aller récupérer l'album des Pretenders.

Des années plus tard à Manhattan, en 1990, à la parade en l'honneur de la libération récente de Nelson Mandela, Gideon et sa première petite amie se reconnaîtraient, baisseraient leur pancarte LIBERTÉ POUR L'AFRIQUE DU SUD et s'éloigneraient de la foule, leurs corps frémissants, la tête prise de vertige, propulsés en avant et en arrière par l'énergie du moment, par leur amour des Pretenders et de Chrissie Hynde.

« Je suis lesbienne, lui murmurerait Cassidy.

— C'est cool, répondrait Gideon Applewood. Je suis gay. »

Barbara Camphor rentra le premier dimanche de juin avec des cadeaux : une caisse de bière infusée à la pêche pour son mari et un phare de vélo rouge pour Hank, avec un logo des Bulldogs de Géorgie gravé sur le côté. Après un dîner de mérou grillé, les parents de Hank se retirèrent en hâte dans leur chambre, le laissant devant des rediffusions de *M*A*S*H*. Ils ressortirent vers la fin du deuxième épisode et s'étendirent dans le canapé du salon. Ils avaient changé de vêtements. Barbara posa la tête sur les genoux de Charles.

Hank était assis par terre. Il éteignit la télé et regarda ses parents. « Alors, quand est-ce qu'on va faire un voyage culturel ?

— Un voyage culturel ! » Barbara se redressa et bâilla. « Quelle bonne idée. Pourquoi je n'y ai jamais pensé ? »

Charles caressait les cheveux de Barbara qui dégageaient des effluves de Sea Breeze et de cigarette, et peut-être une touche de marijuana.

« Barb', dit-il. Tu t'es remise à fumer ?

— Hank, chéri, dit Barbara dans un bâillement. À quel genre de voyage culturel tu penses ?

— Eh ben, peut-être à New York, pendant les vacances de Noël.

— Fiston, tu sais que c'est une période qu'on passe en famille au chalet », rétorqua Charles.

Barbara adressa un sourire à son mari. « Il y a des tableaux de Van Gogh au MoMA, Charles. Tu ne crois pas que Hank devrait voir *La Nuit étoilée* ? »

Charles but une gorgée de scotch. « Van Gogh s'est coupé l'oreille. »

Barbara se mit à rire. « Ce qui a affûté sa vue et rendu ses mains fécondes. »

Charles se pencha et embrassa sa femme. « Viens ici, chérie, j'aime comme tu perçois le monde. En fait, je t'aime comme tu es.

— Alors c'est décidé. Une semaine au chalet et un week-end prolongé à Manhattan, dit-elle en décochant un clin d'œil à Hank. Ça te va, mon grand ? »

À la mi-juin, Barbara partit pour une nouvelle mission de la Croix-Rouge. Charles la déposa à l'aéroport et, afin de se vider l'esprit, se rendit au country club pour un parcours de golf matinal. Il rentra ensuite chez lui et réveilla son fils, qui cédait à l'habitude adolescente des siestes à midi.

« Hank, allons voir ton ami, dit Charles en sortant ses clés de voiture de la poche de son pantalon de golf à carreaux écossais.

— Où est Maman ? »

Hank frotta ses yeux ensommeillés.

Charles leva le doigt vers le ciel. « Au milieu des nuages.

— Pourquoi tu ne m'as pas réveillé ?

— Je te réveille maintenant, fiston. Saute dans la douche. Notre nana rentrera bientôt à la maison. »

Quand ils traversèrent le pont, laissant derrière eux l'île de Sunset Beach pour le continent, Hank vit mourir ses maigres espoirs que Charles Camphor invite Gideon. Charles prit la direction de l'ouest dans Magnolia Avenue. Les demeures de l'époque pré-Sécession encadrées d'azalées flétries laissèrent place à des maisons modernes en briques ou à ossature de bois, dont certaines avaient connu des jours meilleurs. Charles prit un virage serré à droite dans un chemin en terre bordé de modestes *shotgun houses*. Ces maisonnettes en enfilade étaient toutes mitoyennes et du linge séchait sur les cordes fixées aux porches de guingois. Jerome Jenkins et sa mère étaient assis en haut des marches de leur perron. Jerome Jenkins était le seul élève noir dans la classe de Hank, à l'école de Sunset Beach. Tous les enfants savaient qu'il bénéficiait d'une bourse d'étude. L'école avait peiné à recruter des enfants issus de minorités.

Cela n'arrangeait en rien la situation qu'il soit rondouillard, ni qu'il arrive à l'école avec des saletés au coin des yeux pareilles à des croûtes de pizza huileuse et une pellicule sur la peau qui, d'après lui, était de la « cendre ».

« Monsieur Camphor, dit la mère de Jerome en s'approchant de la voiture dans une robe d'intérieur à motifs que Charlotte Applewood ne porterait pour rien au monde – Hank en était certain. Vers quelle heure vous pensez me ramener Jerome ?

— Demain matin après le petit-déjeuner, si ça vous convient, Mavis ? répondit Charles en ajustant son rétroviseur.

— Je ne lui ai pas mis de pyjama ni de vêtements de rechange, monsieur Camphor. »

Charles sourit.

« Vous venez de nous donner une raison pour aller faire les magasins. » Il adressa un clin d'œil au garçon. « Qu'est-ce que tu en dis, Jerome ? »

Jerome ne regardait jamais le père de Hank dans les yeux, s'il pouvait l'éviter. « Ça me va, monsieur Camphor.

— Mavis, je vous ramène votre fils en un seul morceau. Ne vous inquiétez pas. »

Charles demanda à Jerome où il voulait manger et ce dernier répondit qu'il aimait bien aller au Morrison's, au centre-ville. Le restaurant de cette franchise quitterait son emplacement d'origine dans le district historique au profit du centre commercial de Southside. Mais à l'été 1983, on pouvait encore prendre un plateau, parcourir le buffet de produits préparés sur place et composer son petit-déjeuner, son déjeuner ou son dîner. Charles choisit du jambon cuit accompagné de *hush puppies* et de navets. Hank et Jerome prirent du poulet frit, d'épais haricots mange-tout et des macaronis au fromage que les cuisiniers arrivaient toujours à rendre crémeux à souhait. Ils sirotaient leur thé glacé, assis dans leur box, quand Gideon et sa famille s'avancèrent vers le buffet dominical. Hank aperçut Gideon et bondit malgré lui, renversant presque son verre. Il s'extirpa de la banquette pour aller le saluer, laissant son père seul avec Jerome.

Ce dernier avait enfourné un petit triangle de pain au maïs mexicain. Il prit soin de mâcher avant de parler. Ce serait la première chose que lui demanderait Mavis à son retour. *Tu as bien mâché avant de parler ? Tu as bien tiré la chasse de leurs toilettes ? Tu t'es bien lavé les mains ? Est-ce qu'ils ont essayé de te faire des trucs olé olé ? Parce que tu sais à quel point ils aiment les trucs olé olé.*

« Qu'est-ce que tu veux faire quand tu seras grand, Jerome ? demanda Charles Camphor d'un ton décontracté.

— J'aime bien les câbles », répondit Jerome.

Charles acquiesça. « Alors tu veux être électricien, hein ?

— Eh bien, monsieur... » Jerome se disait qu'il avait surtout envie de manger son pain au maïs et de laisser tomber les bavardages.

« Jerome, ce n'est pas la peine de m'appeler monsieur. »

Le garçon sourit. « Parfois, j'aime bien passer du temps à regarder les câbles.

— Ne les regarde pas trop longtemps, dit Charles en sirotant son thé. Tu risques de te tenir sous le mauvais et de te faire électrocuter. Il y a beaucoup de gens qui finissent sur la chaise électrique, ces derniers temps. C'est bien que tu veuilles devenir électricien. »

Hank amena Gideon et sa famille à leur table.

« Je crois que nous sommes voisins, fit remarquer Reuben.

— C'est le cas, effectivement. » Charles ne se leva pas.

« Eh bien, voici ma femme, Charlotte, notre fille, Lauren, et notre fils, Gideon.

— Et vous avez d'autres enfants, m'a-t-on dit ? commenta Charles.

— Nous avons des jumeaux, monsieur Camphor. Ils sont à la maison avec ma tante. » Charlotte regarda sa montre avant de conduire Gideon et Lonnie vers un box vide.

« C'est un beau dimanche, dit Charles. D'où est-ce que vous arrivez ?

— On vient de sortir de l'église, répondit Reuben Applewood.

— Oui, il y a beaucoup de bonnes paroisses baptistes par ici.

— Merci, mais nous sommes catholiques.

— Je suis méthodiste, moi, murmura Charles. Mais ça reste notre petit secret. » Puis il prit la main de Jerome. « Vous connaissez Jerome ? Jerome est le meilleur ami de Hank. »

Hank dévisagea son père. Il aimait bien Jerome, mais de là à être son meilleur ami ? Son meilleur ami était... Il n'en avait pas vraiment.

Charles attendit que son fils parle et confirme ses liens intimes avec Jerome mais le regard de Hank se perdit dans le vague.

« Bien, messieurs, dit Reuben. C'était un plaisir de faire votre connaissance. » Il adressa un salut de marin à Jerome et s'éloigna avec élégance.

Quand Hank reprit place, Charles lui adressa un regard dur.

« Cette fille, dit Jerome avec un geste en direction de Lonnie Applewood dans sa robe d'été mandarine. Elle est drôlement jolie.

— Lauren ? » Hank éclata de rire et fit rouler le prénom de Lonnie autour de sa langue avant de le laisser glisser sur ses lèvres. *« Ça, c'est sûr. »*

« Et voilà comment on fait un nœud », dit Charles, dedans et dehors, dehors et dedans. Jerome tentait de se concentrer mais les roulis du voilier lui donnaient un mal de mer désespérant.

Jerome tripota le nœud et s'interrompit pour contempler l'immensité de l'océan. Il était bien content de porter un gilet de sauvetage car il ne savait pas nager. « Tu te débrouilles bien, Jerome », lança Charles. Il avait fallu quatre essais avant que Jerome parvienne à réaliser le nœud. Mais à la quatrième tentative, son ouvrage était parfait.

« Il me faut encore quelques biscuits salés », dit Jerome en se levant et oscillant, sans trop savoir si la nourriture ingurgitée n'allait pas s'échapper de son estomac. Les biscuits étaient censés l'aider à supporter le mal de mer.

« Enfile tes bracelets, cria Charles.

« — Comment ça, monsieur ?

— Après les biscuits, enfile les bracelets anti-mal de mer. »

Hank était à la barre et pilotait le voilier. C'était ça, l'avantage de l'océan : quels que soient les problèmes de Hank, quelles que soient ses colères, dès qu'il naviguait, les soucis tombaient à l'eau et partaient nourrir les poissons. Son père s'approcha de lui et l'enlaça.

« Il s'en tire bien », constata Charles.

Ils retournaient vers le rivage et avaient le vent de face. Jerome circulait sur le bateau en s'accrochant à tout ce qu'il trouvait, comme un débutant sur une piste de patins à roulettes. Hank continua à manœuvrer le bateau. Le vent soufflait dans ses cheveux et l'eau était aussi bleue qu'il l'imaginait autour des îles Turques-et-Caïques.

« Papa, je ne crois pas que Jerome aime faire du bateau.

— Mais si, ça lui plaît. Il faut un temps d'adaptation, c'est tout. Nouvelle expérience.

— Pourquoi tu as dit que c'était mon meilleur ami ? demanda Hank en s'efforçant de donner une modulation à sa voix qu'il voulait faire entendre à son père sans paraître irrespectueux. Je n'ai pas de meilleur ami. »

Charles avait joué au football américain à Clemson. Il était au poste de running back. Il avait appartenu à la fraternité de Phi Kappa Delta – et une fois par an, il assistait à une réunion d'anciens élèves. Hank, son fils, était une énigme. Charles aurait rêvé d'avoir des frères dans son enfance, il avait batifolé avec ses voisins et ses cousins, alors que Hank se contentait de Barbara en guise de meilleure amie. « Il n'y a pas de quoi en être fier, rétorqua Charles, et sa voix s'éleva au-dessus de l'océan. Tu veux devenir un pauvre con solitaire qui se branle dans sa chambre ? C'est pas comme ça que tu te dégoteras une femme.

— T'es un connard, lâcha Hank. C'est qui, tes amis, Papa ? »

D'une gifle, le père de Hank lui attendrit le visage.

Avant de prendre le bateau, ils s'étaient arrêtés chez Parker's, la boutique de vêtements où Hank et Jerome achetaient leurs uniformes scolaires. La vendeuse leur laissait toujours un ourlet un peu plus long et, une semaine avant la rentrée, elle appelait les clients, les invitait à venir faire les retouches, et elle mesurait la croissance des enfants. Charles commanda trois uniformes pour Hank et Jerome, puis il fit glisser sa carte American Express vers la vendeuse. « Vous comprenez désormais que quand Mavis viendra, elle aura un bon crédit. Sa capacité de crédit est étendue. »

Charles le fit en toute discrétion, afin que Mavis et Jerome n'aient pas à le remercier. Même chose pour les frais de scolarité. Si Mavis était en difficulté, un compte avait été mis en place pour Jerome Jenkins.

Jerome vomit à l'instant où ils regagnèrent la terre ferme. Malgré les protestations de Charles, le garçon demanda à rentrer chez lui. S'il avait entendu la dispute entre père et fils, il eut la sagesse de n'en rien montrer.

« Monsieur Camphor, dit Jerome en tendant la main à Charles avant de gravir les marches de la maisonnette. Merci. J'espère qu'on refera du bateau ensemble une autre fois.

— Quand tu veux, fiston, répondit Charles. Ça, c'est un bon état d'esprit. »

Au cours de la dernière année d'université de Hank, Charles Pierre Camphor décéderait dans un accident nautique, et Jerome Jenkins prendrait l'avion depuis Denver dans le Colorado pour venir prononcer son éloge funèbre. Ayant rencontré le succès comme fabricant de jouets électroniques haut de gamme, il évoquerait sa première sortie en mer avec Charles Pierre Camphor et la générosité inébranlable dont il avait fait preuve envers lui.

Devant son père, Hank arborait son visage enflé comme une médaille d'honneur. *Attends un peu que Maman voie l'ecchymose*, pensait-il. *Attends un peu.* Mais le jour de son retour prévu, Barbara téléphona et les informa qu'elle avait été retenue à New York.

« Comment ça, retenue ?

— Eh bien, je ne peux pas prendre l'avion, répondit-elle. J'avais une correspondance à New York. Avec les filles, on s'est dit qu'on pouvait en profiter et y passer le week-end. Je ferai des repérages pour notre voyage de Noël.

— Barb', je veux que tu rentres par le prochain avion.

— C'est impossible, Charles.

— Fais en sorte que ça soit possible. »

Il y eut une pause à l'autre bout du fil. « On m'a proposé une promotion.

— Où ça ? À New York ?

— Bien sûr que non.

— On en discutera quand tu seras rentrée.

— Tu ne m'écoutes pas. » Barbara poussa un profond soupir dans le combiné. « Je l'ai déjà acceptée. Et je consacre un peu de temps à tisser mon réseau.

— Tu es en train de boire ?

— Seigneur, mais non. »

C'était l'inhalation d'une fumée de cigarette. *Seigneur,* quel langage ampoulé. « Barb', tu es ivre ?

— On n'a pas encore déterminé l'intitulé de mon poste, mais si je joue les bonnes cartes, Charles, je pourrais être directrice générale du Sud-Est d'ici deux ans. »

Charles éclata de rire. « En vertu de quoi ?

— Charles, ça fait presque cinq ans que je suis à la Croix-Rouge. Mon parcours d'infirmière m'a donné une solide expérience dans l'aide aux victimes de catastrophes. Je suis douée dans ce que je fais. Je pensais que tu serais heureux pour moi. »

Silence de mort. « Tu as taillé combien de pipes, Barb' ? Tu as couché avec quel supérieur ? »

À l'autre bout, Barbara écarta le combiné de son oreille. Elle avait rencontré Charles quand elle était guichetière à la S&S Bank et qu'il était fraîchement sorti d'école de commerce. Quand ils avaient commencé à se fréquenter, elle avait demandé son transfert dans un autre établissement afin d'éviter les commérages. Elle avait compris qu'avoir une relation amoureuse dans le cadre professionnel tournait toujours au désavantage d'une des parties. Elle économisait son salaire de guichetière dans l'optique de s'inscrire à une école d'infirmière. Deux ans après avoir terminé ses études, elle avait épousé Charles et travaillé trois ans à l'hôpital Saint-Joseph avant de donner naissance à Hank. Elle avait pris presque une décennie sabbatique avant d'intégrer la Croix-Rouge. Elle en avait bavé pour gravir les échelons après être restée tant d'années à la maison. On ne l'avait pas crue capable de s'impliquer totalement dans son travail mais elle avait bossé plus dur que certaines jeunes infirmières de la Croix-Rouge. Avec ce nouveau poste, elle serait confrontée à un état d'urgence local inédit. Une nouvelle maladie se développait. Un virus. Le sida. Il y aurait des questionnaires, des études à lire sur des sujets délicats, notamment les préférences sexuelles. Ce n'était pas les propos qui comptaient, estimait Barbara, mais la manière dont on formulait la question. Elle tenta de franchir la barrière de la ligne téléphonique et de toucher son mari d'une voix radoucie. « Et comment ça se passe à la maison, Charles, mon chéri ? Comment va mon petit garçon ?

— Eh bien, écoute... commença Charles en regardant la porte de la chambre où Hank s'était enfermé pendant presque deux jours. Super, Barb'. Ça se passe bien. »

C'était la première fois que Hank volait de l'argent dans le portefeuille de son père : vingt-cinq dollars dans la liasse soigneusement pliée de Charles. Hank prit garde de bien replacer la pince à billets comme il l'avait trouvée.

« Au Star Castle, ils ont Donkey Kong, Centipede et Pac-Man. » Dans la cuisine des Applewood, Hank portait un filet d'oranges Navel.

« C'est très gentil de la part de ta mère, dit Charlotte Applewood en acceptant les oranges que Hank lui présenta comme un cadeau de bienvenue en retard. Mais ce n'était pas nécessaire. Elle nous a apporté une salade de pommes de terre, le soir de notre arrivée. Je voulais d'ailleurs lui demander la recette. C'était délicieux. »

Face à sa propre ignorance, Hank rougit. Il s'était rendu à vélo jusqu'au magasin où il avait acheté des oranges. C'était un produit qu'il avait pu payer en gardant toutefois assez d'argent pour inviter Gideon et Lonnie l'après-midi à la salle de jeux vidéo.

« Maman, je peux y aller ? demanda Gideon.

— Je ne sais pas, Gideon. Je viens juste de mettre les jumeaux à la sieste.

— Il y a la navette de l'île, rétorqua Hank. Elle s'arrête à l'Island Center. De là, ça fait vingt minutes jusqu'au Star Castle. »

Lonnie jeta un coup d'œil au-dessus de son magazine. Elle lisait l'exemplaire de *Mademoiselle* de sa mère. « Eh bien, commenta-t-elle. Tu as pensé à tout. »

Charlotte décocha à sa fille un regard qui disait *laisse-le donc tranquille*. Gideon laçait déjà ses Chuck Taylor.

« Il est midi, les garçons. Je vous attends ici avant 17 heures. Ça vous paraît correct ?

— Oui, m'dame », répondit Hank.

Charlotte traversa la pièce jusqu'au plan de travail et sortit des billets du fond de son sac à main. « Au cas où vous seriez à court. »

Elle embrassa Gideon sur le front et tendit la main pour caresser la joue de Hank. « Tu t'es fait un bobo ?

— C'est plus un bébé, Maman, dit Gideon. Les bobos, c'est pour les bébés.

— Gideon, vous serez toujours mes bébés. Vous tous.

— C'était un accident sur le bateau », répondit Hank. Il hésita avant de s'approcher de Lonnie. Tipper somnolait par terre, à côté du tabouret de bar. Hank s'accroupit pour le caresser et essaya de ne pas se laisser distraire à la vue des longues jambes de Lonnie.

« Tu viens avec nous ? » demanda-t-il.

Lonnie baissa les yeux vers lui et le dévisagea. « Je suis trop grande pour les jeux d'arcade. » Hank s'en trouva déçu mais s'efforça de le cacher. Lonnie glissa au bas de son tabouret et s'assit par terre. Ils caressèrent Tipper en silence. C'était la plus longue conversation qu'elle avait échangée avec Hank Camphor. Lauren Applewood et Hank ne seraient jamais assis plus près l'un de l'autre.

« Mais merci de me l'avoir proposé », ajouta-t-elle. Lonnie tendit la main et lui toucha le visage d'un geste théâtral. « Prends un peu de Tylenol, cher enfant. »

Ce jour-là à Star Castle, Hank et Gideon perdirent la notion du temps. C'était peut-être les lampes rouges si éclatantes dans le noir. Ou les autres enfants. Et leurs rires. Hank riait tant qu'il en avait mal au ventre. Il se fichait de perdre. Lonnie Applewood avait flirté avec lui, non ? Elle avait posé ses doigts parfaits sur son visage. Il ne pouvait s'empêcher de penser que, quelque part au fond de son cœur, Lonnie en pinçait pour lui. Hank rejouait la scène en boucle dans son esprit et en éprouvait une montée d'adrénaline affolante. Avec leur Pac-Man, Gideon et lui traquaient tour à tour les pac-gommes sur l'écran. L'instant d'après, ils engloutissaient du Fresca, du pop-corn rassis et des hot dogs. Gideon avait commandé des hot dogs couverts de chili en conserve. « C'est la version du chili con carne des pauvres ?

— Pourquoi des pauvres ? demanda Hank.

— *Examine* un peu la maigre portion de viande, les haricots écrasés en purée, les arômes de bouffe pour chien qui remplacent les effluves de coriandre et de cannelle.

— Je vois surtout que t'as beaucoup de temps libre, si tu réfléchis à tout ça, Gideon.

— Yo-yo-yo, t'essaies de me dire quelque chose ?

— Yo-yo-yo, peut-être bien. »

À l'été 1983, le comté de Buckner étouffait sous la canicule. La fraîcheur humide de la salle d'arcade, équipée d'un climatiseur, offrait un havre aux petits geeks désœuvrés. La pénombre estompait aisément les frontières raciales.

« J'aurais bien aimé que ta sœur nous accompagne, dit Hank.

— Mec... lâcha Gideon en hochant la tête. Tu peux pas te contenter de traîner avec moi ? Lonnie est hors catégorie. En plus, elle a déjà un copain. À Cleveland.

— Et c'est... sérieux ? »

Gideon se détourna de lui. « Donkey Kong !

— Gideon, allez, j'ai besoin de savoir.

— Alors, Hank. Comment ça se fait que tu ne m'invites jamais chez toi ? »

Hank se figea devant Donkey Kong. « C'est juste que... la question ne s'est jamais posée.

— Hmm.

— Peut-être une fois que ma mère sera rentrée.

— Dacodac, dit Gideon avec un sourire. Lonnie et son gars. Ils l'ont déjà fait. Je les ai surpris en pleine action un jour. »

Hank ferma les yeux. « Je te crois pas.

— Alors ça fait un point partout, rétorqua Gideon après une pause. Parce que moi, je ne crois pas que tu m'inviteras un jour chez toi. »

Hank et Gideon manquèrent la navette de 18 heures et durent se replier sur les transports publics. Le bus local semblait serpenter lentement à travers tous les quartiers pauvres du comté. Quand les garçons arrivèrent enfin à leurs maisons respectives, il était 21 h 30 et le soleil avait tourné le dos à l'île. La mère de Gideon attendait sur le porche. Hank resta sur le trottoir tandis que Charlotte Applewood fustigeait et enlaçait Gideon. « Tu as perdu la tête ou quoi ? J'ai failli appeler ton père. »

Les deux amis avaient effectué le trajet du retour en silence. Hank ne pouvait pas contredire Gideon. Et Gideon omit de lui dire au revoir quand ils se séparèrent.

« Tu étais où, fiston ? » Charles Camphor l'attendait dans le salon. La carafe à côté de son verre était vide.

« À la salle d'arcade.

— Cette femme, là. La mère de ton ami. Elle est venue ici. Vous l'avez sacrément inquiétée, tous les deux.

— Elle s'appelle Mme Applewood. Charlotte.

140

— Eh bien, *Charlotte* n'était pas ravie. »

Hank se rendit dans sa chambre et ferma la porte.

« Tu as pris de l'argent dans mon portefeuille, Hank. » Charles l'avait suivi.

« Emprunté. Je l'ai emprunté. » Hank verrouilla sa porte. « Je te rembourserai au retour de Maman. Avec mon argent de poche.

— Pourquoi tu joues toujours les petits merdeux ? »

Dehors, Tipper hurlait sous le croissant de lune.

« Franchement, j'en sais rien », répliqua Hank.

Charles posa le front contre la porte. « Quand j'avais ton âge, je ne faisais pas attendre mes parents. Je devais participer, tenir un bord du sac en jute et le remplir de mon mieux. Parfois, Big Seamus et moi, on prenait ma vieille carabine à plomb, on allait chasser les lapins, les écureuils et les opossums. Ma mère cueillait des pissenlits et préparait un ragoût. D'autres fois, elle complétait les repas avec du gruau de maïs. Du maïs bouilli. Du maïs frit. Du maïs cuit dans la mélasse et servi en sauce. Elle cuisinait du gruau de maïs en toute saison. De la polenta, ils appellent ça dans les restaurants, maintenant. Mais pour nous, c'était que du gruau de maïs, Hank. »

Le garçon ouvrit la porte. « Je veux un basset.

— Quoi ? s'écria Charles, déconcerté.

— Comme Lonnie et Gideon.

— Non.

— C'est une bonne race, les bassets.

— Ça se discute.

— Et ils sont doux. Les recherches disent qu'ils sont doux avec les enfants.

— D'accord, alors voilà ce qu'on va faire. On va chercher un terrain d'entente. Il doit bien y avoir un chien qui conviendra à toute la famille.

— La famille ? s'esclaffa Hank. Quelle famille ?

— Ne dépasse pas les bornes, fiston.

— Tu ne fais pas partie de ma famille.

— Depuis quand ?

— Maman ne supporte même plus de vivre ici.

— Ta mère est une femme moderne. Et Dieu sait que ça me fait peur, mais c'est aussi pour ça que je l'aime, Hank.

— Eh bien, moi, je veux un basset.

— Hors de question.

— Et une autre famille. Comme la famille d'à côté. » Hank croisa les bras. « Je veux une famille à la peau brune.

— Et tu feras quoi, quand tu l'auras, Hank ? Tu t'imagines que leur vie est parfaite ? Tu ne crois pas qu'ils ont leur lot d'emmerdes, eux aussi ?

— Je crois, je crois... » Hank fit mine de réfléchir intensément. « Ils sont au-dessus de tout ça. C'est facile – c'est plus facile – quand tu as un chien miniature pour, euh, *détendre l'atmosphère*, une mère qui remarque ton visage enflé, une sœur que ton nouveau meilleur ami a envie d'embrasser, un père qui travaille tout le temps mais qui ne vient pas te gifler quand il rentre du boulot, ou dire à sa femme *Chérie, avec qui as-tu encore baisé ? Tu as bien taillé des pipes ?* » Hank tapa du pied. « Alors donne-moi un basset et une maison pleine de gens à la peau brune. Je me fous de ton sac en jute plein de gruau de maïs. »

Charles laissa tomber son verre de whisky et, d'instinct, Hank leva les mains devant son visage pour parer le coup imminent.

Charles scruta les bris de verre, ne fit aucun effort pour les ramasser, s'éloigna à reculons de la chambre de Hank avant de se diriger d'un pas déterminé vers la porte d'entrée. En sortant, Charles Camphor tira un club de golf de son sac flambant neuf. Il leva le bois dans les airs, siffla longuement et s'entraîna à taper dans le vide. Hank le suivit dans le jardin à distance raisonnable. Il regarda son père s'entraîner à taper dans le vide et se défouler.

Dehors, Tipper avait cessé de hurler et de yodler. Quand il vit Charles et Hank, il s'élança vers le garçon en agitant la queue. Hank s'avança, non, il *s'interposa devant son père* mais Charles l'empoigna par le col de la chemise et l'écarta de son chemin. Hank roula dans l'herbe tandis que Charles levait son club de golf et le brisait en un seul coup sur l'échine de Tipper.

Le choc fut tel que le chien ne poussa ni cri ni gémissement. Hank se convaincrait plus tard que l'animal n'avait pas eu le temps de souffrir. C'était faux, évidemment. Tipper débordait de vie et de souffle, et une seconde plus tard, il gisait à terre, inerte.

« Voilà, Hank, dit Charles en récupérant son club avant de tituber jusqu'à la maison. Enterre tes morts. »

Hank s'assit dans l'herbe à côté du cadavre de Tipper et poussa un hurlement.

Barbara Camphor descendit du taxi deux heures plus tard et remarqua que toutes les lumières étaient allumées chez eux. Elle découvrit Charles assoupi dans le canapé du salon. Elle vit les éclats de verre dans le couloir près de la chambre de Hank. Elle inspecta les pièces, et quand elle ne trouva pas son fils, et qu'elle ne parvint pas à réveiller Charles, elle sortit et explora la partie de leur jardin adjacente aux marais. Hank y creusait un trou au clair de lune. Un petit tertre s'élevait à sa gauche. Barbara se hâta jusqu'à son fils et regarda au fond du trou qu'il creusait. Elle retint son souffle et hésita un instant. Elle prit la pelle des mains de son fils.

« Non.

— Papa a cassé la colonne vertébrale de Tipper.

— Chut.

— C'est un homme méchant, Maman.

— Qui ? »

Barbara fit volte-face.

« *Papa*, marmonna Hank. Pourquoi il les hait à ce point ? »

Barbara contempla la maison des voisins derrière Hank. « Ton père a grandi à la dure, Hank. Il lui faudrait deux vies entières avant de se débarrasser de sa rudesse. Et des vies, on n'en a qu'une seule. »

Hank secoua la tête. « Tu n'as pas vu...

— Tu me raconteras plus tard, Hank. Pour l'instant, c'est trop insoutenable. » Elle fit signe à Hank de s'écarter mais il ne bougea pas d'un pouce tandis qu'elle remontait les manches de son chemisier en soie verte. Cadeau d'un homme qu'elle fréquentait depuis plus d'une décennie. Un homme marié, James Samuel Vincent, qu'elle avait vu récemment à New York. Ils avaient convenu tous deux que leur relation amoureuse était terminée. Barbara se mit à creuser. « Je prends le relais. »

Plus tard cette nuit-là, Reuben Applewood sortit en pyjama et en chaussons, il s'autorisa quelques bouffées paresseuses de cigare cubain avant d'allumer sa lampe torche. C'était le signal pour que Tipper lui indique où il avait fait ses besoins, afin que Reuben puisse se coucher et que le chien puisse rentrer. Mais point de Tipper et, à sa place, toutes les lucioles du voisinage semblaient danser autour de lui. Dans les marais, le chœur nocturne de la faune chantait à tue-tête. Reuben Applewood n'était pas un homme superstitieux et il ne manquait pas de bon sens. Quand Tipper ne répondit pas à son troisième appel, il marmonna dans sa barbe : *Ces sales enfoirés de dégénérés ont tué le chien de mes gamins.* Il entreprit de formuler le récit que lui et Charlotte livreraient aux enfants. Car ils étaient encore à un âge où certaines vérités pouvaient les briser. Et il ne permettrait jamais qu'une telle chose se produise. *Choisis ton océan. Choisis ton océan. Choisis ton océan.*

Hank avait vraiment eu l'intention de trouver un nouveau chien à Lonnie et Gideon, mais sa mère le surprit en restant à la maison jusqu'en août, où elle se rendit à une convention de la Croix-Rouge à Los Angeles. Elle rentra avec une profusion de cadeaux. Dans ses énormes sacs de voyage, des mini-tortillas achetées dans une épicerie mexicaine, des serviettes de plage de Venice Beach décorées de palmiers, de tongs et de surfeurs bronzés. Elle avait trois maillots des Dodgers de Los Angeles ornés d'autographes, en tailles petite, moyenne et grande. Et, rien que pour Hank, une balle de base-ball signée par toute l'équipe des Dodgers qui avaient aimablement offert des places pour un match à la délégation de la Croix-Rouge. Charles reçut une élégante paire de marqueurs de balles de golf en plaqué or, gravés à ses initiales, C.C. Il avait pâli en les ouvrant. « Je vais peut-être me mettre à la course à pied », avait-il dit.

Après la convention, Barbara était restée à la maison avec Hank et Charles, et le foyer des Camphor était paisible. On faisait de la voile, on préparait en détail le voyage de Noël à New York, et Barbara Camphor parvint à convaincre son fils d'accompagner Charles dans ses séances de jogging. Courir s'avéra une bonne discipline car Hank, de mauvaise grâce – autrement dit, au fil du temps –, rencontrerait d'autres adolescents adeptes du footing, des ados comme lui, aux centres d'intérêt similaires.

NOTES DE GIDEON APPLEWOOD SUR L'AMITIÉ

Moi : Papa pense que Tipper s'est enfui.
Hank : Je suis désolé.
Moi : Ma sœur pense qu'il a essayé de rentrer à Cleveland.
Hank : Ça lui est déjà arrivé de s'enfuir ?
Moi : Jamais.
Hank : Gideon… Et bah, on dirait qu'il y a une première à tout.
Moi : Je pense qu'il s'est fait renverser par une voiture.
Hank : Tu as sans doute raison.
Moi : Je m'attends toujours à voir Tipper dans la rue, mais Lonnie me dit de regarder droit devant.

(P.S. : Hank ne me pose plus de questions sur Lonnie. D'habitude, Hank me pose TOUJOURS des questions sur Lonnie. Ce soir, j'ai explosé mon Rubik's Cube.)

Le déménageur emménage

1971

FOYER [fwaje]
Nom commun
— Lieu où l'on vit de façon permanente, et par extension la famille qui le peuple.
— Lieu d'accueil pour personnes en difficulté ou en besoin de supervision.
— Lieu qui désigne à la fois le cœur, la source (foyer de lumière, de chaleur), mais également le centre d'où rayonne un danger (foyer de l'incendie, de la révolte).

Jebediah Applewood n'avait pas bandé depuis quatre-vingt-douze jours. Il avait baisé avec cent soixante-trois femmes au Vietnam, score modeste d'après certaines estimations. D'autres soldats en avaient baisé deux fois plus, en deux fois moins de temps. Jeb tenait une liste avec assiduité et documentait ses exaltations, non pas pour se vanter ou fanfaronner, mais parce que son esprit s'embrumait parfois et qu'il perdait la notion du temps. Il prenait un cocktail de médicaments afin de soigner ses maladies vénériennes – chancre mou, gonorrhée, syndrome de Reiter et chlamydiose. Jeb avait miraculeusement échappé à l'herpès et à la syphilis. Il pensait donc que les prières de sa mère et de ses tantes avaient intercédé en sa faveur.

Il se réveillait parfois en pleine nuit, trempé de sueur, et examinait son corps comme un parent inquiet examine son nouveau-né. Chaque partie était intacte mais il était persuadé qu'un élément vital de sa personne disparaissait lentement. Sur le manteau de cheminée dans sa chambre, il installa un autel à l'Amour, y déroula une bande de velours violet et l'orna de posters de Pam Grier, Brenda Sykes et Vonetta McGee. Il encadra son autel de perles en fibre acrylique vernie, d'encens au bois de santal et d'épaisses bougies rouges en hommage à ses sœurs sexy à la peau brune. Jebediah avait vingt-quatre ans. Il restait assis sur son lit à contempler les visages de Vonetta, de Pam et de Brenda – *des visages si, si jolis* – avant de reculer pour obtenir une vue plus large de leurs coiffures afro, de leurs culs et de leurs nichons. Puis Jeb tombait à genoux et demandait à ces déesses de le délivrer des cauchemars de noyade et de mort qui le hantaient chaque nuit.

La mère de Jeb et sa tante Flora avaient préparé un festin en l'honneur de son retour au comté de Buckner, en Géorgie ; un buffet de nourriture réconfortante dans la maison de son enfance. Jeb regarda les plateaux de mets délicieux et sut qu'il n'y trouverait aucune satisfaction ; il prit cependant une assiette en carton, une fourchette, et il mangea non pas une portion mais deux, afin de ne pas faire insulte aux amies de sa mère, au temps qu'elles avaient consacré à ce festin et à leurs talents culinaires. Il ne voulait pas vexer la congrégation de paroissiennes qui avaient toutes contribué à son éducation et l'avaient protégé comme un faucon protège sa progéniture. Jeb remarqua qu'elles se référaient toutes à sa période de guerre dans les termes *là-bas* ou *au loin*. Elles ne prononçaient jamais le nom *Vietnam*.

Ruby Dennis apporta sa salade de pommes de terre préparée avec du céleri moulu au mortier car le jus évitait l'ajout de mayonnaise écœurante. Martha proposa son poulet frit plongé dans l'eau froide et à peine saupoudré de farine afin que la chair reste tendre à l'intérieur et la peau croustillante à l'extérieur. Lullabelle prépara des crevettes à l'étouffée, accompagnées de gruau de maïs crémeux et de grains de poivre entiers. Stella fit du riz rouge aux poivrons, aux tomates bouillies et à l'andouille. Josephine offrit des macaronis au fromage tricolore, gouda, cheddar et édam, des produits onéreux bien au-delà de ses moyens ; en fin de mois, elle devait toujours emprunter de l'argent à sa famille et ses amis.

Pendant son déploiement, il avait vu des prostituées attraper des balles de ping-pong avec leur vagin et inciter les soldats à venir les chercher en guise de divertissement. Des bars où seuls les soldats blancs pouvaient se retrouver, et des bars réservés aux militaires noirs. Il y avait eu des bordels dévolus à toutes sortes de débauches imaginables. Et des drogues en quantité suffisante pour nourrir cette imagination. Les femmes de la baie de Subic – et plus tard, de Bangkok – n'attendaient rien de la part de Jeb. Pas même de manifestations amicales. Il pouvait traverser le pont jusqu'à la ville d'Olongapo, y passer une ou deux heures, baiser comme un fou avec elles, oublier qu'il tuait leurs frères asiatiques. Du sexe, c'était tellement bon, du sexe, tant qu'il était encore capable d'éprouver quoi que ce soit. On pouvait soumettre une nation entière, rien qu'avec des armes à feu et du sexe. Ouvrir son portefeuille. Sortir un billet de cinq, de dix, un peu plus si vous étiez noir. Sachant que les femmes en avaient vu bien assez pour vous accueillir sans rien attendre de vous. Mais dans le comté de Buckner – sa mère, ses tantes et, doux Jésus, les jeunes filles qu'elles essayaient de caser avec lui, savaient-elles qu'il n'avait rien à leur apporter ? *Oui, tu as été là-bas. Mais tu es de retour, à présent.* Parfois, Jeb se pinçait. Il n'en était pas convaincu. Parfois, il scrutait son entrejambe, que rien ne stimulait. Il fut soudain frappé par l'idée qu'il y avait peu d'hommes à Buckner. Il éprouva l'absence douloureuse de ses oncles et de ses cousins. À quel moment cela s'était-il produit ? Il arpenta le centre-ville et remarqua qu'une grande partie de ses frères étaient brisés et désœuvrés. Ou portés disparus. Son cousin germain, Reuben Applewood, l'avait encouragé à s'engager dans la Navy. *On est peu nombreux dans cette branche de l'armée*, avait écrit Reuben, recroquevillé sur sa couchette de l'*USS New Jersey*. *Quand la mobilisation générale sera déclarée, on ne te donnera pas le choix. Tu finiras troufion en première ligne. Tu seras envoyé dans l'infanterie.* Autour de lui, Jeb ne voyait que des femmes, des enfants et des vieillards.

Allons à la pêche, avait dit la poignée de vieux hommes que connaissait Jeb. Il avait attrapé un poisson tambour, avait jeté un simple regard dans ses yeux ronds et l'avait décroché de l'hameçon. Les vieux avaient dit : *Jeb, allons au bowling*, et Jeb avait glissé deux doigts dans le trou d'une boule brillante, l'avait observée qui roulait le long de la piste. Quand la boule était entrée en contact avec les quilles – *strike* – elle avait émis un tel raffut – une explosion ? – que Jeb s'était baissé, les yeux plissés, et sur la piste nageait le premier maître Mammoth, crachant de l'eau comme il l'avait fait quand Jeb et Eddie Christie l'avaient jeté par-dessus le bastingage de l'*USS Olympus*. Terminées, les séances de bowling.

Jeb songeait à appeler Eddie dans le Bronx mais s'en était dissuadé. Au Vietnam, Eddie avait failli péter un plomb. Il avait poussé Eddie à faire quelque chose qu'ils allaient regretter tous les deux. Et comme l'esprit d'Eddie s'était remis à l'endroit, Jeb ne voulait rien faire ou dire qui puisse le rendre dingue une fois encore. *Fais avec*, se disait Jeb. Il allait devoir faire avec, tout simplement.

« Jebediah, demanda sa mère. Tu voudrais venir à l'église ? » Jeb répondit non mais il conduisit sa mère et sa tante Flora à la paroisse catholique de Notre-Dame-du-Christ avant d'aller au cinéma. Il assista aux projections de *Dirty Harry*, de *La Dernière Séance*, de *French Connection* et de *Charlie et la chocolaterie*.

Jeb se rendit à la clinique des anciens combattants, pensant qu'un docteur pourrait lui prescrire un traitement contre l'insomnie. Dans la salle d'attente, un soldat décharné au crâne chauve stupéfiant – Jeb repensa à la piste de bowling – se mit à craquer devant la quantité de paperasse que le personnel médical lui avait confiée sur l'écritoire à pince et qu'il devait remplir. *Je vais faire le ménage et remettre les compteurs à zéro*, marmonna le soldat. Jeb ne décela pas de menace immédiate dans ces paroles mais une alarme se déclencha. Des infirmiers accoururent avec des sangles et d'autres moyens de contention, et ils emmenèrent le soldat. Jebediah sortit de la clinique à reculons et alla acheter de la marijuana, deux pâtés de maisons plus loin. Il dormit profondément pendant deux jours.

Il n'était pas du genre à végéter indéfiniment à la maison, et, après trois mois passés à traînasser, il tailla le chêne de sa mère à l'arrière de la maison car il ne voulait pas que des types de la ville s'en chargent. Parfois, ils abattaient les arbres entiers dans les jardins des Noirs. Jeb grimpa dans la ramure en évitant les insectes au milieu de la mousse espagnole. Il resserra les tuyaux qui fuyaient sous l'évier de la cuisine, colmata les trous dans le toit, nettoya les gouttières, posa une nouvelle canalisation d'évacuation dans le jardin afin que l'eau n'inonde plus le sol de la buanderie. Il vitrifia le parquet, installa de nouvelles protections sous les tapis orientaux pour ne pas abîmer les lattes en noyer d'origine, il cira l'escalier, ramona la cheminée, rentra des bûches, acheta de nouvelles moustiquaires qu'il fixa aux fenêtres, puis il retira le revêtement en vinyle de la façade malgré les protestations de sa mère, affirmant que ce revêtement était bon marché et que le bois risquait de pourrir dans l'humidité. Jeb ne pouvait pas lui expliquer que le vinyle le déprimait, aussi lui promit-il : *Je peindrai la maison en jaune*. Sa mère et sa tante Flora aimaient la perspective d'une maison jaune.

Quand il eut terminé les travaux à la mi-novembre, l'agitation s'empara de Jeb à nouveau mais l'insomnie ne le tracassait plus. Il alla au magasin Sears et s'acheta deux chemises blanches à manches longues, deux blanches à manches courtes, deux shorts bleu marine, deux pantalons en toile beige, une veste bleue, ainsi qu'une paire de chaussures en daim marron à la boutique de Thom's Shoe Store sur Main Street. Il revêtit un pantalon en toile et une chemise blanche lorsqu'il se rendit à l'université locale pour Noirs. Il espérait s'y inscrire au printemps, grâce au G.I. Bill. Tandis qu'il arpentait le campus du XIXᵉ siècle entouré de marais salants et de prairies de pâturin, son cœur se réjouissait à la vue des jeunes frères et sœurs noirs réunis en conversations animées. *Tous les jeunes sont ici.* L'espace de cinq minutes, il s'imprégna des vibrations de cette jeunesse et déambula d'un pas nonchalant, songeant qu'à vingt-quatre ans, il était encore jeune lui aussi, et qu'il avait le droit d'être heureux.

Jeb était de bonne humeur dans l'ascenseur qui montait au bureau des admissions mais, quand la porte s'ouvrit, l'ambivalence l'accompagna au sortir de la cabine. Heureux ? Était-ce une plaisanterie ? *Heureux* ? Il posa la question au conseiller d'orientation. Comment puis-je être heureux quand la guerre fait rage ? Le conseiller d'orientation répondit à Jeb que le bonheur était une question existentielle. Parfaite pour le cours d'initiation à la philosophie. En Nietzsche, dit-il, vous pourrez trouver un alter ego. Une fois qu'il eut compris la teneur approximative de la vision de Nietzsche, il expliqua au conseiller d'orientation que ça ne lui ferait aucun bien de rester assis dans une foutue salle de classe pleine de gens heureux à débattre de la signification du rien.

Très bien, alors commençons par vos domaines de compétence, rétorqua le conseiller. Quels sont vos centres d'intérêt ?

Jeb dit : Je connais quelques trucs sur les corps dans l'eau. Mais il ne raconta pas comment l'eau vous remplit les poumons. Vous vide de votre oxygène. Vous bouche les narines et les oreilles. Il ne décrivit pas la lutte que mènent les corps en pleine noyade. Quand l'eau s'attaque à un humain, le corps veut lui rendre la pareille et frappe les flots en retour. Parfois, les hommes se déchirent un muscle sous la surface avant de perdre connaissance.

J'aime les sports aquatiques, dit Jeb.

Le conseiller d'orientation en fut impressionné. Il se pencha sur son bureau. Mon frère, que ça reste entre nous, mais nos semblables sont tous si propres, on prend un tel plaisir à se laver – ça ne vous arrive pas de vous demander pourquoi la plupart d'entre nous ne savent pas nager ?

Jeb avait remarqué que, depuis son retour de la guerre, les gens disjonctaient. Ils parlaient mais écoutaient rarement. Non, dit-il. Je n'ai pas d'avis sur la question.

Le conseiller d'orientation se détendit à nouveau dans son fauteuil : Chaque groupe social est hanté par son croquemitaine. Notre croquemitaine à nous, c'est le Passage du Milieu. Et si on vous inscrivait en éducation physique ? Vous pourriez commencer par un cours de natation. Vous êtes vétéran du Vietnam, c'est ça ? La natation est une excellente façon de réduire le stress.

Jeb en conclut qu'il n'était pas encore prêt à intégrer l'université. Il consulta la dernière page du *Penny Saver*. Il y avait une annonce pour un poste d'aide déménageur chez Axelrod Movers. Jeb se rendit au siège de l'entreprise dans le Southside. Au bout de cinq minutes d'entretien avec le propriétaire, Jeb reçut sa première mission longue distance. Son coéquipier serait Big Seamus Camphor, un vétéran du Vietnam lui aussi, et ancien sergent de l'armée américaine. Ils devraient transporter des meubles de Memphis jusqu'à Boston, puis livrer une dernière cargaison à Portsmouth dans le New Hampshire.

Big Seamus Camphor était aussi baraqué que pouvait l'être un Blanc. Il se disait entre deux boulots, et cherchait désespérément à gagner de l'argent. Jeb se glissa sur le siège passager du camion et laissa le volant à Seamus. À première vue, cela semblait être la démarche la plus diplomatique.

Big Seamus était bavard, et sa conversation s'orienta aussitôt vers la chasse. C'était un sport auquel Jeb connaissait une ou deux choses, de l'époque où lui et ses cousins traquaient des oiseaux que les Français aiment appeler *pigeonneaux*. Seamus s'illumina en apprenant cela. Les deux hommes s'accordèrent pour dire que les écureuils avaient bon goût une fois grillés.

Big Seamus raconta un déjeuner récent avec son cousin Charles Camphor : *12 dollars pour l'assiette de crevettes et de gruau de maïs la plus minable que j'aie jamais vue. Après ça, on s'est baladés dans le parc et ce foutu coin était envahi d'écureuils en folie qui se dressaient sur leurs pattes arrière comme s'ils attendaient que je leur balance des glands. Et Charles riait : « Seamus, ils sont pas mignons ? » Et ça, alors, ça m'a foutu en l'air. « Qu'est-ce qu'ils ont de mignon ? j'ai demandé. Si seulement j'avais ma vieille carabine à air comprimé. Venez par ici, petits écureuils. » Mais Charles a continué à marcher devant moi et il a dit : « Faut que tu arrêtes de manger les écureuils, Seamus. Et faut surtout que t'arrêtes de dire aux gens que tu les mangeais, avant. »*

Je tire encore sur des écureuils quand personne ne regarde, avoua Seamus. Et sur les opossums. Et les lapins. Et les tortues. Dieu n'aurait pas donné de fusils aux hommes s'il ne voulait pas qu'on s'en serve. Mais je vise toujours les cibles mouvantes. Je ne tire jamais sur une cible immobile.

Jeb découvrit rapidement que son coéquipier n'appréciait ni les grandes villes ni les autoroutes. S'ils avaient été maîtres de leur temps, lui avait dit Seamus, ils auraient été mieux sur les chemins de traverse. Jeb préférait ne pas être maître de son temps. Les petites bourgades du Sud ne lui inspiraient ni curiosité ni affection.

Problèmes de couple, expliqua Big Seamus au bout d'une heure de route. Il faut que je m'éloigne un peu de ma femme.

À dire vrai, c'est le feu que fuyait Big Seamus Camphor. Au cours d'un incendie déclenché par une bougie dans une maison à moins de deux kilomètres de la ville, il s'était assis par terre dans la chambre d'un petit garçon et s'était prosterné devant les flammes. Seamus n'aimait pas les incendies, il avait passé sa vie à les combattre, mais après sa période au Vietnam, il n'était plus un pompier efficace.

Il était entendu que Jeb et Big Seamus ne partageraient pas de chambre d'hôtel à Memphis, bien qu'en 1971, la situation fût envisageable. Ils garèrent le camion dans le parking d'un entrepôt et convinrent de se retrouver le lendemain à midi pour leur rendez-vous de 13 heures. Big Seamus avait un copain du Vietnam à qui il voulait rendre visite et s'assurer de sa santé. Il dormirait chez lui et garderait son allocation pour engraisser son portefeuille trop maigre. Jeb sortit l'exemplaire du *Green Book* que sa tante Flora avait posé de force sur ses genoux et le feuilleta jusqu'à tomber sur le nom de Myrtle Hendricks à Memphis, dans le Tennessee.

Myrtle Hendricks vivait à Orange Mound, un quartier peuplé exclusivement de Noirs et qu'on disait être le plus ancien du pays. Sa maison en bois blanc avait jadis appartenu à ses parents. Pendant l'époque des lois Jim Crow, la maison avait parfois fait office de chambre d'hôtes ou, quand la situation l'exigeait – aux grands maux les grands remèdes – de logement à long terme.

Elle entrouvrit la porte-moustiquaire et Jeb entraperçut un œil marron.

Voyageur ? demanda Myrtle.

De passage seulement, répondit Jeb.

De passage vers où ? Elle ouvrit la porte un peu plus. Au premier abord, il n'y avait rien d'exceptionnel chez Myrtle Hendricks. Ses jambes étaient trop minces, ses cheveux trop crépus,
et elle ne portait pas de rouge à lèvres évoquant des lieux exotiques, des promesses ou des possibilités.

Pour l'instant, vers Boston et le New Hampshire. Et après,
qui sait ?

Jeb portait une combinaison de travail en jean qui lui donnait
l'impression d'être un gamin en barboteuse. Myrtle le scruta
de la tête aux pieds. Il la voyait hésiter, envisager le coût de
lui laisser louer la chambre pour la nuit, et celui de le prier de
poursuivre sa route.

C'est 15 dollars la nuit, petit-déjeuner inclus, annonça-t-elle.

Jeb retira son uniforme de déménageur et le posa sur le
grand lit en fer forgé et son couvre-lit en polyester. Il entre-

prit ensuite de déballer les quelques vêtements de rechange qu'il avait emportés. Dans la chambre, tout semblait dire *Ne prenez pas vos aises*, notamment le couvre-lit. Jeb était habitué aux édredons. Cette absence d'édredon lui fit regretter son lit en Géorgie. Sa tante Flora lui avait promis que sa chambre resterait inchangée. Jeb n'imaginait pas la joie que procurait son autel à la nudité couleur chocolat dans le cœur de sa tante Flora, lesbienne de première classe née trop tôt dans la partie pour pouvoir mener sa vie en toute liberté.

Myrtle demanda à Jeb s'il avait besoin qu'elle lui amidonne ou lui repasse des vêtements avant qu'il n'aille au night-club le soir. Il l'informa qu'il n'était pas venu en ville pour la musique. Ni pour les clubs.

Vous êtes dans le berceau du blues, dit-elle. Beale Street. Stax Records. Vous pourriez aller écouter quelque chose, puisque vous êtes sur place.

Jeb annonça vers où balançaient son cœur et son esprit : le Lorraine Motel.

Pourquoi vous voulez aller là-bas ? demanda Myrtle. Elle avait remarqué le dédain de Jeb envers son couvre-lit et lui en avait apporté un de meilleure qualité.

Je veux voir à quoi ça ressemble, dit-il.

À mon avis, la seule chose qu'il y avait à voir, c'était avant que James Earl Ray n'épaule son fusil. Vous arrivez après les événements.

Jeb la remercia pour le couvre-lit. Elle le regarda défaire et refaire le lit avec les gestes caractéristiques d'un entraînement militaire.

Ça m'étonne vraiment, dit-il, que personne n'ait mis la ville à feu et à sang.

Qu'est-ce qui vous fait croire que les gens n'ont pas essayé ? On a essayé.

Je veux juste voir l'endroit de mes propres yeux.

C'est peut-être une rumeur. Les rumeurs sont légion, soupira Myrtle. Mais j'ai entendu dire que certaines personnes avaient trempé des mouchoirs dans son sang. Que Dieu me vienne en aide. Les choses dont les gens sont capables... Un mouchoir ensanglanté en souvenir d'un si grand homme.

On appelle ça des trophées, madame Hendricks.

Ne faites pas ça, monsieur Applewood. Ne vous avisez pas de m'appeler madame Hendricks.

Jeb remarqua qu'elle tenait fermement serrée sa robe de chambre en éponge rose.

Tôt le lendemain matin, avant d'aller au travail, Jeb arpenta South Main en direction du Lorraine Motel, et il aperçut Myrtle Hendricks qui marchait en sens inverse sur le même trottoir. Il ne la reconnut pas immédiatement, sans son peignoir rose. Ses cheveux crépus avaient été coiffés en une mignonne petite afro agrémentée d'une rose d'automne sur le côté, et elle portait une élégante robe couleur jade, des souliers taupe et un sac à main assorti. En passant près de lui, elle sourit et lança un Bonjour, et Jeb songea, *Mon Dieu, ses dents sont si blanches et ses yeux si brillants*, et il se retourna mais Myrtle avait déjà disparu à l'angle de la rue.

Il se tint devant le Lorraine Motel et pleura. Il pensait qu'il serait seul sur les lieux mais d'autres voyageurs, trois ans après la mort de Martin Luther King, avaient fait le déplacement. L'hôtel était délabré, rien à voir avec son âge d'or où il constituait une destination prisée des musiciens en quête de confort et de repos après une longue séance d'enregistrement chez Stax ou un concert à Beale Street, ainsi que de la clientèle nantie qui appréciait les équipements proposés par Lorraine (qui avait donné son nom à l'hôtel) et son époux, Walter. Le quartier autour de l'établissement était désormais tout aussi triste, rendu plus triste encore par le cours implacable de l'histoire et l'espoir anéanti. Au premier étage, protégé par une vitre, se trouvaient la rambarde et la porte verte de la chambre 306. Certains voyageurs rentraient chez eux et jouaient ces trois chiffres, dans un sens, dans l'autre, mélangés. Certains avaient de la chance. La plupart, non. Quelques-uns enverraient des gerbes et des couronnes, livrées à côté des autres fleurs – fraîches ou artificielles – déposées par les visiteurs. Sur le trottoir lézardé, Jeb pivota vers le nord. Une partie de ses compagnons de voyage l'imitèrent. C'était leur pèlerinage, et ce faisant, ils rejouaient dans leur esprit et dans leur gestuelle les derniers instants de la vie de Martin Luther King. Quelqu'un demanda d'où était venue la balle, et quelqu'un murmura que le projectile de James Earl Ray avait explosé depuis une fenêtre nord de la maison condamnée, de l'autre côté de la rue. Le nord était pourtant le chemin de la liberté, non ? Le visage de Jeb se mua en éponge gorgée de larmes. Il restait debout là, et il tombait, tombait, tombait en morceaux, et songeait aux navires de guerre en mer de Chine. À la manière dont, sous le pont dans sa cabine, ses tympans émettaient des claquements et des pets. Et comment, un jour, il avait regardé par un des nombreux hublots du bateau et avait aperçu un calmar géant, et le premier maître Nelson Mammoth qui rebondissait sur les tentacules de l'animal comme un trapéziste en plein numéro de cirque. Il avait alors arraché de la paroi de sa couchette cette liste de TOUTES LES CHOSES QUE JEB N'A PAS BESOIN DE SAVOIR. Il l'avait déchirée en confettis. Mais le lendemain, la liste était à nouveau là. Rédigée de l'écriture soignée d'Eddie Christie. Eddie connaissait la liste par cœur. Peut-être que c'était ça, être cousins, frères – amis ? Jeb pleura pour le Dr King, encore et encore.

Pendant sa pause-déjeuner, Myrtle sauva Jeb sur le trottoir du Lorraine Motel. Elle travaillait au comptoir des parfums et cosmétiques d'un grand magasin du centre-ville de Memphis. L'emploi lui convenait bien mais elle se démaquillait toujours en arrivant chez elle. Certaines femmes choisissaient la marque Pond, d'autres dépensaient des sommes astronomiques en produits de luxe. Myrtle se nettoyait le visage à la teinture d'hamamélis et l'hydratait à l'huile d'olive. Son poste au comptoir était inespéré car elle n'était pas blanche, il y avait eu des entretiens et des réunions, et il avait été décidé qu'une femme noire à la peau claire, bien qu'au physique plus agréable, risquait de distraire les hommes blancs qui venaient parfois acheter du parfum à leurs épouses, ou bien, inversement, risquait d'être une menace pour les femmes blanches de leur entourage.

Pourquoi ont-ils fait ça ? demanda Jeb à Myrtle. Pourquoi l'ont-ils tué ? Myrtle le prit par le bras et l'emmena.

Elle savait qu'il irait au Lorraine Motel avant même qu'il n'ouvre la bouche. Jeb n'était pas le seul à venir à Memphis en quête du Dr King. Parfois, ils juraient ne pas y avoir pensé avant mais leurs pieds les conduisaient pourtant là-bas. Jeb n'était pas le premier qu'elle retrouvait tremblant comme une feuille sur le trottoir. Quand les hommes arrivaient avec cette expression sur le visage, Myrtle se disait toujours qu'elle refuserait de les héberger. *Vous croyez que la mort n'existe qu'à Memphis ? La mort est partout*, avait-elle envie de leur lancer, mais quelque chose en elle, ou en eux, la faisait invariablement changer d'avis. Ces hommes risquaient de se retrouver en prison, ou à l'hôpital, meurtris, parce qu'on n'avait pas compris la nature réelle de leur blessure. Ils avaient tous des blessures.

Elle expliqua cela à Jeb en lui préparant un bain. En lui versant du sel d'Epsom, elle lui dit : Je suis désolée, mais je vais devoir vous facturer le sel.

Elle lui expliqua tout cela en fermant la porte de la salle de bains et en lui laissant une chaise afin qu'il s'y asseye et dépose ses vêtements. Elle le lui expliqua une heure plus tard quand il émergea de son bain tout nu, ayant oublié sa serviette, et qu'elle hurla, pensant qu'il voulait la prendre de force. Et les hurlements déclenchèrent une érection chez Jeb. Il se couvrit et dit : Myrtle, ce n'est pas ce que vous croyez.

Et elle recula dans le salon où la causeuse bordeaux était enveloppée de plastique, elle s'assit et alluma une cigarette. Jeb n'aurait pas imaginé qu'elle puisse fumer. Il n'avait pas senti d'effluves de tabac sur elle.

Il s'habilla à la hâte et lui proposa de partir.

Myrtle prépara le repas, un steak Salisbury accompagné de légumes en conserve et de purée instantanée.

Je suis désolée, dit-elle. Je ne suis pas bonne cuisinière. Et je n'ai pas d'enfants. Deux raisons qui ont convaincu mon mari de me quitter. *Quel genre de femme es-tu ?* a-t-il dit. *Tu ne sais pas cuisiner. Tu ne peux pas mettre d'enfants au monde.* Je suis Hannah, lui ai-je répondu. Je suis Sarah.

Elle prépara le repas en fumant. Des cendres tombèrent dans la casserole. Jeb se demanda si la nicotine relevait les saveurs.

Ça fait trois strikes contre toi, m'a-t-il dit. *Tu cites la Bible, en plus. Et tout le monde sait que les femmes qui citent la Bible ne savent pas baiser.* Non mais, qui aurait pu lui raconter une chose pareille, à votre avis ? demanda Myrtle.

Je ne sais pas.

Dites-moi : est-ce que vous savez quelque chose ?

Jeb savait quand quelqu'un lui cherchait des noises : Je sais que j'étais censé aller au travail il y a un moment déjà.

Plus tard, au lit, Jeb dessinerait des cercles et des courbes autour des petits seins fermes de Myrtle. Elle émettrait de petits rires et écarterait sa main d'une tape.

Myrtle, murmurerait-il en l'attirant contre lui : ton mari est un idiot. Je serai plus que triste de partir, moi.

Au grand magasin, tout le monde sait quand quelqu'un s'en va, dans le coin, répondit-elle. C'est quoi, l'adresse de la personne que tu aides à déménager ? J'aime ta compagnie, mais trouver un travail honnête n'est pas facile par les temps qui courent.

Jeb regarda Nancy Vincent ouvrir une petite palette ovale de fard à paupières bleu de Chine. Myrtle l'avait donnée à Jeb afin qu'il l'offre à Nancy en guise d'excuses. Dans son salon, elle utilisa l'applicateur et déposa une large quantité de poudre sur ses paupières. La table et les chaises de style colonial qui avaient appartenu à son ex-mari, expliqua-t-elle à Jeb et Seamus, devaient être déposées à Boston, en chemin vers sa nouvelle maison de Portsmouth, dans le New Hampshire. Son futur ex-mari vivait désormais là-bas après avoir perdu son emploi de capitaine des pompiers à Huntington, puis ici à Memphis. Il fallait toujours qu'il y ait du grabuge, avec Jimmy

Senior. Elle était restée afin de mettre la maison en vente mais elle se languissait de la côte Est.

Jeb n'avait pas grand-chose à faire. Seamus s'était chargé seul de tout emballer dans la maison. Ils s'affairèrent d'une pièce à l'autre dans le pavillon de Nancy, transportant tout ce qu'elle possédait.

Je ne voulais pas te laisser en plan, dit Jeb.

Seamus haussa les épaules. T'étais où ?

J'avais un truc à faire.

Eh bien, ça doit être agréable de pouvoir gérer ton propre emploi du temps.

Jeb ne voulait pas d'ennuis. Pas quand il était de bonne humeur.

Prends mon salaire pour compenser le boulot que tu as fait en mon absence, dit Jeb. Et l'allocation d'hier soir aussi. Comme ça, on sera quittes.

Si t'es pas généreux, toi ! s'esclaffa Seamus. Il avait les yeux injectés de sang. Seamus avait fait la fête toute la nuit avec son ami de Beale Street. Il donna un coup de coude à Jeb : Regarde-toi, à débarquer ici avec marqué *chatte* sur le front.

Au Vietnam, Jeb n'aurait pas tiqué sur ce choix de vocabulaire. Il s'était vautré dans la fange avec les meilleurs. Mais depuis qu'il était rentré chez sa mère, il se passait la langue au savon.

Je m'en suis bien sorti, dit-il.

Seamus lui décocha un clin d'œil : Comme ça, on est deux.

Quand Jeb et Seamus eurent fini de charger les restes de sa vie, Nancy Vincent prit sa valise Samsonite et franchit la porte.

Bien, dit-elle en appliquant un rouge à lèvres éclatant qui contrastait avec le fard à paupières bleu, avant de grimper dans une Cadillac rose qui aurait pu contenir une demi-douzaine d'hommes : Dans cette vie, nous évoluons en cercles. On se retrouve à Portsmouth. Essayez d'y arriver en un seul morceau, vous et mes affaires.

À l'instant où la voiture de Nancy s'éloignait, Seamus fit

remarquer qu'elle était drôlement bien conservée pour une vieille. Il était rentré du Vietnam et les seins de sa femme pendouillaient comme des ballons de baudruche au lendemain d'une fête. Et il ne pouvait s'empêcher de se demander pourquoi elle n'avait pas pris plus soin d'elle, et comment son corps avait pu déconner à ce point sans même lui avoir donné de fils. Jeb écoutait en silence car il savait que discuter de la beauté d'une femme blanche risquait de provoquer des pensées déconcertantes dans l'esprit de Seamus et qu'il pourrait le lui reprocher plus tard. Un trajet de 2 196,28 kilomètres les attendait jusqu'à Portsmouth, dans le New Hampshire.

Ils s'arrêtèrent sur une aire de poids lourds dans un coin rural de l'Ohio. Seamus sortit un bang et l'alluma. Il voulait dormir sur place, dans la cabine du camion, et économiser le prix d'une chambre d'hôtel. Jeb n'était pas ravi de dormir en bord de route, ou en compagnie de quelqu'un. L'air nocturne était frais. C'était bientôt Thanksgiving.

La drogue préférée de Jeb et Seamus était la marijuana, même s'ils ne refusaient pas les champignons, les amphétamines ou les barbituriques. Ils grimpèrent à l'arrière du camion afin de ne pas attirer l'attention et inhalèrent à tour de rôle. Après quelques bouffées, Seamus se mit à rire et Jeb voulait rire, lui aussi, mais aucun son ne sortait car il était trop occupé à se gratter. Jeb, dit Seamus, soit y a des bestioles ici, soit t'as chopé des poux.

Avant même qu'il ait eu le temps de finir sa phrase, Seamus fut pris de démangeaisons à son tour et se gratta. Ils se levèrent, inspectant le camion en quête du problème. (Seamus identifierait le coupable plus tard, le désinfectant utilisé sur la banquette du camion.) En cet instant, pourtant, en cette seconde, l'obscurité les enveloppait. Les meubles de salle à manger de style colonial qui avaient appartenu à la tante de Jimmy Vincent Senior, à Cabot dans le Maine, se mirent à pleurer et à se languir de Nancy, qui les cirait chaque dimanche matin avec une huile citronnée. Les chaises ployèrent bientôt sous les larmes de la table, et Seamus lâcha : C'est quoi, ces conneries ?

Jeb, qui voyait parfois le fantôme d'un homme, ne chercha même pas à savoir si les meubles savaient parler, il ouvrit à la volée le hayon du camion et se roula dans les graviers de l'aire de repos comme un chien qui cherche à se débarrasser de ses puces. L'air frais lui remit aussitôt les idées en place et il resta étendu par terre, à inspirer de profondes bouffées d'oxygène. Au-dessus de lui, le ciel s'entrouvrit et il vit non seulement le monde, mais l'univers entier, devant lui, et il eut envie de rire, et il eut envie de chanter, et il eut envie de courir dans le désert car son cœur lui disait que Myrtle Hendricks l'attendait là-bas pour l'aimer.

On est défoncés, cria Jeb à Seamus qui était sorti en titubant du camion et se trouvait à l'avant, où il fouillait dans la boîte à gants.

La table à manger de style colonial et les quatre chaises sautèrent du camion Axelrod et s'enfuirent. Seamus regarda Jeb, et Jeb regarda Seamus, et Seamus s'élança à leur poursuite car il voulait les rattraper. Jeb se leva et des graviers encore accrochés à lui tombèrent au sol. Il courut après Seamus. Il lui fallut plus de temps que prévu pour rejoindre le robuste vétéran.

Seamus, dit Jeb qui se grattait encore. Il y a des crotales et des scorpions dans cette saloperie de désert. Il y a sûrement des coyotes aussi.

Seamus dégaina un pistolet de sous son uniforme. C'était un Magnum .357, le premier achat qu'il avait effectué à son retour aux États-Unis. Le chômage atteignait des taux records – partout. Et Seamus ne pouvait plus combattre les incendies. Si un pompier était incapable de combattre des incendies, alors le monde était sans doute devenu dangereux.

Seamus agita son pistolet devant le visage de Jebediah Applewood : Je n'ai pas peur d'*eux*. Ils ont des questions. J'ai des réponses.

Jeb leva les mains et recula. Seamus, dit-il d'une voix un

peu étrangère, pose cette saloperie de flingue. T'es complètement défoncé.

J'ai fait mes meilleures parties de chasse quand j'avais de la drogue dans le système. Ces foutus meubles ont intérêt à revenir.

Seamus se mit à tirer sur les chaises qui volaient au-dessus de lui. Il disparut dans l'obscurité, retirant son uniforme dans sa course. Jeb regarda le cul affolé de Seamus claquer au vent.

Réfléchis. Jeb réfléchit et en conclut qu'il ne valait mieux pas que les flics débarquent et trouvent Seamus Camphor en train de courir dans le sens opposé au camion. *Réfléchis.* Jeb réfléchit et se dit que, s'il laissait Seamus périr dans le désert, on parlerait d'homicide et il en serait le premier suspect. Aussi, pour la deuxième fois cette nuit-là, rattrapa-t-il Seamus qui avait épuisé ses munitions.

Jeb se souvint avoir entendu son oncle déclarer qu'on ne pouvait pas parler de fourberie si l'on était en train de perdre le combat. Jeb asséna un vicieux coup de pied à Seamus et l'atteignit au tendon d'Achille. Quand le grand homme s'étala de tout son long, l'arme tomba avec lui. Jeb profita de l'occasion, s'en empara et assomma Seamus avec. Il s'allongea et s'endormit aussitôt à ses côtés.

Il n'y a pas de désert à traverser entre Memphis et Portsmouth, mais c'est ainsi que se racontent les histoires à dormir debout. C'est ainsi que la fiction devient réalité, ainsi que les faux souvenirs deviennent légendes.

En novembre 1971, Jeb et Seamus écoutèrent les chansons suivantes à la radio tandis qu'ils roulaient vers Boston :

Superstar, des Carpenters
Shaft, d'Isaac Hayes
When the Levee Breaks, de Led Zeppelin
What's Going On, de Marvin Gaye
Brown Sugar, des Rolling Stones
Maggie May, de Rod Stewart

166

Ain't No Sunshine, de Bill Withers
Joy to the World, des Three Dog Night
Mr. Big Stuff, de Jean Knight
One Bad Apple, des Osmonds
Smiling Faces, des Undisputed Truth
Indian Reservation, de Paul Revere et les Raiders
Tired of Being Alone, de Al Green

L'horizon urbain de Boston était plus petit que dans l'imagination de Jeb. En 1971, trois jours avant Thanksgiving, Seamus et lui y découvrirent des anciens combattants agitant des gobelets jetables sur les trottoirs ou tenant des pancartes en carton où l'on avait griffonné *Aidez un vétéran*. L'ère hippie, que les deux hommes avaient manquée pendant la guerre, vivait ses derniers jours. Derrière les vitres du camion de déménagement, les deux hommes furent fortement décontenancés par le nombre de sans-abri dans les rues. *Une ville sacrément rude, Boston*, pensa Jeb, mais s'il avait arpenté le centre de New York, de San Francisco, de Los Angeles ou de Chicago, il y aurait sans doute été témoin de la même rudesse.

C'est vous, Jimmy Vincent ? cria Jeb depuis le siège passager du camion. Jeb et Seamus avaient attendu une heure devant la maison en briques de Jimmy Vincent dans le sud de Boston, avant que le pompier à la retraite ne se montre enfin.

Peut-être. Qui le demande ? Jimmy Vincent les dévisagea. Sa peau était tannée comme du cuir. Elle avait été jadis celle d'un être humain mais les mauvaises habitudes avaient eu des conséquences terribles sur son front et son menton. Jimmy arborait une brunette maigrichonne à son bras. Si la gamine prétendait avoir vingt ans, elle en avait dix-neuf. Si elle prétendait en avoir dix-neuf, elle en avait dix-sept. Voire moins.

On a des meubles à vous dans le camion, dit Jeb.

J'ai dit à Nancy de les garder, rétorqua Jimmy Vincent.

Elle pensait que vous risquiez de changer d'avis plus tard, insista Jeb. Tandis que son coéquipier parlait, Seamus ouvrit le hayon du camion et entreprit de décharger la table et les chaises. Jeb laissa Jimmy Vincent, formulaires entre les mains, et alla aider Seamus.

La fille se rendit au camion et tapota le rembourrage de la table. Elle applaudit d'un geste joyeux : Tout ça, c'est pour *nous* ?

Jimmy Vincent secoua la tête : Tout ce que me donne Nancy, ça me porte malheur.

Vous voulez qu'on les mette où ? demanda Jeb.

Jimmy Vincent alluma une cigarette : Laissez tout sur le trottoir.

Seamus fut horrifié par la négligence de cet homme face à son héritage matériel : Ces meubles appartenaient à votre *famille*.

La fille caressa le long dossier des chaises en bois et retourna sur le trottoir où elle chuchota à l'oreille de Jimmy Vincent. Ce dernier haussa les épaules. La fille applaudit une nouvelle fois avec joie et dit : Mettez tout sur le porche. On les vendra demain.

Vous avez vu ? lâcha Jimmy en exhalant sa fumée de cigarette. Il pointa le doigt vers la fille sans la regarder : Je viens de rencontrer ça, il y a un mois à peine. Elle planifie déjà le reste de ma vie et pense que je veux l'y inclure.

Jeb et Seamus laissèrent les meubles sur le porche, où la petite brune jouait aux chaises musicales tandis que Jimmy Vincent fumait des Pall Mall et parlait de son ex-femme, appuyé à la table. Combien il la détestait. Et combien l'avenir serait désespérant sans cette haine qui l'avait enveloppé peu à peu comme un vieux manteau. Peut-être qu'il ne la détestait pas ? Peut-être détestait-il le fait d'être en couple avec elle. En couple, ils étaient pires qu'une tempête de neige.

Jeb tira une leçon de son statut de déménageur. Être déménageur, ce n'était pas une question d'objets. C'était plutôt l'histoire autour de ces objets qui importait. Les erreurs qui se produisaient quand on attendait trop des gens, des lieux ou des biens matériels. Les objets avaient une histoire. Et face à toute cette histoire et ce passé, il était content de pouvoir voyager léger.

Le restaurant ouvert toute la nuit était surmonté d'une enseigne lumineuse clignotante. Quand Jeb et Seamus entrèrent, le comptoir rectangulaire et les tabourets de bar leur évoquèrent une salle du Krispy Kreme Donuts près de chez eux. Les beignets brillants dans la vitrine les faisaient saliver, et les serveuses portaient des uniformes vert et blanc avec leur nom sur un badge, exactement comme au Kress de Buckner, en Géorgie. Un panneau annonçait *Meilleurs burgers de Boston*. Ils s'installèrent aux tabourets de bar. Seamus donna un coup sec sur le comptoir et demanda à Jeb de lui commander un café pendant qu'il allait pisser. Une serveuse, dont l'uniforme était assorti à ses yeux verts, s'approcha. Elle regarda autour d'elle avant de placer une serviette, un couteau et une fourchette devant le siège inoccupé de Seamus. Puis devant Jeb. Plusieurs regards s'attardèrent sur elle. Jeb, qui était sensible à ces choses-là, sentit les regards avant même de pivoter sur son tabouret. Le restaurant était animé. Il chercha un visage qui pourrait ressembler au sien. Il n'en trouva aucun. Jeb se retourna avec aisance, les mains dans les poches de sa veste fine. Dehors, les petits flocons de poudreuse se changeaient en verglas et en bouillie.

Deux cafés, s'il vous plaît, dit-il. La serveuse sourit et se déplaça lestement, versa une tasse à Seamus. Quand elle abaissa la cafetière pour remplir la tasse de Jeb, une employée plus âgée qui avait observé la scène de loin s'avança, bras croisés.

Désolée. Nous n'avons pas de café, déclara la vieille serveuse. Ses yeux étaient rivés sur sa collègue mais ses paroles étaient destinées à Jeb.

Et qu'est-ce qu'elle tient dans sa main ? Le ton de Jeb n'était empreint d'aucun reproche. Simplement factuel.

Ce n'est pas du café, dit la vieille serveuse. Elle portait un chignon comme la tante de Jeb. Il poussa un soupir : Vous avez du thé ?

La vieille serveuse secoua la tête : Pas de thé non plus.

Et de l'eau ?

Elle se tourna vers Jeb et ne cilla pas. Si vous la buvez vite et que vous partez.

On roule depuis un sacré moment, dit Jeb en faisant appel à l'humanité de la vieille femme. Le visage de celle à queue-de-cheval devint aussi rouge qu'une décoration de Noël. Elle lui servit un verre d'eau. Il avait soif mais sa fierté lui interdit de toucher au verre. Impossible d'avoir soif à ce point.

Je vois beaucoup de gens qui boivent du café et, pourtant, vous n'en avez pas ? Jeb avait participé à des sit-in dans le comté de Buckner. Il n'avait pas anticipé un sit-in dans le Nord. Embrumé de sommeil et nimbé de cette aura fatiguée propre aux voyageurs, il n'était pas certain d'avoir le courage ni l'endurance de protester.

La vieille serveuse se tourna vers la plus jeune : Bon, tu vois ce que tu as provoqué ? Tu connais les directives. *Tu me règles ça.*

Elle s'éloigna d'un pas déterminé. Et la jeune serveuse murmura : Ne me faites pas ça. Je travaille ici depuis une semaine à peine. Et j'ai vraiment besoin de ce boulot.

Jeb répondit un peu plus fort que prévu : Je suis un vétéran du Vietnam. Je suis américain.

La jeune serveuse soupira. Seamus sortit des toilettes. Il grimpa sur son tabouret et avala une gorgée de café. Il est où ton café ? demanda-t-il, et il remarqua pour la première fois la serveuse, le silence ambiant, la tasse vide de Jeb.

Ils n'ont pas de café, Seamus.

Seamus continua à savourer sa boisson. Il enregistrait encore l'information et prenait tout son temps. Le panneau annonce *Meilleurs burgers*. Bon sang, je me ferais bien un burger avec un supplément d'oignons frits dessus. Ils ont des oignons Vidalia, par chez nous. Tu crois qu'ils en ont ici aussi ?

Jeb eut envie de le gifler : Putain, mais comment tu veux que je le sache, quand ils n'ont même pas de café ? Mange ce que tu veux. Fais ce que tu veux.

Jeb se leva et quitta le restaurant. Seamus avala lentement le fond de sa tasse avant de se lever à son tour. Bon, je crois que je ne vais pas payer ce café, hein. Seuls les imbéciles paient ce qui n'existe pas.

Seamus suivit Jeb dehors. Ils remontèrent dans le camion. Jeb s'installa au volant. Seamus lui lança les clés. S'ils avaient connu le coin, ou si Jeb avait pensé à feuilleter le *Green Book*, ils auraient pu se rendre dans le quartier noir de Dorchester, au sud de Boston. Là-bas, bien sûr, la situation aurait pu s'inverser et c'est peut-être la présence de Seamus qui aurait été fâcheuse. Comme nombre de villes américaines en 1971, Boston était divisée selon des limites raciales, géographiques et morales. Trois ans après qu'on eut refusé de servir Jeb dans le restaurant, la crise des bus et le scandale de la déségrégation des écoles publiques à Boston feraient la une des journaux nationaux. Et plus d'un habitant du Sud ricanerait devant l'hypocrisie du Nord.

Ils allaient sortir du parking quand la serveuse à la queue-de-cheval et aux yeux verts émergea en courant du restaurant en serrant un sac en papier taché de graisse. Elle s'approcha de la cabine, du côté de Jeb : Ce n'est pas grand-chose. Un burger et des frites à partager.

Merci, dit Jeb.

Elle se hâta vers le restaurant et s'arrêta à la porte : Mon petit frère se bat là-bas, lui aussi.

En 1971, la tempête de neige de Thanksgiving immobilisa des milliers de gens. Jebediah Applewood et Seamus Camphor se retrouvèrent bloqués cinq jours durant à Portsmouth, dans le New Hampshire. Nancy Vincent s'excusa de la dureté du plancher et leur donna des couvertures, des oreillers et des sacs de couchage. Ils survécurent en mangeant des sandwichs à la dinde et une version douteuse de soupe à la dinde. La soupe était nourrissante mais, à part cela, Nancy Vincent les ignora royalement et lut des livres que son fils, un avocat accompli, avait envoyés de New York. Seamus affirma comprendre pourquoi l'ex-mari de Nancy était parti avec une femme plus jeune, car Nancy ne faisait aucun effort pour servir un homme hormis pour lui apporter son pain quotidien. À l'expression *pain quotidien*, Jeb repensa à Myrtle.

Jeb regarda la neige et alla aider Nancy Vincent à déblayer l'allée. Il enfila une couche supplémentaire de vêtements, une veste à carreaux, des gants en daim et un jean matelassé qui pendaient mollement sur sa silhouette mince. Nancy avait gardé quelques vêtements de son ex-mari, dont elle n'avait pu se résoudre à se séparer. Jimmy Jr., disait-elle. Un jour, Jimmy Jr. les voudra peut-être. Ils creusèrent un chemin entre les congères. Nancy s'arrêta et reprit son souffle avant d'affirmer, Impossible de faire disparaître son odeur.

Quand la tempête se calma, Seamus parcourut à pied sept pâtés de maisons jusqu'au pub du coin, et Jeb en traversa neuf dans la direction opposée jusqu'au magasin de nourriture diététique. C'était un établissement rudimentaire tenu par Boone McAllister, l'ami d'enfance du fils de Nancy Vincent. Le magasin n'avait pas beaucoup de stock : des seaux en plastique contenant des noix, des germes de soja, et une grosse machine qui moulait les graines, les légumes et les haricots en farine ou en beurre de noix. Jeb ne le savait pas encore mais il assistait à l'essor du mouvement macrobiotique fondé par le chercheur japonais George Ohsawa. Boone McAllister adhérait aux préceptes d'Ohsawa en termes de nutrition et de régime, et il les mettait en œuvre dans sa boutique.

Boone McAllister informa Jeb que la réunion avait été annulée à cause de la tempête mais que, s'il avait besoin d'un endroit où pioncer, il y avait de la place dans la cave et l'arrière-salle.

La cave avait un sol en terre battue et un plafond bas. On y trouvait des tables et des chaises pliantes comme celles qu'utilisaient les joueurs de cartes dans le Sud. Une demi-douzaine d'hommes. Une odeur de plusieurs jours sans savon s'accrochait à certains d'entre eux, à leur peau et à leurs vêtements. Ils venaient pour la soupe et les sandwichs que leur offrait Boone McAllister chaque semaine. Jeb apprit de ces vétérans du Vietnam qu'une base de l'Air Force se trouvait non loin de là, ainsi que des logements abordables à Seacrest, mais où le manque d'isolation vous glaçait les os. La Navy avait confondu les plans d'architecte avec ceux des logements qu'ils construisaient en Virginie.

Les anciens combattants parlaient de la guerre. Ils parlaient de théories du complot. Ils avaient tous un avis sur la CIA. Certains juraient avoir vu des avions décoller du Vietnam chargés d'héroïne. Ils parlaient d'expériences avec le LSD. De choix difficiles. D'avoir dû buter un officier à coups de grenade à fragmentation afin de sauver leur peloton.

Au Vietnam, Jeb n'avait pas participé aux combats sur le terrain, aussi gardait-il le silence. En règle générale, il trouvait plus correct d'écouter que de parler, et il fut surpris quand il eut enfin quelque chose de sensé à dire. Il relata sa visite à la clinique des anciens combattants de Buckner, en Géorgie, et décrivit le soldat furieux au crâne chauve scintillant qui semblait incapable de remettre de l'ordre dans ses pensées. Il raconta comment le soldat avait été emmené de force, lui qui se débattait et hurlait à propos de ces formulaires qu'il était sans doute incapable de lire, Jeb en était désormais certain. Il ne fit aucune allusion au premier maître Nelson Mammoth.

La veille du départ de Jeb et Seamus, Boone McAllister proposa un emploi à Jeb dans le magasin diététique. Il avait remarqué comment Jeb s'était d'abord tenu en retrait, puis avait fait un pas en avant. Comment il repliait les chaises après une réunion, et comment il lisait sans cesse des brochures. Il avait vu Jeb parcourir les livres de recettes macrobiotiques.

J'envisage de ne plus manger de porc, lui dit-il.

Tu es en voie de devenir végétarien.

J'en suis pas certain.

Et Boone McAllister déclara : On a besoin de quelqu'un pour faire l'ouverture et la fermeture du magasin. Tu crois que tu saurais te débrouiller à la caisse ?

Sur le chemin du retour chez Nancy, Jeb crut voir une femme monter dans une voiture au loin, une femme qui ressemblait à Myrtle. Il n'avait pas vu d'autre Noir depuis son arrivée à Portsmouth (même s'il apprendrait plus tard que les Noirs vivaient là depuis la guerre d'Indépendance). Il appela la femme qui se retourna, affichant des dents du bonheur et une expression qui disait je-ne-crois-pas-qu'on-se-connaisse. Elle ne ressemblait en rien à Myrtle et s'éloigna précipitamment de Jeb. Mais à la pensée de Myrtle, le corps de Jeb réagit d'une manière délicieuse. Il se mit à bander.

Jeb chercha une cabine téléphonique et en trouva une couverte de neige. Quand son corps se détendit enfin, il appela Myrtle en PCV. À la troisième tentative, Myrtle accepta l'appel longue distance.

Qu'est-ce que tu dirais de vivre dans le New Hampshire ?

Myrtle avait attendu son appel sans vraiment l'espérer. Elle ne s'autorisait pas à espérer.

Je n'y suis jamais allée, répondit-elle.

Peut-être que tu devrais venir voir ?

Le New Hampshire, c'est un État tout entier.

Jeb continua dans le combiné : On commencera par Portsmouth. On verra comment on s'en sort.

Après une longue pause, Myrtle reprit la parole : Il me faut une adresse alors.

Jeb se balança d'un pied sur l'autre : Je t'appelle dès que j'en ai une.

Convaincre Jeb de rentrer à Buckner serait impossible, Seamus Camphor le savait. Les deux hommes échangèrent une courte poignée de main car aucun des deux n'était à l'aise avec les adieux. Seamus grimpa dans le camion de déménagement Axelrod et fit remarquer que le retour allait être foutrement chiant. Il ne se lierait plus jamais d'amitié avec un Noir et, de toute sa vie, ne causerait aucun tort délibéré aux Noirs. Des années plus tard – bien après que Jebediah Applewood fut devenu psychologue au service de la Pease Air Force à Portsmouth – Seamus Camphor grognerait encore en repensant à son immobilisation dans le Nord. Il dirait que ces quelques jours de froid à Thanksgiving lui avaient donné de l'arthrite. Il affirmerait que le froid lui dévorait le corps et l'esprit. Il dirait qu'il avait perdu une bataille mais qu'il avait gagné la guerre, et il retrouverait son talent pour lutter contre les incendies.

La gare routière de Portsmouth était située près d'un hôtel. Jeb y prit une chambre pour une nuit. Nancy Vincent lui prêta sa Cadillac rose afin qu'il aille chercher Myrtle. *Les histoires d'amour*, déclara Nancy. *Je suis dingue d'histoires d'amour. C'est une grande partie de mon problème.*

Myrtle descendit du bus Greyhound avec une seule valise car elle n'avait pas eu assez confiance pour apporter toutes ses affaires, sachant à quel point les hommes étaient imprévisibles. Elle avait verrouillé sa maison et confié les clés à ses cousins, leur promettant de leur donner des nouvelles.

Elle attendit dans la gare routière et regarda de chaque côté, à gauche et à droite. Même à l'intérieur, elle fut profondément décontenancée par le froid. Mais elle avait consulté la météo et elle était venue avec un caban pour elle, et un autre pour Jeb. Quand il la vit, il s'approcha d'elle et lui prit sa valise.

Tu dois être fatiguée, Myrtle, dit-il.

Toi aussi.

Ils traversèrent la gare, bras dessus, bras dessous.

Ensemble.

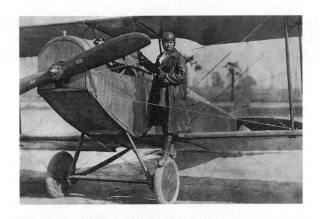

Eloise prend son envol

1947 1958 1968

Bessie Coleman fut la première femme qu'aima Eloise Delaney – avant même de savoir ce que signifiait l'amour. Une photographie rectangulaire découpée dans le *Buckner County Register*, un journal local pour Noirs, représente Coleman debout sur la roue gauche du train d'atterrissage de son biplan Curtiss JN-4 « Jenny ». Sa main droite gantée tient le cockpit. Elle est vêtue d'un équipement d'aviation sur mesure et regarde droit vers l'objectif. Le cliché est vieux d'une trentaine d'années, datant de 1926 – année de la mort prématurée de l'aviatrice noire, mais pour les parents d'Eloise, son crash aurait tout aussi bien pu se produire la veille. Dans leur rôle d'ivrognes du village, le temps était pour eux une notion bien vague.

« C'est pas dans la nature humaine, ça, d'avoir des ailes, disait Herbert Delaney.

— C'était pas le titre d'une pièce de théâtre ? » Delores Delaney claqua des doigts. « *Tous les enfants du Seigneur, y z'ont des ailes ?* »

Herbert haussa les épaules. « Elle a joué ses cartes trop vite. À vouloir prendre son envol.

— Qu'est-ce que t'insinues, Herbert ? » Delores embrassa les longues mains fines de son mari. « T'insinues que c'était la volonté de Dieu, que son avion s'écrase ? Dieu voulait que Bessie meure ?

— Ce qui est sacrément certain, c'est qu'il voulait pas non plus qu'elle reste en vie. Sinon, son foutu avion, il aurait pas déconné. »

L'avion de Bessie Coleman s'était écrasé lors d'un spectacle de cirque volant à Orlando, en Floride. Delores Delaney aimait se vanter d'avoir été au milieu de la foule, le matin où « Bessie la Brave » avait effectué son piqué à deux mille pieds d'altitude, mais Eloise savait qu'il ne fallait jamais croire des paroles d'ivrogne, surtout si l'ivrogne était votre mère.

Eloise se souviendrait pourtant de ces rares soirées où, enfant, elle s'asseyait sur un tabouret cassé à la table de la cuisine entre son père et sa mère, quand ils regardaient tous les trois cet article de journal découpé, et quand elle n'avait pas à rivaliser avec la bière, le bourbon, le scotch ou le gin pour attirer leur attention.

Les parents d'Eloise travaillaient à la conserverie, à cinq kilomètres de la ville. Ils avaient grandi en ouvrant les huîtres, en découpant les crabes et en vidant les poissons. Être payé pour accomplir les gestes de sa seconde nature, c'était presque comme recevoir de l'argent pour partir en vacances. Ils pouvaient préparer un crabe les yeux fermés sans même perdre en vitesse. Parfois, leurs doigts nerveux s'agitaient dans leur sommeil, jetant de côté le cadavre d'un crustacé ou prélevant la tendre chair blanche d'une femelle pleine. De temps à autre, le directeur de la conserverie était obligé de faire un exemple avec Herbert et Delores, quand ils arrivaient saouls, ou en retard, ou qu'ils ne venaient pas du tout. Il les laissait cuver leur alcool devant la porte, et Eloise était tiraillée par la faim jusqu'à ce que ses parents parviennent à se faufiler malgré tout dans l'usine. La conserverie était située dans un entrepôt donnant sur les marais salants. À la haute saison, Herbert et Delores emmenaient leur fille au travail avec eux. Elle observait par les grandes fenêtres les hérons, les mouettes, les pélicans, les balbuzards, les cormorans noir de jais qui arpentaient les marais en quête de nourriture.

J'étais plus souvent avec mes parents que sans eux. C'était la demi-vérité qu'Eloise racontait à ses amies. Si elle récitait ces mots suffisamment fort, elle arrivait presque à s'en convaincre. Mais la fillette maigre aux coudes pointus qu'elle avait été à neuf, dix ou onze ans pouvait rassembler toutes ses forces et frapper quelqu'un à l'entrejambe s'il s'avisait de dire des méchancetés sur ses parents ou ses vêtements de seconde main.

En voilà, une gamine de seconde main, faisaient remarquer les voisins en chœur.

Bonjour. Au revoir. Et embrassez bien mon cul noir, répondait Eloise Delaney.

Vous entendez ça ? Pauvre enfant. Ça, c'est parce que ses parents ne lui ont rien appris. Ainsi résonnait le refrain des voisins.

Du lundi au vendredi : cinq jours par semaine, Eloise se rendait à pied à l'école. Qu'il pleuve ou qu'il vente. Sous la pluie, Eloise utilisait un morceau de plastique en guise de manteau imperméable. Plus tard, quand elle irait faire les magasins avec ses amies, Eloise regarderait les imperméables aux couleurs éclatantes affichés à quarante dollars et elle secouerait la tête. *Pas étonnant que les jeunes n'aient rien. C'est quoi, ce tissu minable ?* Elle marmonnerait et se plaindrait, mais achèterait pourtant le manteau à son amie, car Eloise Delaney savait prendre soin de ses femmes.

Eloise n'empruntait pas une route bucolique en direction de l'école. Elle n'y voyait ni cochon ni vache paissant dans les prés. L'école où elle se rendait chaque jour n'était pas une petite bâtisse en bois au milieu de nulle part. Saint-Paul-de-la-Rédemption était un établissement catholique pour Noirs, de la maternelle à la terminale, géré par des nonnes au visage couleur de lait non pasteurisé. Elles avaient besoin d'un parasol l'après-midi pour se protéger de l'agressivité des rayons du soleil.

En 1958, le jour où elle entra en sixième, elle habitait à trois pâtés de maisons de Saint-Paul-de-la-Rédemption, mais ces trois pâtés auraient tout aussi bien pu être trois kilomètres car elle les parcourut l'estomac affamé et la tête vide. Un estomac affamé dit à une tête vide, *Fais ta snob si tu veux, mais je vais gargouiller.* Un estomac affamé dit à une tête vide, *Tu peux redresser tes épaules maigrichonnes comme si elles portaient le poids du monde, si tu veux, mais je vais te donner des crampes.* Un estomac affamé dit à une tête vide, *Je suis terriblement vexé que tu ne m'aies pas nourri ce matin, tu vois ce qui arrive ? Tu m'as donné des gaz.* Un estomac affamé dit à une tête vide, *Penche-toi et agrippe-moi avant que je ne renvoie tout ce vide. Je vais vomir sur ta robe d'occasion dès le premier jour d'école.*

Elle ne pleura pas, Eloise. Bien que ses genoux fussent trempés. Elle déposa une serviette sur la tache et suivit la leçon du mieux qu'elle put, mais il ne fallut pas longtemps avant qu'elle ne se déconcentre. Est-ce que je sens le vomi ? Eloise s'agitait sur sa chaise. Elle ne pouvait rester immobile. Sa professeure, Sœur Mary Laranski, une jeune nonne entrée récemment dans les ordres, aurait pu asséner un coup de règle sur les mains à vif d'Eloise. Au lieu de cela, elle contempla sa classe : des enfants de couleur, certains en uniforme, d'autres non, la plupart indigents. Sa voix trembla quand elle s'adressa à ses nouveaux élèves.

« Vous connaissez Shakespeare, les enfants ? »

Reuben Applewood leva la main. « On en a entendu parler.

— Bien, répondit Sœur Mary Laranski. Qu'avez-vous entendu dire à son sujet ? »

Reuben gardait les yeux rivés sur son bureau. « Qu'il était

anglais. Et qu'il écrivait des pièces de théâtre. *Être ou ne pas être : telle est la question.* »

Sœur Mary Laranski sourit. Reuben Applewood était le plus intelligent de la classe. À la fin de l'année, elle recommanderait qu'il saute une classe.

« Si vous voulez mon humble avis, dit-elle, la vie sans Shakespeare n'est pas une vie. Abraham Lincoln a reçu une instruction parfaite rien qu'en lisant Shakespeare et la Bible. Certains d'entre vous ne pourront pas venir à l'école chaque jour, voire même chaque semaine, mais si vous vous raccrochez un peu à Shakespeare, rien n'est perdu. »

Elle s'exprimait avec un léger accent. Un accent plus prononcé quand elle était nerveuse. Les enfants le remarquèrent et leur curiosité s'en trouva piquée.

« Vous venez d'où, Sœur Mary ? demanda un élève.

— D'un endroit que vous ne connaissez sûrement pas. » Il n'y avait pas de carte au mur, et Sœur Mary Laranski se fit la remarque qu'il faudrait en acheter une. Elle prit une craie et esquissa une mappemonde sur le tableau noir. Dessiner lui calma les nerfs.

« Je suis originaire de Budapest. Une ville en Hongrie.

— Et ça vous manque, là d'où vous venez ? demanda un deuxième élève.

— Cela m'aurait manqué si je m'en souvenais. Vos souvenirs rapetissent à mesure que vous grandissez. »

Sœur Mary, découvriraient-ils bientôt, pleurait sans cesse dans les toilettes de Saint-Paul-de-la-Rédemption en repensant à sa famille qui l'avait envoyée au couvent. Les enfants la surnommèrent Sœur Mary la Pleureuse car elle leur enseignait Shakespeare et sanglotait comme Ophélie. Mais Eloise se contrefichait de ce qu'avait pu dire Sœur Mary la Pleureuse en ce premier jour de classe. Elle comprenait désormais ce que signifiait l'amour. Il l'avait saisie – et s'était agrippé à elle quand Agnes Miller s'était assise à la table d'à côté et avait ouvert sa trousse.

Les cheveux d'Agnes Miller étaient coiffés en deux couettes bien hydratées et une frange parfaite. À la regarder, on aurait pu penser qu'elle avait fait une razzia dans la garde-robe d'enfance de Natalie Cole. Oui, Eloise eut l'impression que la fille de Nat King Cole était entrée à Saint-Paul-de-la-Rédemption comme si l'école lui appartenait. Merde, si c'était pas un truc dingue ça. Eloise écouta son cœur faire boum boum bang bang boum comme le moteur de la vieille Buick de ses parents qui tournait pendant un temps mais s'arrêtait soudain, si bien qu'ils étaient obligés de descendre de voiture et de la pousser dans une descente jusqu'à ce que le moteur reparte, ou, pire encore, d'attendre sur le bas-côté qu'un inconnu les raccompagne chez eux. La dénommée Agnes Miller ne regarda pas une seule fois Eloise. Elle ne détourna pas les yeux, ne plissa pas le nez, ne s'esclaffa ni ne sourit en regardant ses vêtements d'occasion, comme le faisaient les autres enfants. La pire insulte d'Agnes Miller fut de rester assise là, les mains croisées avec nonchalance sur les cuisses, comme si Eloise n'existait pas. Cette dernière se demanda si Agnes avait senti les relents de vomi sur sa robe. À l'heure du déjeuner, alors qu'ils mangeaient dans la salle de classe, elle regarda Agnes grignoter ce qui semblait être une demi-douzaine de minuscules cookies à la lavande. Elle lécha le glaçage violet pâle sur tous les biscuits sauf le dernier, avant de s'arrêter et de proposer à Eloise l'un de ceux qu'elle venait de lécher. Eloise secoua la tête : *Non merci*. Et elle décida que cette marque de dédain était intolérable. Sur le chemin du retour, quand Reuben Applewood et tous les autres bons samaritains furent partis, Eloise déclara à ses camarades de classe : *Tenez, visez un peu ça*. Elle arracha une branche de mûrier qu'elle effeuilla. Elle suivit Agnes Miller sur le trottoir et se mit à fouetter ses jambes brunes et brillantes, mais Agnes la surprit lorsqu'elle réajusta son cartable sur ses épaules et la griffa au visage comme un chat errant. Eloise rentra chez elle dans ses vêtements d'occasion puants et le visage zébré de griffures.

« Qui t'a fait ça ? voulut savoir Delores Delaney.

— Une fille qui s'appelle Agnes », répondit Eloise. Sa mère nettoya ses plaies avec un gant humide et de la teinture d'hamamélis. Elle badigeonna ses égratignures de beurre de cacao.

« C'est qui, ses parents ? demanda Herbert Delaney. C'est quoi, son nom de famille ?

— Je sais pas.

— C'est une Applewood ? » demanda son père. Eloise ne supportait pas que ses parents évoquent les Applewood. En ville, c'était la famille noire la plus ancienne et on trouvait un Applewood dans chaque classe à l'école.

« Non, rétorqua Eloise. Son nom de famille, c'est Miller. »

Delores Delaney fronça les sourcils quelques secondes puis asséna une gifle sur l'oreille de son enfant. « Espèce d'idiote. C'est la fille de Deacon et Lady Miller. Son papa est maçon. Ils sont de la haute. Et tu sais ce qui arrive, quand les gens d'en bas s'en prennent à ceux d'en haut ? »

Delores et Herbert Delaney traînèrent Eloise jusqu'à la maison d'Agnes Miller où ils l'obligèrent à s'excuser, devant Agnes et devant ses parents. Eloise détestait régulièrement ses parents mais en cet instant précis, elle n'aurait pas pu les haïr davantage. De retour chez eux, Eloise se rendit à la cuisine devant l'article de journal sur Bessie Coleman. Elle écarta les bras comme les ailes du biplan Curtiss JN-4 « Jenny » et imagina qu'elle s'envolait.

Les flammes léchèrent le porche et s'insinuèrent dans la cuisine où les rideaux firent office de combustible supplémentaire, tout comme les conserves de graisse à frire le poisson et le poulet. Les parents d'Eloise s'étaient endormis sur le canapé du salon, bras et jambes entremêlés. Eloise se réveilla dans sa chambre attenante à la cuisine, les narines envahies d'un tourbillon de fumée. Elle appela sa mère et son père mais n'entendit que les sifflements de l'incendie. Ils avaient laissé une cigarette allumée sur le porche, et le feu sous la poêle en aluminium où ils avaient fait frire au dîner d'épaisses tranches de jambon industriel.

Elle appela encore – *Maman ? Papa ?* –, se glissa au sol et rampa comme un reptile afin d'échapper au nuage de fumée. Elle les découvrit, ronflant sur le canapé. L'espace d'un instant, elle regarda les flammes lécher les murs du salon et songea : *Peut-être que je serais mieux sans eux.* Puis elle fonça dans le couloir, se couvrit la bouche à l'aide de la robe que sa mère avait abandonnée au sol. Elle décrocha l'article de Bessie Coleman dans la cuisine. Les bords étaient un peu roussis mais l'incendie ne l'avait pas avalé. Eloise jaillit de la pièce et retourna dans le couloir en direction de la porte. Alors qu'elle avançait, son cœur lui interdit de les abandonner. Elle retourna au canapé, leur asséna des coups de pied en jurant.

« Levez-vous, dit-elle. Levez vos foutus culs noirs de bons à rien, levez-vous de ce canapé. »

Ils sortirent de la maison à l'instant où le toit s'effondrait.

Il n'y avait que des hommes blancs dans les rangs des pompiers de Buckner. Ils étaient arrivés après que l'incendie eut dévoré la maison entière, mais assez tôt pour éviter qu'il ne se propage aux maisons voisines et les réduise en cendres. Les pompiers luttaient avec des seaux d'eau et deux longues lances. Le chef de brigade, surnommé Seamus Premier – grand-père de

Big Seamus qui engendrerait Seamus III, qui engendrerait Fat Seamus IV – était un Camphor. Dans la famille Camphor, les hommes éteignaient des incendies depuis la guerre de Sécession, à l'exception de Charles Camphor qui deviendrait banquier.

Eloise dessinait les contours de ce qu'avait été sa maison, illuminée par les flammes. Le ciel était si proche de la terre qu'elle crut voir la lune s'étirer et frôler les braises. Encore un instant de honte pour Eloise, quand son père était sorti en sous-vêtements miteux, sa mère en nuisette sale et déchirée, les voisins massés autour d'eux, essayant de placer un châle sur les épaules de la femme afin de la couvrir, et sa mère ivre qui les avait repoussés d'un geste de la main, et ses parents qui se disputaient et cherchaient à savoir qui avait laissé la cigarette allumée ou la gazinière, et Eloise qui pensait : *J'aurais mieux fait de les laisser mourir.*

« Ce n'est pas un spectacle », déclara Seamus Premier, et il fit signe à ses hommes de disperser la foule. Il comprenait qu'un incendie entraîne une violation d'intimité. Il n'y avait plus rien

185

à récupérer. L'incendie avait dîné. Il avait même copieusement dîné.

Ce fut Lady Miller, la mère d'Agnes, qui s'arrêta chez les voisins le lendemain matin avec une valise de robes et de sous-vêtements pour Eloise. Chaque mois, Lady recevait des vêtements d'occasion de la part des propriétaires de la boulangerie Gottlieb. Elle ne les faisait jamais porter à sa fille, bien que les habits soient souvent comme neufs. Son mari et elle étaient économes mais Agnes était leur seule enfant. Lady ne voulait pas voir son trésor revêtir des habits d'occasion, aussi les conservait-elle à destination des enfants moins fortunés.

Les voisins qui avaient recueilli la famille Delaney la nuit de l'incendie étaient dans la peine, eux aussi. Ils avaient déjà quatre bouches à nourrir dans trois pièces à vivre, en comptant la cuisine. À la vue des sept personnes serrées là comme des sardines, Lady sut qu'elle devait agir en chrétienne et offrir son aide.

«Eloise ne devrait pas rater l'école, si elle le peut, dit-elle à Herbert et Delores Delaney. À chaque jour d'absence, un enfant manque quelque chose d'essentiel.»

Elle avait appris par le moulin à commérages de Flora Applewood qu'Eloise avait été acceptée à Saint-Paul l'année précédente grâce à une bourse d'étude partielle. Lady s'entretint avec les Delaney à l'écart sur le porche des voisins, et ils convinrent qu'Eloise irait vivre une semaine ou deux chez les Miller. Herbert et Delores demanderaient à leur supérieur s'ils pouvaient dormir à la conserverie jusqu'à trouver un logement plus permanent.

Deux semaines après que leur maison eut été réduite en cendres, Herbert Delaney expliqua à sa femme que l'incendie n'était pas accidentel. Ils se trouvaient dans le studio qu'ils louaient désormais derrière la conserverie. Delores, qui avait toujours trouvé Herbert un tantinet paranoïaque, lui rétorqua qu'il ferait mieux de boire une bière et de repenser à tout ça.

Il but une bière ou deux, puis il déclara à Delores qu'il arrêtait de boire. Elle éclata de rire. À plus d'une occasion, ils avaient fait le pacte de tirer un trait sur l'alcool. Mais leur pacte ne tenait jamais. Ils étaient des ivrognes distraits et bienheureux, et le reste du monde – y compris leur fille Eloise – tournait autour d'eux. Aussi, quand Herbert annonça qu'il allait s'essayer une nouvelle fois à la sobriété, Delores haussa les épaules.

Au bout de cinq semaines sans alcool, Herbert décida d'aller rendre visite à sa famille. Ils étaient pêcheurs à La Nouvelle-Orléans. Il prit une gorgée de bourbon qu'il fit tourner comme un bain de bouche entre ses joues. Il l'avala et fut soulagé de se rendre compte que l'alcool ne provoquait pas l'envie d'un deuxième verre ni d'un cinquième. Cette nuit-là, ils s'allongèrent ensemble, bras entrelacés. Le lendemain matin, Herbert se glissa hors de la maison à l'aube et parcourut à pied les quinze kilomètres jusqu'au domicile des Miller. Il portait un sac en papier de mûres fraîches, deux kilos de crevettes et deux conserves de chair de crabe. Il avait volé les crevettes et le crabe pour remercier les Miller de s'occuper de sa fille, coutume que son épouse perpétuerait. Deacon et Lady Miller buvaient leur deuxième tasse de café Maxwell House quand la sonnette retentit. Au son de la voix de son père, Eloise entra en trombe dans le salon, vêtue d'une longue chemise de nuit blanche et affichant, pour la première fois de sa vie, des airs de vraie petite fille. Herbert était venu récupérer Eloise mais, en la voyant ainsi dans sa chemise de nuit, il se ravisa.

« Eloise, dit Herbert au bout d'un moment. Tu viens d'une famille de fouteurs de merde. Va pas brûler la maison de ces gens dans un accès de colère, t'as compris ?

— Mais c'était pas moi, protesta Eloise. J'ai pas fait brûler notre maison.

— Non. Mais on jette pas un sort sans intention particulière. La langue et le cerveau ont un véritable pouvoir. On le sait tous, à La Nouvelle-Orléans. »

Eloise détourna le regard. « Je vais pas faire brûler leur maison. »

Herbert Delaney aurait voulu lui dire qu'il l'aimait. Mais le mieux qu'il put lui offrir fut une étreinte et un baiser déposé en vitesse sur le front. S'il lui avait dit combien il l'aimait, il y aurait eu des larmes, des récriminations, des regrets.

« Tu pourras devenir quelqu'un. Ou tu pourras être décevante », conclut Herbert. Puis il coiffa son chapeau melon et s'en alla.

Eloise ne le reverrait plus jamais.

Agnes Miller traitait Eloise avec une indifférence silencieuse. Si bien que l'intérêt initial qu'Eloise lui avait porté diminua grandement lorsqu'elle comprit à quel point elles avaient peu en commun. Elles avaient onze ans mais Agnes griffonnait de petits dessins, s'intéressait à la mode, passait des heures entières assise par terre dans sa chambre à découper des patrons de robes de chez McCormick qu'elle disposait partout, notamment sur le lit d'Eloise. Sur un piano droit en acajou, elle jouait la musique de Blancs morts depuis longtemps. Elle chantait des psaumes à ses parents d'une voix dissonante qui vrillait les tympans d'Eloise. Du lundi au vendredi, Agnes était conduite docilement d'une leçon de piano à un cours de danse, d'une séance de maintien à un entraînement de gymnastique, puis à l'école biblique, et Eloise était étonnée que l'enfant ne proteste jamais ni ne lève les yeux au ciel. Son cartable et son sourire étaient toujours prêts quand Lady ou Deacon Miller la récupérait à l'école. Souvent, Eloise les accompagnait et restait assise dans la salle d'attente à lire ou à faire ses devoirs pendant qu'Agnes suivait sa leçon. Les Miller lui demandèrent à plusieurs reprises si elle voulait se mettre au piano ou à la danse, mais Eloise savait qu'ils avaient simplement pitié d'elle.

Sœur Mary la Pleureuse continuait de sangloter pour sa famille hongroise de Kingston, dans le New Jersey, mais à mesure que le temps passait, les pleurs diminuaient. Au cours d'une récréation un après-midi, elle entendit ses élèves commérer et affirmer qu'Eloise était une épine dans le pied des parents d'Agnes. Le lendemain, Sœur Mary la Pleureuse aborda Lady Miller et lui demanda si Eloise serait disponible pour l'aider après la classe. Lady et Deacon Miller économisaient en vue de payer à leur fille sa première maison et ses études universitaires. Ils économisaient en vue de leur retraite et d'un voyage à Hawaï en l'honneur de leurs noces d'or. Ce fut avec soulagement qu'ils accueillirent la perspective d'occuper Eloise sans puiser dans leur portefeuille.

Eloise et Sœur Mary commencèrent par semer un assortiment de haricots dans des boîtes à œufs qu'elles déposèrent sur les rebords de fenêtres, face au soleil. Puis elles décorèrent un calendrier affichant le nom de chaque élève afin qu'ils puissent suivre la croissance des haricots. Elles accrochèrent au mur la Déclaration des Droits, décrochèrent les chewing-gums solidifiés de sous les tables. Elles classèrent les œuvres de Shakespeare par titres et catégories : les comédies, les tragédies, les pièces historiques, les sonnets. Elles tapèrent les brosses poussiéreuses du tableau, recollèrent les reliures déchirées de l'*Encyclopædia Britannica* en lisant au passage les articles qui les intéressaient. Elles s'interrompaient juste le temps de grignoter quelques nougatines, une confiserie que Sœur Mary Laranski appréciait particulièrement. Et quand elles eurent fini tout cela, elles déroulèrent l'immense mappemonde que Sœur Mary avait commandée au Teachers' Store à New York et, avec une extrême délicatesse, elles la fixèrent à côté du tableau.

Ce fut Sœur Mary la Pleureuse qui remarqua les talents en mathématiques d'Eloise. « Bien, dit-elle un après-midi après qu'Eloise eut effectué ses fractions et ses divisions à retenues avec une facilité déconcertante. Si tu es douée pour les maths, il serait logique que tu aies l'oreille pour les langues étrangères. »
Elle entraîna Eloise devant la carte du monde et posa la main sur la Hongrie. Elle avait surligné le lac Balaton, le plus long d'Europe. « Répète après moi, Eloise. »

Bienvenue	*Isten hozta*
Bonjour	*Jó napot kivánok*
Comment ça va ?	*Hogy van ?*
Comment t'appelles-tu ?	*Mi a neved ?*
Je m'appelle Eloise	*A nevem Eloise*

C'est ainsi qu'Eloise apprit le hongrois. Et Sœur Mary la Pleureuse ne s'y était pas trompée : l'enfant avait l'oreille fine en matière de langues étrangères. À l'âge adulte, Eloise voyagerait à travers le monde et piocherait des bribes de dialectes comme d'autres piochent des frites dans un fast-food. Elle se souviendrait toujours de Sœur Mary Laranski qui, au cours des quatre années de scolarité à Saint-Paul-de-la-Rédemption, lui avait parlé en toute confidence de cet étudiant en médecine turc dont elle était tombée amoureuse à l'université de Rutgers, contre l'avis de ses parents. *Tu iras au couvent,* s'était entendu dire Sœur Mary en hongrois. *Les Turcs et les Hongrois ne se mélangent pas.*

RUNES HONGROISES

« Tiens, si ce n'est pas Agnes la Noire avec ses jolis cheveux longs ! »

Si Sœur Mary la Pleureuse était douce comme du miel, la mère supérieure était acide comme de la térébenthine. Elle arrêtait Agnes Miller dans le couloir ou l'escalier.

« Bonjour, mère supérieure, répondait toujours Agnes avec douceur.

— Vous avez des manières si charmantes, Agnes, disait la mère supérieure. Dites-moi, comment une fillette aussi noire que vous peut-elle avoir d'aussi jolis cheveux longs ? »

Agnes gardait les yeux rivés sur ses souliers noir et blanc, sans répondre, et la mère supérieure tirait sur sa queue-de-cheval. De la même manière, elle tirait sur l'habit de Sœur Mary la Pleureuse, ou éteignait les lumières du couvent quelques minutes avant que les sœurs ne soient censées se retirer, ou les grondait lorsqu'elles regardaient un peu trop longtemps leur reflet dans le miroir, ou quand elles riaient avec spontanéité pendant la soirée cinéma ou une partie de Scrabble.

Un après-midi, Eloise buvait à la fontaine à eau. Elle venait de terminer une partie de softball avec les garçons, hors d'haleine. Agnes s'approcha et attendit son tour pour boire. Les deux filles ne se fréquentaient pas à l'école, elles n'avaient pas d'amis communs. En dehors des *bonjour* et *bonsoir*, elles discutaient rarement. La mère supérieure apparut près d'Agnes et lui tira les cheveux si fort que la fillette poussa un cri perçant.

« Ces cheveux, dit la mère supérieure. Que fait une fille noire avec d'aussi jolis cheveux longs ? »

Eloise se figea devant la fontaine à eau. Elle examina la mère supérieure de la tête aux pieds. « Ils vont pas rester longs et jolis très longtemps, si vous continuez à les tirer comme ça. P't-être qu'y sont jolis parce que sa maman, elle les brosse cent et une fois tous les soirs. »

Eloise avait pleuré la première fois qu'elle avait vu Lady Miller défaire les tresses d'Agnes. Lady lavait l'épaisse chevelure de sa fille avec de l'eau de romarin et de sauge, elle préparait elle-même les shampoings et les savons car elle jugeait ceux du commerce trop agressifs. Lady laissait ensuite le peigne et la brosse à Eloise, qui devait s'occuper de ses propres cheveux, et Eloise imaginait que Bessie Coleman – une femme si chic et méticuleuse, qui savait non seulement faire voler un avion mais aussi s'occuper du moindre détail de sa personne, notamment de sa crinière parfaite – l'aidait à brosser, à peigner et à coiffer ses cheveux.

Bien évidemment, la mère supérieure ne savait rien de tout ceci quand elle attrapa Eloise par l'oreille et la traîna au bureau où elle saisit une longue verge et asséna trois coups secs sur ses mains, un pour son impertinence, deux autres pour les fautes de grammaire et de syntaxe.

Personne ne saurait jamais les efforts sidérants que la mère supérieure avait déployés pour garder ouverte l'école de Saint-Paul-de-la-Rédemption. En 1976, quand l'école pour Noirs fermerait ses portes malgré tout, quand les élèves afro-américains seraient répartis dans les écoles catholiques de Buckner traditionnellement réservées aux Blancs, la mère supérieure aux cheveux gris et au regard de pierre passerait cent dix-sept appels téléphoniques de ses mains constellées de taches de vieillesse. Elle supplierait, elle menacerait, elle cajolerait au nom de ses élèves qu'elle détestait aimer, et qu'elle aimait détester. Mais en 1958, c'était une vraie terreur.

Agnes attendit Eloise devant la porte du bureau de la mère supérieure.

« Pourquoi tu lui as répondu comme ça ? murmura Agnes, furieuse. Ses coups de mémé sur mes cheveux, ça ne fait pas mal. Quand elle me tire les cheveux, je compte jusqu'à trois et j'invente des trucs méchants sur sa maman, c'est tout.

— Des trucs de quel genre ? » demanda Eloise en se frottant la main droite, à vif et brûlante.

Agnes entraîna Eloise loin du bureau. « Sa maman, elle est tellement grosse que quand on lui dit qu'il y a de la glace dehors en hiver, elle attrape un bol et une cuillère. »

Eloise regarda par-dessus son épaule et fronça les sourcils. « Sa maman, elle est tellement grosse que quand elle prend une douche, elle voit même pas ses orteils. »

Agnes chuchota : « Sa maman, elle est tellement bête que si elle devait dire le fond de ses pensées, elle resterait muette. »

Eloise gloussa. « Sa maman, elle est tellement bête que quand elle dit le fond de ses pensées, son cerveau lui laisse un mot d'absence. »

Agnes s'esclaffa. « Sa maman, elle est tellement moche que quand elle se lève, c'est le soleil qui se couche. »

Eloise acquiesça. « Sa maman, elle est tellement moche que quand le diable l'a vue arriver, il a dit à Dieu qu'il était prêt à revenir au paradis. »

Agnes secoua la tête. « Sa maman, elle est tellement moche que quand elle s'est regardée dans le miroir, le miroir a crié : "Oh pitié ! Sale garce dégoûtante. J'en peux plus." »

Eloise et Agnes passèrent le restant de la récréation à rivaliser d'insultes et la moitié des élèves se joignirent à elles. Reuben Applewood et son frère cadet Levi ainsi que Jebediah, leur grande perche de cousin, faisaient office d'arbitres car un jeu qui met en scène les mamans pouvait rapidement tourner à la bagarre rangée, avec le risque de se retrouver une fois encore dans le bureau de la mère supérieure à recevoir des coups sur les mains ou, pire, sur l'arrière-train, si telle était la volonté du Seigneur.

De cet instant, les deux fillettes devinrent inséparables. Eloise dormait dans le lit-tiroir d'Agnes, où son rituel du soir était de contempler l'article de journal calciné sur Bessie Coleman avant de s'endormir. Elle le lisait à Agnes, contant les aventures de Bessie Coleman en France et en Allemagne, où elle avait dû partir pour apprendre à piloter car les écoles d'aviation américaines refusaient d'enseigner aux femmes et aux gens de couleur. Amelia Earhart et la poignée d'aviatrices blanches contemporaines de Bessie étaient nées dans des familles aisées qui avaient pu leur payer des avions et des instructeurs privés. Mais Bessie serait la première Américaine à obtenir un permis d'aviation international. Elle s'entraînerait avec les meilleurs pilotes européens, notamment Anthony Fokker, le Hollandais volant, et maîtriserait d'audacieuses figures aériennes. Elle serait aux commandes d'un des premiers avions commerciaux à Friedrichshafen, en Allemagne. Elle survolerait le palais du Kaiser à Berlin. Elle reviendrait au pays en petite célébrité et exécuterait de dangereux spectacles de voltige à travers l'Amérique afin de lever des fonds et créer une école d'aviation pour les Noirs.

L'article sur Bessie Coleman devint l'histoire du soir préférée d'Agnes, qui écoutait toujours en silence la lecture d'Eloise avant de fermer les yeux. Jusqu'à l'adolescence, Eloise raconta à la perfection les aventures de Bessie. Elle ne s'autorisait jamais à s'endormir la première. Elle restait étendue dans le lit et inspirait les effluves du savon à la menthe qu'Agnes dégageait après le bain qu'elle prenait tous les soirs. Il y avait même une planche en bois sur la baignoire avec un petit pupitre pour y placer un livre, si Agnes souhaitait lire dans l'eau. Parfois, Lady Miller y déposait un bol de quartiers de pomme. Elle les nappait de sirop de sureau contre les rhumes.

À quinze ans, les filles continuaient à partager leur chambre mais dormaient chacune dans un lit simple. Eloise humait le parfum sucré d'Agnes mais résistait à l'envie de grimper dans son lit. Son cœur battait sur le même rythme : bang bang boum boum *bang* comme le moteur hésitant de la Buick de ses parents. Elle avait espéré que le moteur calerait une bonne fois pour toutes mais à l'entrée dans l'adolescence, quand les filles dormaient dans la même chambre, le cœur d'Eloise se mit à battre si fort qu'une nuit, elle s'assit dans son lit et se rendit auprès d'Agnes, étendue là avec un bonnet pour éviter que ses cheveux ne s'aplatissent. Eloise vit que ses yeux grands ouverts étaient posés paisiblement sur elle. Elle s'accroupit comme en prière et embrassa Agnes sur ses lèvres teintées d'un léger goût de dentifrice mentholé. Agnes ne résista pas ; elle parut simplement surprise par la soudaineté de son baiser, puis elle attira Eloise contre elle en une étreinte plus serrée.

Plus tard, quand Agnes se tournerait vers les hommes, elle dirait à Eloise : « C'est à cause de toi. »

Et Eloise rétorquerait : « Je t'ai embrassée. C'est toi qui as mis la langue. Nos langues sont témoins. »

Agnes inclinerait son long cou de cygne. Elle cillerait d'un air gêné. « Ne crache pas dessus avant même d'avoir essayé, Eloise. Je ne peux pas croire que ça ne te rende pas curieuse. »

Et Eloise dirait : « Agnes, je préfère mourir que de mener une vie d'hypocrite. »

Être pénétrée par un homme, aux yeux d'Eloise, s'apparentait à une crucifixion. Elle ne voyait pas l'intérêt d'une telle souffrance.

Elles étaient en deuxième année à l'université du comté de Buckner quand Agnes rencontra Claude Johnson. Claude était ingénieur au service de la Southeast Aviation. Et pire encore, il était le cousin d'Eloise au troisième degré du côté de sa mère. Elle l'eut aussitôt en aversion. L'après-midi où il s'installa à côté d'Agnes au comptoir de Kress, Eloise demanda au diable de l'emporter. Et cette nuit-là, la dernière nuit où Eloise et Agnes feraient l'amour, elle avoua à Agnes la pure vérité.

« Ça ne durera pas, Agnes.

— Entre nous non plus », lâcha-t-elle. Le lendemain matin, elle traita Eloise avec une indifférence totale.

Eloise ignorait si Lady et Deacon Miller étaient au courant des penchants d'Agnes. Les filles échappaient souvent aux reproches de leur père, et il était fort possible que Deacon Miller n'ait eu aucune idée de ce qui se passait entre les deux jeunes femmes. Mais avant même qu'Agnes ramène Claude Johnson et le présente à sa famille, Lady Miller avait préparé la valise d'Eloise.

« Ce fut un plaisir de t'accueillir parmi nous », dit-elle en fourrant des billets dans la main d'Eloise.

Eloise ne compta pas l'argent. Son cœur était une immense boule de flammes orange. Elle ferma les yeux. « Où est-ce que je suis censée aller ?

— À ton âge, j'étais déjà mariée. La route est toute à toi. » De l'avis de Lady Miller, Eloise était restée chez elle deux ans de trop.

La mère d'Eloise vivait encore à côté de la conserverie. La rumeur voulait qu'elle « fréquente » le propriétaire. Delores Delaney passait une fois par mois avec des crevettes, du crabe ou du poisson frais. Une fois, elle était arrivée en portant un impressionnant morceau de requin mako que Lady Miller avait fait mariner et griller en brochettes. Eloise savait que les requins dormaient les yeux ouverts. C'était une des nombreuses choses que lui avait enseignées Sœur Mary la Pleureuse. Mais Sœur Mary avait renoncé à ses vœux et était rentrée dans le New Jersey où elle avait épousé son Turc quand Eloise était en troisième. Elle était certaine de ne plus jamais entendre parler de son mentor. Elle savait lire, écrire et parler hongrois, mais à quoi bon ? Elle ne croisait jamais de Hongrois. Soit les gens vous chassaient, soit ils s'enfuyaient.

« Je vais aller chez mon cousin King Tyrone à Tybee Island, finit par déclarer Eloise. C'est le seul cousin respectable de ma famille.

— Eh bien, ce fut un plaisir de t'accueillir parmi nous », répéta Lady.

Elle prépara les plats favoris d'Eloise au petit-déjeuner : bacon au sirop d'érable, œufs brouillés, jus d'orange frais et quartiers de pomme nappés de sureau. Agnes se présenta en retard à la table du petit-déjeuner ce matin-là et décocha à peine un coup d'œil à Eloise. Quand cette dernière se leva pour partir définitivement, Agnes la suivit jusqu'à la porte d'entrée et lui demanda si elle accepterait de lui laisser l'article sur Bessie Coleman en souvenir.

« Agnes, dit Eloise. Je voudrais quitter cette maison sur une note positive. Mais franchement, franchement, embrasse plutôt mon cul noir et va te faire voir. »

Agnes soupira et agita la main comme un éventail invisible. Si sa mère n'avait pas été là, elle aurait ronronné : « Mais Eloise, tu sais bien que c'est déjà fait. »

King Tyrone, le cousin d'Eloise, dit : « Je crois que ce serait plus facile si tu aimais quelqu'un dont les parties intimes s'imbriquent dans les tiennes. »

Eloise avait ri à ces propos car elle y avait déjà pensé. Sauf que l'entendre ainsi formulé dans la bouche de King Tyrone soulignait davantage encore les situations épineuses contre lesquelles elle était lasse de lutter. Ils étaient assis sur le porche derrière la maison, face aux marais, et écossaient des haricots. À sa gauche, elle trempait les haricots dans un seau d'eau de mer pour en chasser les vers, et à sa droite, elle jetait les parties trop gâtées et inutiles dans un sac en papier brun. Au milieu, un saladier en bois rempli de haricots qu'elle avait cueillis récemment puis coupés en deux, et qui resteraient tendres quand elle les mettrait à mijoter.

« Tyrone, comment on sait que quelque chose est vraiment ce qu'il paraît, dans ce foutu monde ?

— Eh ben, finit par répondre King Tyrone au bout d'un moment. Y a une chambre ici avec ton nom dessus, et tu peux y rester autant qu'il faudra. »

Eloise voulait demander à King Tyrone comment il avait pu devenir si calme mais elle savait déjà qu'une vie entière en mer était la somme totale de son bonheur. King Tyrone était pêcheur. Comme l'avaient été ses parents. Sa mère et son père étaient des gens discrets, ignorant les réunions de famille, les soirées infernales du samedi et les intrigues paroissiennes. Rien ne les animait davantage que de parler de la météo, car la météo influait sur les pêches du jour. Et les pêches du jour influaient sur le quotidien. King Tyrone avait quinze ans quand l'océan avait emporté ses parents.

« C'est infiniment gentil à toi, cousin. Je vais bien dormir cette nuit. »

Mais l'immobilité de la vie insulaire rappelait à Eloise sa propre agitation. Au cours de sa première semaine, elle se mit à fumer des cigarettes Pall Mall. Au bout de la deuxième semaine, elle embrassa King Tyrone en guise d'au revoir et, avec l'argent que lui avait donné Lady Miller, elle prit un bus jusqu'en ville. Elle entra chez Anderson Fine Tailors, une boutique de vêtements masculins, et en émergea avec un assortiment de pantalons, de chemises, de vestons et de blazers chics. Elle traversa la rue et jeta un coup d'œil à son reflet dans la vitrine d'une mercerie. Le chapeau melon qu'elle venait d'acheter ressemblait à celui de son père. Eloise l'inclina légèrement sur le côté. Elle était convaincue de le porter avec plus de style.

Eloise et Agnes assistaient aux mêmes cours à l'université mais Eloise ne pouvait plus faire confiance à son cœur en présence d'Agnes. Elle prit un congé sabbatique et trouva un emploi de caissière dans une épicerie du centre-ville. C'était une belle femme, surtout vêtue d'une chemise et d'un pantalon, et il ne lui fallut pas longtemps avant de gagner les faveurs des femmes célibataires ou mariées qui passaient à sa caisse avec des bouteilles de lait, des œufs, du lait pour bébé et des paquets de lessive. Elle leur adressait des compliments faciles, bavardait avec elles, leur indiquait les allées où se trouvaient les meilleures promotions, leur évitait les morceaux de bœuf à braiser avariés qui traînaient dans la vitrine du boucher depuis longtemps.

Sa première compagne après Agnes fut une femme mariée, Grace Bell. Grace était une pâle copie d'Agnes mais elle lui ressemblait dans son indifférence face au monde extérieur. *Ça doit être un truc de jolies filles*, pensait Eloise. *Seules les jolies femmes peuvent se permettre d'être aussi insouciantes et désinvoltes.* Le mari de Grace était bagagiste chez Pullman. Il gagnait bien sa vie à bord des trains de la Seaboard Airline Railroad qui longeaient la côte Est, et il s'absentait souvent des semaines entières.

Un dimanche, Eloise rendit visite à sa mère qui portait encore chaque semaine des crevettes et du crabe à la famille d'Agnes.

« À propos des crevettes, dit Eloise. Il faut que tu arrêtes de leur apporter à manger, à ces gens. Je n'habite plus là-bas. »

Une canette de bière Miller était blottie entre les mains de Delores Delaney. Elle avait jadis été la plus belle femme de la ville. Mais sous l'effet de l'alcool, son corps était passé de magnifique à merdique.

Delores détourna les yeux et grogna. « Je savais pas que j'avais donné naissance à un fils. J'aurais peut-être dû t'appeler Earl.

— C'est tout ce que tu as à me dire, après avoir été une mère minable toutes ces années ?

— Bon, répondit Delores en prenant une cigarette d'Eloise dans le paquet posé sur la table entre elles. Est-ce que je t'ai battue ?

— Non.

— Est-ce que j'ai déjà mangé avant de te faire manger ? »

Eloise éclata de rire. « Pas que je me souvienne, non. Mais parfois, tu me laissais crever de faim.

— Je crevais de faim, moi aussi.

— Ça t'empêchait pas de boire.

— Ma chérie, même là, j'étais une bonne mère. Tu peux pas dire que je t'ai proposé un verre. »

Eloise considéra ce que sa mère venait de dire. « Peut-être que tu devrais arrêter.

— C'est ma *maladie*, Eloise. »

La vérité de ses propos ébranla le cerveau d'Eloise.

« Papa, il a arrêté, lui.

— Et il est parti. Tu deviens sobre et t'es obligé d'abandonner derrière toi tous tes regrets. »

Eloise alluma une cigarette. « Tu ne m'as jamais dit que tu m'aimais.

— Et c'est pour ça que tu te balades fringuée comme un homme ?

— Non, Maman, c'est juste un truc normal que les bons parents disent à leurs enfants. C'est un truc que je dirais à mes enfants, moi, si j'en avais. »

Delores souffla un nuage de fumée en direction de sa fille. « Eh bien, désolée pour mon absence d'amour. » Elle se leva et se rendit au petit frigo.

Eloise fit le tour du studio. Ses yeux scrutèrent le moindre recoin en quête d'indices d'un éventuel petit ami, ou du propriétaire de la conserverie. Le logement de sa mère était étonnamment bien rangé. Dans un coin, contre le mur en briques, elle stockait des canettes de bière et des tire-bouchons. L'empilement était réalisé avec précision. À Berlin dans les années 1980, Eloise verrait des installations artistiques ainsi disposées qui lui évoqueraient sa mère.

« Garde les crevettes, dit Delores en fourrant un sac dans la main d'Eloise. C'est des gambas, elles ont encore la tête. »

Eloise donna les crevettes à Grace qui prépara un excellent gombo.

Eloise vivait dans un studio meublé au bout d'un chemin de terre où les enfants du voisinage jouaient toujours dehors. Les gamins l'aimaient car elle les insultait copieusement quand ils la surnommaient Eloise la Camionneuse, et après le travail, elle faisait parfois une partie de balle aux prisonniers. Elle était en train de lécher une glace push-up à l'orange et jouait à la marelle avec eux quand le mari de Grace se présenta avec sa ceinture de cow-boy. Elle pensa d'abord, *Un des gamins va se faire botter le cul.* Mais le mari de Grace se fendit un chemin parmi les enfants et marcha droit sur elle. Il brandit la ceinture de manière à ce que la boucle dorée vole dans sa direction et, avant qu'Eloise n'ait eu le temps d'éviter le coup, il l'empoigna par le bras et se mit à la frapper, d'abord sur les jambes, puis en remontant sur les hanches, les seins, le cou et le visage. C'était la ceinture que son épouse lui avait offerte pour leur anniversaire de mariage, fabriquée sur mesure à Dallas, au Texas.

Les enfants du voisinage prirent ombrage que ce bien nanti batte une des leurs, sur leur propre territoire, aussi se ruèrent-ils sur lui. Il les chassa comme autant de pets nauséabonds mais se calma néanmoins. Les gamins sauvèrent sans doute la vie d'Eloise car le mari de Grace ne voulait pas leur faire de mal, même par inadvertance. C'était Eloise qu'il était venu tuer.

Il l'abandonna là, inerte et ensanglantée. Deux heures plus tôt, sa femme lui avait servi le meilleur gombo qu'il ait jamais mangé. Mais pendant leurs ébats après le repas, Grace avait crié le nom d'Eloise Delaney.

Flora Applewood cueillit des plantes de son jardin et les appliqua en cataplasmes sur le visage enflé d'Eloise. Elle trancha de longues tiges d'aloe vera, étala le liquide gluant sur la lèvre inférieure de la jeune femme que la boucle de ceinture avait fendue. Elle tourna autour du lit à baldaquin avec l'agilité d'un faucon, descendant en piqué et retirant un à un les vêtements collés à la peau d'Eloise. *Doucement*, avait-elle ordonné à ses neveux Reuben, Levi et Jebediah Applewood qui portaient Eloise jusqu'à son studio au troisième étage. Les jeunes hommes redoublèrent d'attention car Eloise Delaney était allée avec eux à l'école catholique et que, dans la famille Applewood, lever une main cruelle sur une femme était un véritable tabou.

· Tante Flora parlait à voix haute afin de maintenir Eloise consciente et d'apaiser ses propres nerfs à vif. Après le départ de ses neveux, Flora raconta à Eloise comment, à seize ans, elle était partie vivre chez son cousin à New York. Et comment elle l'avait trouvé dans un immonde studio, avec une baignoire métallique au milieu de la cuisine. Et comment les gens partaient toujours dans le Nord, comment ils évoquaient avec exagération la qualité de leurs conditions de vie par fierté, ou dans le but d'attirer leur famille là-bas. Mais si on veut échouer dans ce monde, on peut très bien le faire seul dans son coin.

Tu sais quoi, Eloise, dit Flora. *J'espère que tu guériras bien car tu as la peau claire et les ecchymoses risquent de se voir davantage si elles te laissent des cicatrices.* Et Eloise, qui ne s'était jamais considérée comme une femme à la peau claire, contempla ses bras. Comment était-ce possible qu'elle ait ignoré cela, ou qu'elle se soit obligée à ne pas y prêter attention ? La peau n'est que de la peau, se dit-elle.

Pendant sa convalescence, elle n'avait pas eu de nouvelles de sa mère, de son amie Grace, ni d'Agnes Miller. La rumeur de son passage à tabac arriverait jusqu'à King Tyrone bien après les événements. Ce fut Flora qui resta assise au bord du lit, le dos droit, à écouter sa respiration. Flora qui lui lut l'article sur Bessie Coleman, comme Eloise l'avait jadis fait pour Agnes. Flora qui passa un peigne chaud dans sa chevelure. Flora qui, avec une multitude de mots différents, conseilla à Eloise de s'échapper.

Eloise s'engagea dans l'armée, au sein des WAF (Women in the Air Force). La veille de son départ, elle offrit un cadeau à Flora. Elle défit le haut chignon de cette dernière, retira le rouge de ses lèvres, lui brossa les cheveux, puis déboutonna sa robe soigneusement fermée, déroula ses collants beiges, posa ses chaussures à talons bien alignées au pied du lit à baldaquin. Elle dégrafa le soutien-gorge blanc, fit glisser la culotte blanche, et lui dit de s'allonger, de ne pas bouger, et Flora, qui avait fait preuve d'une bonté désintéressée, ne protesta pas car elle avait été jeune, elle aussi, et s'était souvent retrouvée à subir brutalité et tendresse.

On envoya Eloise à la base aérienne de Lakland à San Antonio, au Texas, où elle excella dans son entraînement de base et arrêta de fumer. Il y avait bien deux ou trois femmes avec lesquelles elle aurait pu avoir une liaison amoureuse mais pendant ses huit semaines de formation, elle n'eut pas le temps de reprendre son souffle. Elle courait entre vingt et vingt-cinq kilomètres par jour, matin ou après-midi, selon le bon vouloir du sergent instructeur. Elle avait un don naturel pour la course d'obstacles et ne frémissait jamais lors d'un combat au corps-à-corps. Les M16 et les M14 rendaient ses mains moites, mais elle s'habitua à les manipuler. Les soldates étaient sous supervision permanente et, malgré les moments de solitude intense, Eloise choisit la voie de la camaraderie professionnelle. Elle ne voulait donner à personne l'occasion de remettre sommairement en question son intelligence ou son éthique. Flora Applewood l'avait également bien éduquée sur le pouvoir du discernement. *Regarde mais ne touche pas, Eloise. Et si tu t'avises de toucher, fais-le à tes risques et périls* : une modeste formulation qui anticipait la future politique militaire du « *Don't ask, don't tell* ».

L'entraînement physique laissa place à une instruction théorique. Eloise était déjà capable de taper quatre-vingt-dix-huit mots à la minute car les élèves de l'école catholique devaient suivre des cours de dactylographie et d'économie familiale. En plus de ses talents en mathématiques, elle parlait le latin et le hongrois, que certains considéraient comme un des idiomes les plus complexes au monde. Eloise n'avait pas le tempérament d'une infirmière et elle ne s'était pas non plus engagée dans l'armée pour y devenir secrétaire. Une de ses compagnes de chambrée lui suggéra l'Institut linguistique de l'Air Force.

Eloise emporta l'article sur Bessie Coleman avec elle à l'Institut, où elle le glissait chaque soir sous son oreiller. Son héroïne avait appris à voler avec les meilleurs pilotes français et les as de l'aviation allemande. Son héroïne s'était initiée aux langues française et allemande. Et pourquoi pas, bon sang ? Eloise restait concentrée et active – elle s'empêchait de penser à Agnes, qui avait troqué Claude Johnson pour un dénommé Eddie Christie, un cousin éloigné des Applewood. Eloise ne savait pas ce qui était le plus douloureux : le penchant d'Agnes pour les hommes ou la vitesse avec laquelle elle passait de l'un à l'autre. Deux jours après l'obtention de son diplôme de l'Institut de français et d'allemand – décroché avec le deuxième meilleur score de la classe –, Eloise apprit par Flora Applewood qu'Agnes avait épousé Eddie Christie. Elle déposa aussitôt une demande de transfert au Vietnam.

Le 29 janvier 1968, Eloise se présenta au rapport à la base de Tan Son Nhut près de Saigon – deux jours avant l'offensive du Têt. C'était la base aérienne la plus active d'Asie du Sud-Est (du monde, affirmaient certains), et elle deviendrait bientôt une des cibles privilégiées d'attaques menées par les Viêt-congs et l'armée nord-vietnamienne contre les forces militaires américaines et leurs alliés. Les attaques coïncidaient avec le nouvel an vietnamien et furent accompagnées de missiles, de bombes et de tirs de snipers. Eloise, qui souffrait du décalage horaire après ses seize heures de vol au-dessus du Pacifique, se réveilla au milieu de ce qu'elle pensait être un sacré foutu cauchemar. Puis elle sentit soudain le baraquement des femmes trembler. Elle jeta un coup d'œil par la fenêtre de sa couchette et vit les roquettes de calibre .122 fendre le ciel. Des détonations et des étincelles fusaient lorsque les missiles percutaient une cible. Elle songea à sa maison d'enfance. Quand une maison brûle, c'est une défaite pour tout le monde, une victoire pour personne.

Elle fut affectée au quartier général du commandement au poste d'analyste des renseignements spéciaux. Ses responsabilités consistaient à examiner des données fournies par les officiers et les missions de reconnaissance : des hommes qui œuvraient derrière les lignes ennemies. Elle mettait en évidence les divergences dans les rapports de renseignements afin d'éviter les pertes humaines, elle analysait la topographie locale et les transports, elle planifiait l'acheminement des ressources par les cols de montagne. Plus tard, elle dirait que les officiers des renseignements étaient soit bouillants, soit glaciaux, et qu'ils rechignaient souvent à accorder une attention simple et méticuleuse aux petits détails. Eloise recommença à fumer un paquet par jour. Elle passait dix à douze heures à écouter des enregistrements, à décrypter des entretiens avec les Montagnards, un peuple autochtone qui vivait dans les hauteurs du Laos, du Cambodge et du Vietnam, et qui s'était allié aux Américains. Les Montagnards n'avaient pas de langue écrite. Ils se fiaient à leurs traditions orales, un peu comme les ancêtres d'Eloise dans les coins reculés de Géorgie.

Les quatre branches militaires – l'armée de terre, la Navy, l'Air Force et les Marines – étaient stationnées à Tan Son Nhut. Dans les discothèques de Saigon et les bars à bière de la base, Eloise se lia d'amitié avec les lieutenants noirs. Elle fit preuve de sagesse et conserva des relations proches, honnêtes et platoniques. Elle avait acquis la réputation d'être rapide et parvint à convaincre ses supérieurs de la laisser s'aventurer en zone de combat pour y effectuer des repérages et glaner des renseignements. Prendre part à ces missions l'exaltait. Elle était persuadée qu'en d'autres circonstances elle aurait fait un lieutenant fiable et excellent, voire même un commandant. Mais pendant la guerre du Vietnam, les femmes n'étaient pas autorisées à participer aux manœuvres sur le terrain, ni à manier les armes. Les infirmières avaient été les premières femmes déployées en Asie du Sud-Est, suite à une pénurie d'infirmiers. Cette capacité à sauver des vies, à apaiser les souffrances émotionnelles et physiques de la guerre (celles de leurs patients et les leurs) avait ouvert la porte à d'autres femmes engagées volontaires comme Eloise, leur avait permis de partir au Vietnam.

Dans ses lettres à Eloise, Flora Applewood lui demandait souvent si elle avait croisé Reuben ou Jebediah Applewood, en mission avec la Navy. Eloise lui répondait que non, mais, à la vérité, elle avait vu Jebediah Applewood dans une discothèque de la baie de Subic. Elle s'était approchée de lui, il avalait des martinis à la chaîne et ses yeux brûlaient d'un rouge diabolique. Il avait passé les bras autour de deux femmes, dont l'une avait tout d'une prostituée américaine que l'on avait fait spécialement venir du pays pour contenter les soldats, et l'autre d'une Philippine habillée en Marilyn Monroe. Eloise fut troublée de voir Jebediah Applewood tripoter les femmes d'un air négligent. Les soldats décompressaient de cette manière, elle le savait, mais elle n'avait pas joué dans la cour de récréation avec les autres. Ils ne l'avaient pas portée jusqu'au troisième étage quand elle avait presque été battue à mort.

« Quoi de neuf, cousin ? » lança-t-elle.

Jebediah n'était pas défoncé au point de croire qu'ils étaient de la même famille. Plus jeune, il avait été attiré par Eloise Delaney qui courait si librement avec les garçons. Il laissa son regard vaseux s'attarder sur cette silhouette masculine et n'en fut pas découragé le moins du monde. À l'autre bout du bar circulaire, la compagne d'Eloise avait pris place – elle travaillait dans l'administration à la base de Tan Son Nhut. Eloise lui fit signe que la conversation lui prendrait quelques minutes.

« Tu veux boire quelque chose ? demanda Jeb en se tournant vers le barman sans attendre la réponse d'Eloise.

— Je suis déjà servie. » Elle le prit par le bras. « Viens donc dehors avec moi.

— Je veux pas laisser Eddie tout seul. » Il fit un geste du menton en direction du fond de la salle où une estrade de fortune avait été installée. Un homme râblé se tenait au centre d'une poignée de soldats qui semblaient interpréter une curieuse version du *Hamlet* de Shakespeare. Le petit homme était juché sur un escabeau en bois. Il avait pris des rideaux en soie éclatante dont il avait fait des costumes. Sa troupe était composée d'un groupe hétéroclite de militaires et de civils. Certains étaient installés en cercle, pareils à des enfants sagement assis en tailleur. D'autres oscillaient en une danse silencieuse comme si la pièce, *Rosencrantz et Guildenstern sont morts*, était une partition de musique traînante. La salle était plongée dans un nuage de fumée bleue et Eddie Christie plissait les paupières pour déchiffrer les mots dans le livre qu'il serrait entre ses doigts grassouillets.

EDDIE

La tragédie, Monsieur. Des morts et des révélations, des drames universels et particuliers, des dénouements aussi inattendus qu'inexorables, des mélodrames où pullule le travestissement à tous les niveaux, y compris les plus suggestifs. Nous vous transportons dans un monde d'intrigue et d'illusion[1]...

1. Tom Stoppard, *Rosencrantz et Guildenstern sont morts, op. cit.*

Devant le bar, Jebediah s'était adossé au mur.

« Comment ça va, Jeb ? » demanda Eloise en dévisageant le marin. Jeb avait toujours été le plus débraillé de la bande, chez les Applewood. Épaules étroites et voûtées ; membres trop longs par rapport au reste de son corps. Et son visage était désormais couvert d'une barbe de trois jours. Il était devenu presque beau.

Il alluma une cigarette. « J'ai vu mieux.

— On en est tous là, non ? Tu sais que ta tante et moi, on est encore en contact ?

— Ah ouais ? C'est bien. Et alors ? Qu'est-ce que tu veux que ça me fasse ? »

Eloise lui asséna un coup sur l'oreille. « Je vais pas lui raconter que je t'ai vu dans cet état. Je vais pas lui dire que ton allure globale est globalement dégueulasse. »

Jebediah prit une profonde inspiration et expira longuement. « La guerre te va bien, Eloise. Mais pour certains d'entre nous, ce merdier n'est pas réel. » Il s'approcha et elle fut atterrée par la puanteur de son haleine, par l'odeur de drogue et d'alcool qui transpirait de sa peau. « Ça ne peut *pas* être réel.

— C'est qui, le petit mec sur l'escabeau ? » Eloise connaissait la réponse avant même de poser la question.

« C'est mon cousin de *sang*. Eddie Christie, dit Jeb avant d'éclater de rire. Il est marié avec Agnes, ta copine. Ils ont deux mômes. »

Eloise lui asséna un coup sur l'autre oreille. « Ta gueule.

— *Pourquoi t'as fait ça ?* dit-il en portant la main à son crâne.

— Parce que je peux. » Elle tourna les talons pour rentrer dans le bar.

Derrière elle, Jeb cria : « Eloise, reviens. Eloise, tu sais... Peut-être qu'on pourrait... Peut-être que je pourrais... profiter un peu des saveurs réconfortantes du Sud ? » Il laissa sa question en suspens en attendant qu'Eloise saisisse le sous-entendu.

« Jebediah Applewood, sourit-elle. J'espère que tu rentreras chez toi en un seul morceau. En attendant, embrasse mon cul noir et va te faire voir. »

Six mois plus tard, son véhicule militaire fut pris sous le feu ennemi alors qu'elle effectuait un trajet de nuit entre Saigon et Tan Son Nhut. Eloise et deux officiers furent éjectés de la Jeep. Des éclats d'obus atteignirent Eloise au genou gauche et déchiquetèrent l'épaule d'un lieutenant. Eloise n'avait pas d'arme pour se défendre. Tandis que les soldats ripostaient et abattaient les tireurs embusqués, elle traîna les blessés à l'abri sous la Jeep. Allongée à terre dans le rugissement des avions d'assaut Dragonfly au-dessus d'eux, elle pensa à Brown Bessie – le surnom que ses parents avaient donné à Bessie Coleman – dans son Curtiss JN-4 « Jenny » qui décrivait des loopings, des piqués et des huit tout là-haut dans le ciel, où rien ne pouvait l'atteindre, où personne ne pouvait lui faire de mal.

Je sais où se loge le poison

2008

C'est la dioxine qui a tué Papa, dis-je à Claudia quand Papa a rejoint les fantômes à l'hospice de Riverside. Ma sœur me dévisage comme si je venais de dire une connerie de top niveau, genre dingo-dingue-woup-la-la-dingo. Je répète, juste pour elle, que la dioxine est hautement toxique. C'est l'ingrédient principal de l'Agent orange. Cette merde a bouffé les intestins de notre père. Je lui montre les articles, les journaux tachés de nicotine, mon dossier de témoignages recueillis auprès des vétérans de la marine en haute mer qui avaient servi sur les porte-avions au Vietnam. Mais Claudia se recroqueville et relève le menton comme elle le faisait quand on était gamines et qu'on faisait semblant d'être ces gros nazes de British sur le bateau de Shakespeare.

« Tout ne se résume pas à une foutue pièce de théâtre, je marmonne. Parfois, c'est pas qu'une histoire de foutue pièce de théâtre.

— Tu parles comme un marin.

— Je suis fille de marin. Toi aussi.

— Ce n'est pas comme ça qu'on procède, dit-elle dans un

haussement d'épaules. Ce n'est pas comme ça qu'on honore la mémoire de notre père. Pourquoi tu ne veux pas porter le deuil, Bev ? Ressentir ce que tu es censée ressentir ? »

Ça, pour ressentir, je ressens. De la colère. Parce que dans trois jours, on va enterrer le Papa que j'ai toujours connu. Puis son corps s'affaissera, gonflera et se déchirera dans une tombe à six pieds sous terre. Les colonies de vers viendront effectuer leur sombre tâche, ils contribueront à la transformation de sa dépouille. La peau de mon père, sa peau noisette si belle, se détachera de son squelette. Même si je l'ai lavé cet après-midi, la putréfaction et le pourrissement de ses intestins ont déjà débuté. Le cancer du foie infecte le corps. Et plus un corps est infecté, plus vite il pourrit. L'embaumement peut ralentir le processus, mais le processus est déjà enclenché. Il suit son cours. Le certificat de décès d'Edward Christie indiquera *choc septique*. C'est le genre de trucs auxquels je n'ai foutrement pas envie de penser. Des trucs que j'ai essayé de me sortir de l'esprit pendant que j'effectuais mes derniers gestes tendres en lavant mon père. Je ne pouvais pas laisser les infirmières de l'hospice nettoyer son corps froid, aussi merveilleuses soient-elles. La tâche me revenait. Ma façon de dire au revoir, *adios, arrivederci baby*.

Claudia prendra la parole à ses funérailles. Elle enchaînera les propos philosophiques en dépit de son chagrin, elle l'encensera, mais c'est moi qui ai vu ses lèvres pâlir et ses yeux marron perdre leur éclat. Claudia psalmodiait à côté de son lit de mort, « Tout ira bien, Papa. Tout ira bien, Papa. Rentre à la maison, je t'en prie ». Elle lisait cette foutue pièce de Rosencrantz et Guildenstern.

Deux heures après la mort de Papa, les draps ont été arrachés du lit et son corps emporté au funérarium. Son lit métallique est vide. Mes yeux embrassent les murs mauves – un architecte d'intérieur appellerait ça *lavande*. Quand sa santé s'était vraiment dégradée et que les docteurs ne lui avaient donné que six mois à vivre, j'avais contacté Shirley. On avait été les meilleures copines du monde. Elle séchait les cours pour sniffer de la coke avec moi dans les toilettes du Nell's ou du Limelight, en centre-ville. Elle était belle, mais j'étais plus belle encore. Peut-être qu'on était destinées à devenir mamans ensemble à l'adolescence. Les nonnes de l'école Notre-Dame de Claremont faisaient mine de ne rien voir quand on arrivait en plein mois de juin avec nos gros pulls à torsades et nos cardigans. Pas nos camarades de classe. Ils nous ridiculisaient de façon vicieuse. Nous, on affichait une attitude féroce. Mais on était des gamines – des gamines mortes de trouille – qui jouaient les femmes. Avant de l'annoncer à Kevin, j'étais allée faire un test de dépistage du sida, en pensant davantage au bébé qu'à moi. La Croix-Rouge avait lancé un programme de prévention. Ils proposaient des tests gratuits en ville. Quand l'infirmière blanche avait planté son aiguille, je tremblais.

« Tu m'as l'air d'une fille intelligente. » Son badge annonçait *Barbara Camphor.*

« Je vais le garder. » C'était la première fois que je m'autorisais à prononcer ces mots à voix haute.

« D'accord. C'est une manière d'envisager les choses. »

J'avais trouvé son ton plutôt impoli. « Vous pensez que je devrais pas ?

— C'est déjà plié, ma chérie. Le train a quitté la gare. »

Je me souviens que j'avais ri mais que j'avais envie de la gifler. Sauf qu'elle tenait une seringue dans la main. Et qu'elle me prélevait du sang. « Vous pensez que je devrais garder le bébé ? » J'avais couché à droite et à gauche, mais j'étais convaincue que le bébé était de Kevin.

« C'est entre Dieu et toi, ça.

— Vous m'aidez pas beaucoup.

— Je t'aide à savoir si tu as le virus du sida ou non. J'espère que non, mais si c'est le cas, il faut que tu trouves un moyen de vivre. Compris ? »

Elle avait trouvé une veine et n'avait pas eu à s'y prendre deux fois. Un pincement. Puis rien.

« Vous gagnez bien votre vie ?

— Ça, c'est une question que j'aime bien entendre de la bouche d'une fille dans ta situation. C'est le genre de question que je poserais, moi aussi. » Je l'avais regardée transférer les échantillons de sang sur un plateau et écrire quelque chose.

« Je pourrais gagner plus, avait-elle répondu. Mais je ne m'en sors pas trop mal. Et parfois, il faut savoir se contenter du pas trop mal. »

C'est moi qui ai parlé à Shirley de l'école d'infirmière. On a obtenu notre diplôme mais on n'est pas allées à la cérémonie de remise. On se retrouvait chez moi pour étudier. Les périodes de révision, c'était le seul moment où nos parents nous aidaient car, quand on avait fini par leur avouer notre situation, ils avaient tenu à ce qu'on sache à quel point on avait merdé, et qu'ils ne le supportaient pas. J'avais regardé le visage de mes parents s'illuminer quand Claudia avait été acceptée à Columbia. C'est à ce moment que je m'étais installée dans un studio avec Kevin, plutôt que d'être à la maison avec eux et de la voir intégrer l'université avant moi. Voir ma petite sœur entrer à Columbia avait été douloureux. Si je ne pouvais pas être unique, alors merde, je serais indépendante. J'ai suivi la voie des urgences. Shirley s'est orientée vers la gériatrie avant de devenir infirmière en maison de retraite. Elle a fait le nécessaire afin que je puisse visiter l'établissement de Riverdale.

« On s'assurera que ton père passe le cap avec dignité », m'a-t-elle dit.

En termes de maison de retraite, c'était un établissement correct. « Il ne pourra pas se le permettre financièrement, Shirley. » L'assurance de Papa ne couvrait pas une chambre individuelle.

« Bev. Tout est pris en charge. Je m'en occupe. »

Shirley a installé Papa dans une chambre individuelle avec un lit supplémentaire et un fauteuil vert confortable dans lequel Claudia, Maman ou moi passions la nuit à ses côtés. La chambre donnait sur le jardin. Il y poussait de petites poires dures qu'on pouvait cueillir dans les arbres, et des tulipes, des

pensées, des azalées d'un rose profond dont l'éclatante florai-
son égoïste me contrariait.

Vingt-quatre heures avant le décès de Papa, on a cru qu'il
pourrait remonter la pente. Il avait été au bout du rouleau plusieurs fois, au cours des deux dernières années, mais il reprenait
toujours la main. Maman dormait à côté de son lit. La structure
métallique lui faisait office d'oreiller. J'étais descendue fumer
une cigarette. Claudia sommeillait dans le fauteuil en cuir vert
qui donnait des faux airs de siège inclinable. À mon retour dans
la chambre, Papa était assis dans le lit, les yeux grands ouverts,
et il parlait d'une voix si puissante qu'on l'imaginait mal peser
à peine soixante-dix kilos. « Où est la glace à la fraise ? » J'ai
fait volte-face dans mes sabots de bloc pour trouver une infirmière, qui lui a apporté deux boules de glace à la fraise dans
un gobelet en plastique. Maman lui a donné la crème glacée
à la petite cuillère, il l'a engloutie et s'est mis à parler avec les
British comme s'ils étaient avec nous dans la chambre.
   « Eh ben ça alors, si c'est pas Ros et Guil, a dit Papa. Comment vous m'avez retrouvé ici, les gars ? Je vois que vous avez
enfin atteint la terre ferme. Oui, j'ai connu des jours meilleurs,
moi aussi. »
   À la maison, on avait grandi en voyant Papa bavasser et lever
son chapeau en guise de salut à ces British que personne ne
pouvait voir.
   Et Maman a dit : « Tiens, comme au bon vieux temps. »
   Et quand Claudia a entendu Papa parler, elle s'est levée d'un
bond comme la Belle au bois dormant sortant d'une sieste un
peu trop longue, puis elle a fouillé dans son sac en quête de
son exemplaire de *Rosencrantz et Guildenstern sont morts*. Claudia lisait la pièce à Papa dès qu'elle ne savait plus quoi faire.
Elle s'est approchée du lit et a lu les premières phrases qui lui
sont tombées sous les yeux.
   « *Faute ! Pas de synonyme ! Un point partout* », a dit Claudia.
Elle est aussitôt devenue Rosencrantz. Papa a souri. J'ai enchaîné
naturellement et je suis devenue Guildenstern. Je n'avais pas

besoin de regarder le texte pour jouer mon rôle. Aucun de nous n'en avait besoin, sauf peut-être Maman, qui n'avait jamais appris les répliques par cœur car il fallait bien qu'un membre de la famille tienne lieu de spectateur et canalise la folie ambiante.

> MOI *dans le rôle de Guildenstern* : Affirmation ! Deux partout. Balle de jeu.
> CLAUDIA *dans le rôle de Rosencrantz* : C'est quoi ton problème, aujourd'hui ?
> MOI *dans le rôle de Guildenstern* : Quand ?
> CLAUDIA *dans le rôle de Rosencrantz* : Quoi ?
> MOI *dans le rôle de Guildenstern* : Tu es bouché ?
> CLAUDIA *dans le rôle de Rosencrantz* : Si je suis touché ?
> MOI *dans le rôle de Guildenstern* : Oui ou non ?
> CLAUDIA *dans le rôle de Rosencrantz* : Est-ce qu'il y a le choix ?
> MOI *dans le rôle de Guildenstern* : Est-ce qu'il y a un Dieu ?[1]

Papa riait si fort. Nous étions ses idiots de British sur un navire en partance pour la mort que rien ne pouvait arrêter, et plus il riait et plus on continuait. C'était comme si on avait quatre ou cinq ans, ou neuf ou dix ans, redevenues les gamines qui se pavanaient devant notre père, cabotines dans nos performances. Mais quand je l'ai regardé à nouveau, le visage de mon père portait le masque de la mort. Avant de pouvoir m'en empêcher, j'ai arraché le livre des mains de Claudia et l'ai déchiré, juste à la reliure, là où il avait été recollé des années plus tôt. Je l'aurais réduit en miettes, ce foutu bouquin, si Claudia ne s'était pas mise à hurler et à empoigner ses cheveux bouclés. « Beverly, s'il te plaît. *Non !* »

« Les filles, les filles ! » s'est écriée notre mère.

Mais Papa riait toujours, shooté à la morphine. Les British étaient en parfaite santé dans son esprit. C'est à ce moment que Minerva et Peanut sont entrés. Minerva m'a décoché un regard qui disait *Pas ici*.

---

1. Tom Stoppard, *Rosencrantz et Guildenstern sont morts, op. cit.*

Maman s'est tournée vers Peanut. « Emmène donc ta mère plus loin, s'il te plaît. » Et Minerva, qui portait une robe-débardeur trop pleine d'été en ce début de printemps, a pris la place de ma mère et a embrassé son grand-père. Claudia s'était mise à quatre pattes à côté du lit et tentait de maintenir la couverture du livre.

« Claudia, a dit ma mère. On l'a réparé une fois, on le réparera encore. »

Claudia a levé les yeux vers moi. « Il y a un mot pour qualifier les femmes qui déambulent dans la vie comme tu le fais. »

J'ai haussé les épaules. « Une connasse en colère ?

— Une Noire indignée. »

Papa s'est arrêté de rire. Mes enfants me dévisageaient. « Et qu'est-ce qu'il y a de mal à s'indigner quand la situation l'exige ? » ai-je demandé.

Minerva m'a décoché un regard en coin. « Les gens viennent ici pour se reposer. Au calme. »

Claudia s'est levée et a remarqué la présence de Peanut, satisfait de rester sur le seuil de la porte. Il aimait son grand-père mais les mourants le désarçonnaient. « Toutes mes excuses, cher neveu, a dit Claudia. C'est un tantinet bruyant par ici. »

Je voulais lui dire d'arrêter avec les euphémismes. *Tu te conduis comme les Blancs. Quand les Blancs disent « bruyant », ils veulent dire qu'il y a des gens de couleur dans la pièce. Quand tu dis à des Blancs un truc qu'ils n'ont pas envie d'entendre, ils te regardent comme si tu n'étais pas là et ils te demandent de répéter, l'air de dire qu'ils n'arrivent pas à te suivre. C'est censé te faire déconner et penser que ton raisonnement est incohérent. Et quand les Blancs disent qu'il y a eu un changement de programme, ça veut généralement dire que quelqu'un va se faire virer, ou abandonner, ou qu'il va rester en plan sur le bord de la route.* Je travaille dans le milieu médical et je suis invisible aux yeux de presque tous ces foutus docteurs jusqu'à ce qu'ils aient besoin de quelque chose, et Claudia ose se ramener devant moi avec sa logique de Blancs ? Claudia ne montre aucun effort ni air supérieur quand elle parle. C'est ça qui me fait craquer à chaque fois. Je sais foutrement bien qu'on a grandi toutes les deux dans le Bronx, mais à chaque fois que je la regarde, je commence à me demander si je ne suis pas folle. Peut-être qu'on n'a jamais appartenu à la classe ouvrière, après tout. Peut-être qu'on est nées avec une cuillère en argent dans la bouche et que nos précepteurs se sont assurés qu'on reste dans la classe moyenne supérieure. *Peut-être bien* qu'on a grandi dans un immeuble de l'Upper West Side avec portier à l'entrée, ou dans un quartier chic du centre-ville – parce que Claudia le voudrait, et qu'elle s'exprime ainsi.

Mais j'ai tenu ma langue, je me suis accrochée aux dernières miettes de calme et j'ai suivi mon fils dans le couloir. Je me suis tournée vers lui. « Peanut, que veulent dire les gens quand ils parlent de rentrer à la maison ? Comment tu peux dire à un mourant de rentrer chez lui, s'il n'a jamais été ailleurs que chez lui ?

— J'en sais rien.

— Il est en train de mourir. Tout simplement.

— Maman, je compatis, me dit Peanut en me serrant l'épaule. Mais faut que tu te détendes, là.

— Je sais que je suis en mode connasse. Ça me gonfle sérieusement depuis ce matin. J'ai besoin d'une cigarette.

— Je vais aller t'en chercher, dit-il, impatient de trouver une excuse pour sortir de là.

— Non, Peanut, je suis tout à fait en mesure d'aller chercher mes propres cigarettes. Va dans la chambre et dis au revoir à Papy. »

La première chose que j'ai faite en arrivant à la maison de retraite ce matin, c'était d'enfiler ma blouse de travail. Je ne crois pas aux signes prophétiques mais, avec le recul, c'était peut-être un signe que Papa allait mourir ce jour-là. Je m'étais fait la promesse, quand on avait appris qu'il était dans la phase terminale de sa maladie, de ne jamais mélanger ma vie professionnelle et ma vie personnelle. Je ne voulais pas me blinder ou prendre mes automatismes d'infirmière avec lui. Je voulais être sa fille avant tout, et infirmière en second lieu. Quand je quitte le travail, je ne le rapporte jamais avec moi à la maison. Et quand je vais au boulot, j'y vais à vide. C'est une des nombreuses astuces que j'ai héritées de mon père. Il était intraitable quand il s'agissait de retirer son uniforme avant de rentrer à la maison. Il avait deux uniformes qu'il rapportait dans un sac en nylon afin que ma mère les lave et les repasse. Il faudrait passer une loi dans ce pays sur la façon dont les infirmières vont au travail. Je ne pige pas comment on peut se balader dans la rue toute guillerette dans ses vêtements d'hôpital après un trajet en métro, puis se laver simplement les mains et aller s'occuper de quelqu'un. Je ne fais pas ça, moi. Je me change et je me douche au travail. Je ne crois pas en Dieu mais je prie pour moi et mes patients – ceux que je connais, et ceux qui entrent et sortent.

Il y a une chanson à propos des oiseaux et des abeilles dans les arbres. C'est un peu ce à quoi ressemblait mon enfance. Et puis les papillons et les oiseaux, et peut-être même ces foutues abeilles, se sont envolés avec les mensonges que nous balançaient nos profs à l'école. Ils se sont enfuis avec ces conneries, ils ont évité notre quartier où les vraies gens comme mes parents essayaient juste de trouver leur voie. Et espéraient qu'on trouverait la nôtre aussi, un jour.

J'ai un an de plus que ma petite sœur. Il y a des choses dont elle ne se souvient pas, ou qu'elle veut oublier. Je me rappelle Papa qui mangeait ses sandwichs au salami en regardant les infos du soir sur CBS. Je me rappelle Papa qui répondait à Nixon à l'écran. Je me rappelle le silence de la chambre quand il est mort. La façon dont l'air l'a quitté, tout simplement, la façon dont il n'y avait plus de différence entre son corps et le lit métallique sur lequel il reposait.

Mon papa n'a pas été mobilisé à la guerre. Il s'est engagé volontairement. Mon papa fêtait le 4 juillet chaque année. Et le Memorial Day, et le Veterans Day. Mon papa chantait l'hymne national aux matchs des Yankees. Il était intelligent mais il aurait pu l'être davantage. Il n'était pas pauvre mais il aurait pu être riche. Il n'était pas le premier père – ni le dernier – à dire à ses filles qu'on était ses véritables trésors. Mon papa ne se plaignait jamais. Et ça me rend sacrément triste. C'est peut-être les gaz d'échappement du George Washington Bridge qui l'ont tué. Mais moi, je m'en tiens à la dioxine. Je ne vais pas minimiser la laideur. Il y a des gens morts qui auraient dû continuer à vivre. Des gens crèvent chaque jour. Et je sais où se loge le poison.

Minerva, dans tous les sens

2009

Quand ils ont affiché le poster pour le concours d'écriture dramatique, je n'y ai pas trop réfléchi. J'étais en sursis à l'école parce que mes notes étaient passées en dessous de la moyenne. J'avais été virée de l'orchestre, vu que je n'allais jamais aux répétitions, et mon alto était posé dans un coin près de la télé où il prenait la poussière car Maman espérait que je m'y intéresserais à nouveau. Il y avait un synthétiseur Suzuki, aussi, un cadeau de Papa quand il avait appris que j'avais arrêté l'alto, parce que son truc à lui, c'est qu'une fois bloqué quelque part, il faut essayer autre chose pour se débloquer. Quand j'ai reçu le synthé, je me suis amusée avec pendant une semaine. Je voulais que Maman se sente super mal, parce que, au final, c'est de sa faute si Papa est parti. Quand Papa a déconné comme le font les hommes, plutôt que de laisser Maman se barrer et déconner avant lui, elle a convoqué une assemblée générale dans le salon pour qu'on discute de ces conneries. Comme si j'avais envie d'apprendre que Papa baisait une pétasse. Et c'est le genre de séance où on est tous censés garder son calme et parler chacun son tour, mais, évidemment, on choisit tous un

camp. Mon frère Peanut, il était là, genre, Mais t'as fait quoi ?
Et Papa, il regarde Peanut parce qu'il se demande un peu parfois, comme moi, si Peanut est pas à moitié pédé, même si je m'en fous, certains de mes meilleurs amis sont pédés à LaGuardia, alors je fais, genre, Bon alors quoi ? Alors quoi ? Et Maman fait culpabiliser Papa à mort, et Papa explique qu'il ne le refera plus. C'était une collègue flic à lui, ils se sont rapprochés à cause du stress d'être dans la police, et Maman acquiesce, et on se réconcilie, on partage un moment d'insouciance, et pendant un temps c'est tranquille dans la famille, mais Maman commence à se requinquer, elle rentre à la maison sans ce rouge à lèvres super foncé que notre cousine Gladys critiquait toujours, elle coupe les pointes fourchues de ses cheveux, s'applique une lotion et ses boucles se structurent naturellement comme celles de tante Claudia, et elle se met du parfum Elizabeth Arden, et je dis assez fort pour déclencher un tsunami dans notre salon, *Papa, c'est toi qui as acheté du parfum Elizabeth Arden à Maman ?* Et je me marre en disant ça, et Maman m'insulte, vu que je me moque de son style, et Papa dit Mais t'as jamais aimé le parfum. Le parfum te donne la migraine. Peut-être que mes hormones fluctuent, répond Maman. Parce que maintenant, je tolère l'odeur. Mais Papa est trop malin. Il la surprend un jour à un food truck près du Columbia Presbyterian, elle partage une cigarette avec un vieux. Elle admet avoir une relation avec ce vieux connard boiteux qui s'appelle Chico, celui qui vend des *rotis* et des *wraps* en tout genre dans son food truck parce que le quartier de Bedford-Stuyvesant est devenu trop cher pour lui, et Maman dit, genre, On discute surtout, enfin, bon, on s'est embrassés une fois. Papa, il connaît toutes les manières dont un homme et une femme peuvent s'embrasser. Et c'est là que Papa commence à lancer des regards mauvais à Maman, il loupe l'heure du dîner, il sort plus souvent et il traîne avec des mecs du boulot qu'il a toujours qualifiés d'enfoirés coureurs de putes, et il rentre tard à la maison, genre tous les soirs, et Maman bosse, et fait à manger, et couche les jumeaux, et puis ils se mettent à se disputer sans arrêt, et Pea-

nut et moi on se retrouve au milieu de leurs scènes, et ça devient un drame à deux balles, digne d'une émission du Jerry Springer Show, et Papa demande comment il peut être certain que les jumeaux sont vraiment de lui. Il dit que les jumeaux lui ressemblent pas du tout, et ça c'est vraiment des conneries. Il dit que peut-être Keisha et Lamar sont les gamins du mec du food truck. Et Maman dit que c'est ridicule parce que Chico avait encore sa boutique dans le quartier de Bedford-Stuyvesant, à l'époque. Et Papa lui demande comment elle peut le savoir. C'est peut-être pas la seule chose que Chico avait. Et Papa est parti, et Maman a menacé de demander une interdiction de domicile contre lui, et Peanut et moi, on est là, genre Maman, tu peux pas faire ça. Papa va perdre son boulot. Et Papa, il fait style, Elle me ferait vraiment un coup pareil ? Putain. C'est minable. Et il déménage dans l'Arizona parce qu'il connaît d'autres flics là-bas. Il fait tout un foin quand il part à Phoenix, je pense qu'il espère que Maman le supplie de pas partir. Mais genre, une fois qu'il a annoncé qu'il partait, il est obligé d'aller jusqu'au bout, et ils sont tous les deux bloqués en mode bornés. J'aimerais bien qu'ils se remettent ensemble, mais Maman, elle supporte pas d'être ou de se sentir seule, alors il se passe un truc avec Chico. Et pas moyen de faire machine arrière. Papa est parti, Chico est arrivé, et moi je suis là, genre, Fait chier. Et elle me dit, Surveille un peu ton langage et respecte les adultes. C'est moi qui paie le loyer, ici. Alors je commence à sortir avec les potes et je sèche les cours, juste parce que j'en ai envie, et les profs disent, Ah ouais, eh ben tes notes vont plonger en flèche, et moi, je leur dis, genre, Et alors ? Et ils me répondent, encore un semestre comme ça et c'est terminé, tu es renvoyée, et moi, je suis là, genre, Merde, non, ils vont m'envoyer dans une école avec des gamins en rattrapage scolaire. Mon petit frère se la pète parce qu'il est à Bronx Science et il se prend pour le futur Steve Jobs. C'est là que j'ai repris mes bouquins et que je suis retournée en cours. Je ne veux pas, je ne peux pas être distancée par Peanut. Et c'est là que j'ai vu l'affiche pour le concours d'écriture dramatique, et le professeur Bass, qui est trop vieux pour enseigner au lycée mais les foutus syndicats l'empêchent d'être viré, il me dit, Tu pourrais peut-être écrire une pièce de théâtre correcte, si tu n'étais pas aussi arrogante. Il affirme que la moitié des élèves de l'école ne méritent pas d'être là. Je lève les yeux au plafond et je lui dis, Alors quoi, si vous étiez moi et que vous étiez pas censé être ici, vous écririez quoi pour une pièce de théâtre de quinze minutes destinée à un concours ? Et le professeur Bass, il dit, Je n'écrirais pas sur une randonnée à Madagascar ni une partie de pêche à la mouche en Mongolie. Écris quelque chose qui te vient directement du cœur. Et alors je commence à poser des questions à ma débile de mère qui boit son café et mange ses Dunkin' Donuts – depuis le départ de Papa, elle a repris quelques kilos. Elle me dit, Minerva, il y a beaucoup de gens qui, s'ils étaient nés dans des circonstances différentes, auraient pu accomplir de grandes choses. Ton papy en faisait partie. Et je lui dis, C'est pas nouveau, ça. Elle me dit d'appeler Mamie. Et Mamie, elle est trop contente que j'aie pris le téléphone. Mamie me raconte la pièce de théâtre qu'il a trouvée sur un navire au Vietnam, *Rosencrantz et Guildenstern sont morts*. Le bouquin que tante Claudia a gardé. Je suis encore grave remontée contre Maman, qui est franchement une meuf toute naze. J'écris une pièce sur un homme qui lit Shakespeare sur un bateau, et puis ça coupe sur ses filles qui lisent la même pièce plus tard, à sa mort, et j'arrive deuxième du concours, et quand je montre ma pièce au professeur Bass, il recrache son café sur ce costard de gros naze qu'il porte toujours, et il éclate en sanglots. Je me prépare à une nouvelle leçon de morale sur le niveau déplorable des Arts à New York, sur le combat de l'artiste en quête de dignité face à l'adversité. Que s'il était resté en Europe quand il était plus jeune, les choses auraient peut-être été différentes. Mais le professeur Bass s'essuie les yeux avec un mouchoir. Très joli, qu'il me dit. Et moi, je gagne une médaille et vingt-cinq dollars pour ma deuxième place au classement, et je donne rendez-vous à Peanut à la Drama Bookshop, une librairie spécialisée à Times Square, où on achète un exemplaire de *Rosencrantz et Guildenstern sont morts*. Ils l'emballent joliment dans un papier bleu et on rentre à la maison. Je montre à Maman ma médaille de deuxième place et je lui offre le bouquin. Je suis dégoûtée qu'elle ait pas acheté son propre exemplaire des années plus tôt. Maman essaie de me faire un câlin mais je m'écarte. J'ai rendez-vous quelque part. Sauf que Maman, elle y croit pas. Elle me serre de toutes ses forces. Et on reste là, comme ça, pendant une longue minute. Et je me débats pas, parce qu'elle a besoin de ce câlin bien plus que moi. Peut-être. Et là, tout contre elle, je me souviens de l'époque où j'étais petite et qu'elle me lisait toujours des histoires. Quand je m'en vais, Maman est encore dans le salon à feuilleter le bouquin.

Et pour une fois, au moins, je sais que j'ai eu raison.

EXERCICES DE RÉDACTION / PROFESSEUR BASS
STRUCTURES SYNTAXIQUES

MINERVA C. PARKER

(Dialogue)

PÈRE DE MINERVA

Minnie, ça te plairait, le désert. C'est pas du tout brun, comme je m'y attendais. Le désert d'Arizona est très brun, oui, bien sûr, mais il y a des secteurs magnifiques dans les montagnes, qui sont verts et bleus et argentés. Je comprends presque pourquoi les gens l'aiment autant. J'y ai emmené une amie qui était avec moi quelques jours et...

MINERVA

Tu sors avec qui ? Tu sors avec quelqu'un ? Déjà ?

PÈRE DE MINERVA

C'est joli dans le désert. J'ai une amie.

MINERVA

Tu avais dit que tu te remarierais jamais.

PÈRE DE MINERVA

J'ai dit ça, moi ? Je vous ai envoyé une carte postale du poste où je travaille. C'est un des plus anciens bâtiments de l'Arizona. Et toi, alors, pourquoi tu continues à m'envoyer ces cartes postales très indécentes de femmes à moitié nues ?

MINERVA

Elles sont gratos. Je les taxe à Two Boots Pizza et au Strand.

PÈRE DE MINERVA

Je pense que ta mère a assez d'argent pour te payer du papier à lettres et des timbres. Je lui verse une pension alimentaire.

MINERVA

Elle est noire ?

PÈRE DE MINERVA

Tu parles comme ta mère. Estrella est navajo. Et espagnole.

MINERVA

On a tué les Navajos. Les soldats noirs, les *buffalo soldiers*. On les a regroupés. Un peu comme toi qui repousses les Mexicains à la frontière, Papa. Ou peut-être que je devrais t'appeler Custer ? À cause de toi, une génération entière de Mexicains va détester les Noirs.

PÈRE DE MINERVA

Et dire que tu n'as pas la moyenne en histoire. Je ne comprends pas ce qui cloche, Minnie. Sauf que Custer, il était dans le Wyoming. La bataille de Little Big Horn. Révise un peu ta géographie.

MINERVA

Rien à foutre.

PÈRE DE MINERVA

Surveille ton langage. Bev me dit que tu dors chez quelqu'un ? Je vais devoir venir voir. Tu veux vraiment que je sois obligé de venir voir ?

MINERVA

Et tu resterais ?

PÈRE DE MINERVA

Non, Minnie. Rien qu'une visite. Et ce serait sans aucun plaisir.

MINERVA

IL SE PASSE PARFOIS TROIS SEMAINES SANS QU'ON REÇOIVE DE LETTRE DE TA PART ! Tu peux pas passer par FACEBOOK ou envoyer des SMS, comme une personne normale ?

PÈRE DE MINERVA

Je ne crois pas en tout ça.

MINERVA

Mais tu vis dans un autre État.

PÈRE DE MINERVA

Avant, les gens écrivaient toujours des lettres. À l'époque, même le plus idiot était capable d'écrire une lettre très correcte. J'ai regardé un documentaire sur la guerre de Sécession...

MINERVA

Pourquoi je peux pas venir vivre avec toi ?

PÈRE DE MINERVA

Il y a trop de bazar, ici... Et trop de gens qui conduisent en état d'ivresse sans se préoccuper des limitations de vitesse.

MINERVA

Tu dis que le désert est magnifique.

PÈRE DE MINERVA

Quand je serai mieux installé, peut-être.

MINERVA

Tu aimes Maman ?

PÈRE DE MINERVA

Peu importe.

MINERVA

Maman, elle t'aime encore.

PÈRE DE MINERVA

Certaines choses n'ont plus d'importance, c'est tout.

MINERVA

Papa ?

PÈRE DE MINERVA

Minerva, sois gentille. Embrasse les jumeaux de ma part. Peanut. Ton frère, dis-lui que la vie est une bête monstrueuse. Qu'il doit s'endurcir et devenir un homme.

(Poème)

CUSTER QUI A BUTÉ DES FILS DE PUTE

Mon papa, dans le désert,
Dit que c'est brun puis que c'est vert
C'est lui, le nouveau Custer
En uniforme de patrouille aux frontières

Disparaître
Revenir direct à zéro
Sans regarder en arrière
Il est censé se passer quoi ?
On me dit, Minnie, sois gentille
Mais les gentils vont en enfer
Moi, je préfère être méchante
Y paraît que les méchants montent là-haut

Alors, qu'est-ce que vous en dites ?
Quand on est libre de disparaître
Et que je suis encore ici
Et qu'on est encore tous ici
On t'a pas vu depuis six mois
Sérieux, c'est la moitié d'un an

Vapeur

1971 1986 1996 **2010**

Rufus, d'où venez-vous, mon garçon ? *Je suis né à New York.*
Pas loin d'ici. À l'hôpital Columbia Presbyterian. Et vos parents ?
Ils font quoi ? *Mon père est avocat. James Vincent. Ma mère,*
Sigrid, est agente de casting à Los Angeles. Ah, un pur produit
du divorce. *Oui, monsieur.* Famille nombreuse ? *Non, monsieur,*
je suis fils unique. Oh, comme mon épouse. Oui, comme Agnes.

Claudia et moi étions assis dans le canapé du salon en angle,
avec sa table basse en verre, ses murs en stuc qui me rappe-
laient le premier appartement de ma mère à Venice Beach.
Eddie Christie ne cessait de pousser vers nous un plateau d'assortiment de fromages, de tranches de *soppressata* et de pain.
Les différentes variétés de pain venaient de sa boulangerie italienne locale préférée ; des petites miches à la semoule, aux
graines, de la ciabatta qu'il nous encourageait à déguster avec
les différents fromages. Des fromages qui, insistait-il, étaient
introuvables dans la plupart des magasins de New York. Des
fromages italiens puants qu'il avait commandés tout spécialement pour l'occasion. La façon dont il avait dit « spécialement
pour l'occasion » avait suffi à m'encourager. Mme Christie sem-

blait satisfaite de laisser son mari faire la conversation. Elle s'appuyait contre lui dans la causeuse en cuir, ses longues jambes croisées. « J'aurais aimé avoir un frère ou une sœur, dit-elle. Mais la vie a tout arrangé pour le mieux. Car j'ai mon mari et mes filles, maintenant. »

« Raconte-moi un secret », ai-je demandé à Claudia Christie. Troisième année d'université. Nous étions en couple depuis trois semaines à l'université de Columbia, et je savais déjà que je la demanderais en mariage. Je vivais hors campus dans le quartier de Morningside Heights avec un étudiant en philo qui passait une nuit sur deux chez sa copine. Je vivais hors campus car j'ai toujours eu le sommeil léger. C'est de famille. J'ai du mal à dormir. À l'époque, je me relevais à 3 heures du matin et je jouais du saxophone. Je n'avais pas trop l'oreille musicale mais la pratique de cet instrument faisait des miracles sur mon sommeil. Au deuxième semestre, mon colocataire a emménagé dans le West Village. Il est parti un samedi et Claudia a emménagé quelques jours plus tard. Nous sommes restés planqués comme des bandits dans l'appartement à faire l'amour pendant les premières semaines du semestre d'hiver. Nous étions jeunes, agiles, et en admiration constante devant le plaisir que nos corps pouvaient nous procurer. C'est typique des années universitaires, d'éprouver autant d'intensité dans ses « plans cul » – c'est comme ça qu'ils disent, de nos jours – et de se mettre en couple du jour au lendemain. Nos amis nous surnommaient *Les Disparus*, car on sortait de l'appartement seulement pour aller en cours ou acheter à manger, majoritairement des plats bon marché à emporter. Des pizzas chez V&T. Du riz et des haricots chez Tom's. Du poulet rôti et un combo falafel – baba ganouch au Rainbow Chicken. La nourriture méditerranéenne nous donnait mauvaise haleine mais même l'ail peut avoir des vertus inattendues. Manipulez une gousse d'ail correctement, et vos sens en seront émoustillés. (Une femme prénommée Parsnip me l'avait enseigné.)

« Ruff, m'a répondu Claudia. Je n'ai plus de secrets pour toi. »

Elle était installée sur notre maigre futon avec un exemplaire du *Der Prokurator* de Goethe sur les genoux. Nous suivions un cours sur la naissance de la novella comme genre littéraire. Un sujet plutôt passionnant pour les étudiants en lettres.

«Je m'appelle Rufus.» Seuls mes parents me surnomment Ruff. Mais j'appréciais que Claudia ait pris l'habitude d'employer ce diminutif dès le départ.

«Je n'arrive pas à te prendre au sérieux quand je t'appelle Rufus. J'entends ce nom, et je pense aussitôt à Rufus et Chaka Khan.

— Putain, c'est vexant.

— *Too bad.* Tu t'en remettras.»

Les relations amoureuses à l'université peuvent être effrayantes. Je m'étais réveillé à côté de filles que je ne voulais plus jamais revoir, et que je n'aurais sans doute jamais touchées de ma vie si je ne m'étais pas trouvé à la mauvaise fête au mauvais moment. C'est un petit miracle de se retourner au lendemain d'une soirée de campus et d'être heureux de voir la personne avec qui on est allé au lit la veille. J'aimais me réveiller à côté de Claudia. Je suis blanc. Claudia est noire. Au cours de notre relation, nous n'avons presque jamais eu de problèmes avec le concept de race. Mais ce monde, par contre, ce monde a bien du mal avec ce concept.

«Les secrets sont peut-être désormais la province des mélodrames victoriens, dis-je. Mais allez, quoi, il doit bien y avoir un truc profond, obscur et très personnel, dans ton passé. Raconte-moi ta pire honte.

— Si je t'invite chez mes parents, tu risques de prendre feu.» Et elle éclata de rire. Je ne le savais pas à l'époque, mais c'était le rire de son père, rauque et chaud, un rire qui évoquait le mois d'août et les cigarettes, même si elle ne fumait pas. Je l'appelle le rire nerveux de Claudia : celui qui précède la vérité. Et s'il est vrai qu'on hérite parfois des habitudes de notre partenaire, je dirais que j'ai hérité du rire de Claudia, bien que ma mère soit assez spécialiste du rire, elle aussi.

«Sérieusement, continua-t-elle. Ma mère est plutôt cool. Elle garde pour elle son avis et ses jugements. Mais mon dernier copain en date a fini à l'hôpital de Columbia Presbyterian avec des brûlures au premier degré sur l'épaule. Ils ont dû utiliser des pinces pour détacher sa chemise collée à sa peau. J'ai cru que sa famille allait nous faire un procès. »

Agnes Christie a essayé de me brûler à coups de fer à repasser, la première fois que Claudia m'a invité chez ses parents. Je ne me souviens pas du fer à repasser, seulement de la vapeur et de la façon dont elle sortait en bouillons par le petit orifice au-dessus de la poignée plate en chrome. J'ai envie de préciser que le fer était rouge vénitien mais il était peut-être bleu ou argenté, ou gris. Tout allait plutôt bien. Du moins, c'est ce que je croyais. Mme Christie avait bâillé et s'était excusée avant de s'éclipser. À son retour, j'avais d'abord cru que le fer à repasser brûlant qu'elle portait était un décanteur rempli de chianti. J'avais souri à la belle femme noire qui avait le même visage ovale que ma future épouse, et je n'avais pas bougé. Elle s'était approchée, j'avais tendu les bras devant cette chaleur. Mon geste, mes doigts qui dansaient devant elle sans reculer avaient incité Agnes à s'immobiliser et à contempler le fer à repasser.

« Alors là, madame Christie, vous ne me brûlerez pas sans vous brûler vous-même », avais-je déclaré.

M. Christie était venu se placer à côté de son épouse. « Agnes, tout va bien, avait-il dit.

— Pardonnez-moi, avait lâché Agnes Christie avant d'éteindre le fer. De là où je viens, c'est rarement un bon présage quand un homme blanc inconnu se présente chez vous.

— Eh bien, je vous promets de tout mettre en œuvre pour ne plus être un inconnu. Concernant la blancheur de ma peau, par contre, je ne peux rien faire. »

Claudia m'avait préparé au fer à repasser de sa mère. Nous avions répété la meilleure réaction possible, si elle venait à m'attaquer.

Je fus surpris par le manque de livres dans le foyer des Christie. Dans le salon, les seuls ouvrages visibles étaient l'*Encyclopæ-dia Britannica* et une collection de pièces de Shakespeare que Mme Christie avait achetée aux enchères à l'école catholique où elle avait étudié dans son enfance. J'étais estomaqué. Si vous connaissiez Claudia… Il faudrait connaître Claudia pour comprendre. Ou bien n'est-ce qu'une question de privilèges ou d'attentes personnelles ? J'avais grandi dans un appartement avec un bureau et une vue sur Central Park West. Enfant, je passais des heures entières à bâtir des châteaux avec les livres qui garnissaient les étagères murales. Quand j'allai chez Claudia, j'étais persuadé qu'elle ouvrirait une porte et que j'aurais enfin la preuve, une grotte secrète pleine de livres qui m'expliqueraient comment elle était entrée à Columbia. Des traces de ce qui avait fait grandir l'étudiante brillante. Mais il n'y avait dans sa chambre qu'un lit simple, une commode et un bureau au-dessus duquel était affiché un poster de *Purple Rain*. La maison des Christie ne manquait de rien. Il n'y avait simplement pas beaucoup d'espace libre. Tout était fonctionnel. Ce fut un de ces rares moments, et j'en ai connu quelques-uns, en homme blanc marié à une Noire, où j'ai pris conscience de mes privilèges. On peut parler de privilèges à en perdre haleine, mais on les comprend véritablement quand on a vécu en compagnie de quelqu'un qui a dû apprendre à faire davantage avec moins.

« Elle n'est pas folle », dis-je par-dessus le bourdonnement de la ligne 5, sur le chemin du retour à notre appartement. On prendrait ensuite la 4 jusqu'à la 125ᵉ Rue, puis un taxi jusque chez nous.

« Quoi ?

— Tes parents vivent dans un milieu fermé. Les miens aussi. »

Claudia détourna les yeux. « Ne juge pas ma famille par rapport à tes parents, s'il te plaît. C'est contre-productif. Ils sont issus d'une génération différente. Ils ont eu des emmerdes. Beverly et moi… on ne peut pas poser de questions.

— Pourquoi ?

— C'est leurs affaires, Rufus.

— Mais on en hérite. Tu n'as pas envie de savoir ce qui les anime ? »

Elle soupira. « Pas vraiment, non. Ils m'aiment et ça me suffit. »

À notre premier Noël, j'ai offert un fer à repasser ancien à la mère de Claudia. Je l'avais trouvé dans une brocante de Venice Beach, où je passais les vacances chez ma mère. Quand Mme Christie avait déballé le cadeau, je n'étais pas certain de leur réaction, à elle, Claudia ou M. Christie. Je n'étais pas certain de savoir s'ils apprécieraient la plaisanterie, ni même s'il s'agissait d'une plaisanterie ou d'une réaction passive-agressive de ma part, ma façon de dire *Si vous me brûlez, je reviendrai, je ne céderai pas et je reviendrai pour votre fille, encore et encore.*

Mais elle avait souri – et ses joues sombres avaient rougi. « Mon cadeau est un peu plus… banal. Une casquette des Yankees, de notre part à Eddie et moi. »

Les fers à repasser sont devenus une tradition entre nous. À chaque Noël, j'achète un fer ancien à Mme Christie. Elle les collectionne comme les pièces rares d'un musée : fers plats, fers à braises, fers à lingot. Comme elle n'a plus M. Christie et ses vêtements à entretenir, je ne sais pas trop ce qu'elle repasse dans le comté de Buckner en Géorgie. Quand elle bavarde avec Claudia le dimanche, je suis toujours tenté de lui demander si elle les a gardés.

Aujourd'hui encore, presque vingt ans plus tard, Claudia aime travailler au lit. Elle utilise un plateau en plastique qu'elle pose sur ses genoux pour corriger les copies de ses élèves. Nous vivons dans un logement de l'université, à dix minutes à pied du premier appartement que nous avons partagé. Nous sommes entourés d'histoires. Des preuves de tout ce qui nous a créés, nous a fait évoluer, des enfants que nous avons eus. Quand les gens affirment que New York a changé, je ne suis pas toujours sûr de comprendre ce qu'ils veulent dire. Changé pour qui ? Je peux mesurer l'évolution dans les immeubles et les kilomètres parcourus. Les magasins et les restaurants ouvrent et ferment, bien sûr. Le Rainbow Chicken n'existe plus depuis longtemps. Gotham Cabinets, où j'avais acheté mon premier futon, tient le coup mais je ne suis pas certain que la nouvelle génération aime trop les futons. L'atmosphère est différente en centre-ville et en périphérie. Nous avions l'habitude de nous évader dans le Lower East Side en quête d'une contre-culture brute. Mais de nos jours, dans Ludlow Street, il ne reste que des blondes avec des fonds fiduciaires bien garnis. Quand on a des enfants, ces choses-là ne nous manquent pas de la même manière. On n'a pas le temps.

Je m'appelle Rufus Noel Vincent. J'ai quarante ans. Ces derniers temps, trois fois par semaine, vous pourrez nous trouver, ma femme et moi, dans la piscine de notre immeuble où nous effectuons une thérapie aquatique avec notre fille Winona. Le meilleur moyen de surmonter une peur, c'est de la revisiter, d'après le psychothérapeute de Winnie. C'est pourquoi, pendant qu'Elijah savoure un moment privilégié avec son grand-père – mon père –, Claudia, Winona et moi nageons comme des amphibiens d'un bord à l'autre de la piscine. Winona aime faire le crawl, et quand je nage à ses côtés dans l'eau, je pense souvent à Hank Camphor, ce demi-frère que je ne connais pas. Je pense à mon père et à ma mère, et à toutes les emmerdes de mon passé que j'ai réussi à oublier avec le temps : *un petit poisson, deux petits poissons, trois petits poissons*. Je ne sais pas si je nage loin de mon passé, ou si j'y plonge tête la première.

En troisième, ma mère m'a retiré de l'école privée de Trinity. Les gens y évoluaient en vase clos, selon elle. J'y étais inscrit depuis la maternelle avec les mêmes enfants, je jouais au softball et au foot à Central Park avec eux, je m'étais défoncé aux mêmes soirées d'anniversaire, j'étais allé aux mêmes camps d'été dans le Vermont ou sur la côte du Maine. Maman regrettait que je n'aie pas fait les tests d'entrée au Hunter College, en sixième. Elle regrettait que Papa et elle ne m'aient pas assez poussé scolairement. Elle était convaincue que nous avions besoin de changement. Et récemment, récemment, j'avais développé un tic vocal agaçant : je me raclais sans cesse la gorge. J'avais quelque chose de coincé dans le larynx qui refusait de sortir.

« C'est plus collant que du scotch, là-dedans », répétais-je souvent.

Ma mère et mon père m'emmenèrent consulter à l'hôpital ORL de Manhattan. Les meilleurs spécialistes new-yorkais m'examinèrent, mais aucun ne trouva quoi que ce soit dans ma gorge. Les tests allergologiques étaient négatifs. J'étais en parfaite santé. Un adolescent en pleine forme.

« C'est dans la tête, finit par conclure un docteur. Que se passe-t-il à la maison, chez vous ? »

Jusque-là, je tripotais les touches d'un piano, instrument pour lequel j'avais peu de talent et un intérêt encore plus restreint. À Trinity, tout le monde jouait d'un instrument. Maman, qui était de descendance européenne, jouait souvent le soir de notre piano Steinway après le travail. Elle pensait que jouer du piano pourrait me détendre, à défaut d'autre chose. Mon père avait grandi dans une maison sans instrument de musique mais il adorait le jazz, en particulier Miles Davis et *So What ?* Il m'offrit un saxophone d'occasion, acheté à un musicien qui prétendait avoir joué avec les meilleurs. Papa déboursa une petite fortune pour ce saxo même s'il admettrait plus tard que son instinct lui avait crié que je réussirais mieux avec un instrument neuf.

« Prends ça pour te nettoyer les tuyaux, dit-il. Si tu fais des progrès, je connais un pro qui pourra te donner des cours. »

Son ton n'était pas sympathique quand il s'adressa à ma mère : « À quoi tu pensais, en retirant Ruff de Trinity ? Il appartenait à un groupe soudé.

— Je compte l'emmener dans d'autres endroits », rétorqua Maman. La première fois qu'elle avait demandé le divorce, ils étaient assis dans un taxi jaune qui parcourait la 5e Avenue et les ramenait d'une fête d'anniversaire pour les cinquante ans d'un associé de son cabinet. La perspective d'un divorce désarçonnait mon père. Dans les semaines qui suivirent, il ignora tout bonnement la demande de ma mère.

« Tu as peut-être eu raison de le désinscrire de Trinity », dit-il un soir à la table du dîner. Il posa la main sur celle de ma mère.

« Le Pacifique ! » Elle détourna le regard et retira sa main.

« Je ne te suis pas, là, Sigrid.

— J'ai toujours eu envie d'habiter au bord de l'océan Pacifique. »

Papa comprit aussitôt. « Tu ne peux pas emmener mon fils dans l'Ouest.

— Il a quinze ans, répliqua Maman sans trop d'assurance mais en plein rôle théâtral. Ce sera sa décision.

— Vous divorcez ? » demandai-je en me raclant la gorge. J'effectuais de petits mouvements circulaires avec trois doigts sur ma pomme d'Adam, qui montait et descendait. Je l'ignorais à l'époque, mais ces gestes étaient ceux que j'effectuerais sur le ventre de Claudia, enceinte, tout en chantant pour nos jumeaux. C'étaient ceux de Claudia, quand j'aurais mangé une pizza ou un produit laitier que mon estomac ne tolérerait pas.

« Pourquoi tu ne vas pas chercher un verre d'eau à Ruff, Sigrid ? dit Papa. Le gamin fait un bruit d'aspirateur bouché.

— J'attendais justement que tu me demandes d'aller chercher de l'eau ! lâcha Maman en secouant la tête. Et dis-moi, je devrais y aller parce que je suis une femme ?

— Je t'aime parce que tu es une femme.

— C'est bien ça, le problème. Tu aimes *toutes* les femmes. »

Papa siffla. « Ruff, c'est peut-être le moment d'aller t'entraîner au saxo. »

Une brise soufflait dans le salon depuis la terrasse. Le balcon surplombait Central Park West. Je sentais le parfum des cacahuètes grillées bon marché et des hot dogs des vendeurs ambulants, onze étages plus bas. J'entendais les sabots des chevaux qui tiraient les calèches.

« Rufus, dit Maman en souriant. C'était gentil à ton Papa de t'offrir un saxophone. Dans l'Ouest, tu pourras vivre près de l'océan et jouer dans une fanfare.

— New York est une île, répliqua Papa. On est entourés d'eau. La Californie, c'est le désert. Un jour, le niveau du Pacifique montera et trouvera que la Californie a besoin de boire un bon coup. Le Pacifique fera ce que tu n'as aucune raison de faire, Sigrid. Jeter l'éponge et s'en aller.

— Ça veut dire que Papa t'a trompée ? » J'hésitai, déchiré entre l'envie d'aller m'entraîner dans ma chambre et celle de rester à table.

Maman rit, et rit, et rit encore. Son rire fit rougir Papa. On aurait dit qu'il faisait un savant calcul mathématique de toutes les fois où il avait trompé Maman.

« Tu insinues que j'ai couché avec des femmes de Trinity ? dit-il, trouvant l'idée à la fois insultante et grotesque. On ne fout pas la merde là où habite son fils. L'école, c'est là qu'habite Ruff. C'est sa deuxième maison. »

Et avec cette simple affirmation Maman et moi avions compris que Papa l'avait trompée, bien que l'endroit exact restât obscur.

« Dis-moi que je n'ai pas été un bon père, Sigrid. Dans tous les domaines, j'ai été un papa solide et efficace. »

Je considérais mon père sous une lumière nouvelle. Mon père m'avait appris à monter une tente sous l'orage. Il m'avait appris à lancer une balle de softball dans Central Park. Papa m'avait montré comment bâtir un château avec des cordes d'escalade et un château de livres avec les exemplaires de *Robinson Crusoé* et d'*Huckleberry Finn* dans notre bureau. Mais Maman m'avait appris à faire du vélo. Et Maman m'avait emmené dîner japonais chez Benihana. Maman et moi avions passé beaucoup de soirées sans Papa, à manger seuls. Je commençai à penser au ruban adhésif dans ma gorge qui ne partait pas, et à quel point la sensation collante s'intensifiait quand je me trouvais dans la même pièce que mes parents.

« En Californie, il y a du soleil, acquiesça Maman. Son surnom est même "l'État ensoleillé". »

Ni Papa ni moi n'eûmes le cœur de lui dire que c'était la Floride qui portait ce surnom. Maman était une femme intelligente mais qui se vexait facilement. J'allai chercher mon saxophone. Je ne voulais pas partir en Californie. Mais j'étais furax contre mon père.

> *Walkin' in L.A.*
> *Walkin' in L.A., nobody walks in L.A.*
> *Walkin' in L.A.*
> *Walkin' in LA, nobody walks in L.A.*
>
> — Missing Persons,
> Spring Session M, 1982

Tout le monde sait que Los Angeles est pleine de palmiers. D'enseignes qui brillent et clignotent toute la nuit. D'autoroutes à cinq voies engorgées de circulation. La pollution y décore le ciel azuré. À Venice, nous marchions beaucoup. C'est faux que personne ne marche jamais à Los Angeles.

« Deux jambes, ça te mène en beaucoup d'endroits différents, disait Maman. Si tu es curieux et que tu gardes les yeux ouverts pour déceler les détails intrigants. » Et Maman était curieuse.

« Une sorte de surveillance ?

— Non, chercher les détails propres à chaque quartier. » Elle obtint un poste comme assistante d'un agent de casting deux semaines après que nous nous fûmes installés dans notre appartement.

« Explorez L.A. dans toute sa vérité », lui avait dit Bruce, l'agent de casting. C'était le seul homme que j'aie rencontré qui ait plus de cheveux que mon père. Il tirait sa crinière fauve en queue-de-cheval.

Maman m'inscrivit au lycée de Venice. Il n'y avait pas de fanfare, et elle s'en excusa plus d'une fois, profusément, à plusieurs reprises même – elle fit appel à Bruce pour me trouver une place au lycée de Beverly Hills.

« Non, merci, dis-je. Trouve-moi un prof. Je continuerai avec des cours particuliers.

— C'est une demande ou un ordre ? » Elle me considéra, les sourcils froncés.

Maman louait un trois-pièces dans une villa de style espagnol, avec une cour intérieure et une glycine qui grimpait jusqu'aux balcons vieillissants. Il y avait également des bougainvillées et des hibiscus, d'un orange intense et persistant dans la chaleur du mois d'août. L'air était sec. Nous vivions à deux pâtés de maisons de la plage. Bruce habitait dans les collines de West Hollywood. Parfois, en route vers sa maison dans la Coccinelle Volkswagen de Maman, une voiture qui convenait parfaitement à sa petite silhouette mais que la mienne rendait minuscule, je regardais les lettres blanches qui jaillissaient de la colline couleur de paille. Les collines m'évoquaient les cheveux de Bruce. J'étais certain qu'il voulait se taper Maman, mais ce genre d'histoires étaient monnaie courante dans l'air détendu de Californie.

On s'est installés à Venice Beach en juillet 1986. L'ambiance y était crue, sordide et effrayante, mais c'était le cas aussi à New York. Des années plus tard, les gens me demanderaient comment je m'en étais tiré à Los Angeles, et je répondrais, *Ce n'est pas le genre d'endroit où on allait pour s'en tirer.* J'avais quinze ans, j'étais à deux pâtés de maisons de la plage et des filles en bikini. Vous pouviez avoir des airs de Frankenstein à Venice Beach et quand même vous intégrer et trouver quelqu'un à baiser. J'arpentais le front de mer et, parfois, j'avais l'impression que la moitié des SDF de New York avaient établi leurs nouveaux quartiers à Venice Beach. L'atmosphère était toute à l'esprit communautaire mais il y avait eu quelques protestations face aux sans-abri qui élisaient domicile sur la plage. Si Maman était venue à Venice Beach dans l'espoir d'y trouver une sorte d'utopie, elle avait dû être déçue. Nous y trouvâmes des bris de verre et des canaux puants où flottaient des seringues hypodermiques.

« On a vue sur le Pacifique, le reste n'a pas d'importance », me dit Maman. Elle m'expliqua que la moitié de sa vie, le Pacifique l'avait appelée mais qu'elle ne s'en était jamais rendu compte.

Notre résidence était pleine de femmes qui arboraient des prénoms comme Sage et Parsnip et Jasmine. Elles avaient toutes été actrice, mannequin ou danseuse professionnelle à un moment de leur vie, mais s'étaient reconverties comme hôtesse de l'air, assistante administrative ou mannequin de catalogue. Au moins l'une d'elles, Sage, avait perdu la garde de sa fille de deux ans. Elle n'en parlait jamais. Et elle ignorait où son mari avait emmené son enfant, et si elle la reverrait un jour. Maman se lia d'amitié avec ces femmes qui prétendaient être plus jeunes qu'elles ne l'étaient en réalité. Plus tard, quand je coucherais avec elles, je fouillerais dans leurs sacs à main et trouverais leurs dates de naissance sur leurs permis de conduire : trente-six ans par ici, quarante et un ans par là. J'attendais que Maman cherche à retrouver ses dix-sept ans ou ses vingt et un ans. J'attendais qu'elle se teigne les cheveux en blond. Et elle attendait que j'arrête d'attendre. Du coin de l'œil, elle surveillait ma toux qui semblait avoir disparu. Bien que sa famille fût américaine depuis trois générations, elle exagérait son accent européen. Les gens lui disaient qu'elle avait des airs de Nastassja Kinski, ce qui était absolument faux, mais elle acceptait le compliment et en jouait.

« Ma famille vient de Bretagne », disait-elle. Maman portait un petit foulard croisé et noué sur le cou pour se donner des airs français.

« Rufus, me demandait parfois Sage, ou Parsnip, ou Jasmine. Tu aimes bien te promener sur le front de mer ? »

Je les dévisageais et elles me dévisageaient. *On ne fout pas la merde là où on habite,* déclarait la voix de mon père dans mon esprit. J'allais à la plage, à l'endroit où les rouleaux s'écrasaient et où les surfeurs fumaient et traînaient. Je fumais avec eux presque tous les jours. C'est comme ça que je me suis lié d'amitié avec un surfeur qu'on appelait Herb. C'était un Blanc un peu pouilleux avec des dreadlocks. *C'est Herb qui vend de l'herbe,* la blague classique. Il me demanda si je voulais bosser avec lui. Je ne voulais pas.

« T'es un gamin sain. Et les gens, ils aiment les gamins sains. » Herb devait avoir à peine trois ans de plus que moi.

Je surfais le matin, et l'après-midi je faisais du saxo sur la promenade pour gagner un peu de sous. À mon grand étonnement, j'en gagnais effectivement un peu. Alors que je ne jouais pas très bien. Il y avait une vieille femme, un pilier de bar toujours vêtue de son jogging en éponge rouge, qui vivait dans une chambre d'hôtel. Elle se pointait en début de soirée et beuglait en boucle les trois mêmes vers de *Only You* des Platters :

Only you, can make this world seem right
Only you, can make the darkness bright
Only you and you alone

Puis elle disparaissait avec sa recette de la journée.

Si Maman savait que je fumais de l'herbe, elle n'en laissait rien paraître. Elle trimait quatorze heures par jour avec Bruce car le milieu des castings était exigeant, qu'il y avait des saisons chargées, et Bruce travaillait avec des metteurs en scène et des acteurs new-yorkais indépendants qu'il qualifiait d'avant-gardistes. Maman avait une élégance new-yorkaise et une ascendance française. Peu importait qu'à New York elle ait partagé un coin de bureau dans un box face à une minuscule fenêtre. À Los Angeles, elle avait des baies vitrées et des plantes suspendues et des portes coulissantes et des meubles qui auraient été parfaits dans un bateau.

Bruce venait parfois manger de la bouillabaisse chez nous. « Sig, comme il surnommait ma mère. Honnêtement, qu'est-ce que tu fous, à habiter ici ? »

Maman gardait un ton professionnel dans ses conversations avec Bruce, du moins en ma présence. Elle adorait parler boulot. Je remarquais que ses foulards étaient plus longs et plus lâches, et que des violets vibrants remplaçaient désormais les douces couleurs pastel.

« Faire des corrections éditoriales, ce n'est pas très différent de faire des castings. Les correcteurs cherchent les défauts afin de les parfaire. Les agents de casting cherchent l'acteur parfait qui sera prêt à dévoiler ses défauts. »

Papa m'envoyait des livres depuis New York. Il m'écrivait des lettres de son écriture ronde : *On n'est jamais trop vieux pour bâtir des châteaux. J'en construis dans mon esprit tout le temps.*

Je parlai de mon père à Herb, qui me dit : « Putain, ton père est génial. »

J'éprouvai une étincelle de fierté. Je lui racontai les histoires avec les femmes de notre résidence. Il me persuada de les lui présenter. Herb passa à l'improviste, un soir. Maman lui adressa un regard suspicieux mais ne dit rien. Elle s'apprêtait à sortir et retrouver Bruce au Mark Taper Forum. Une jeune actrice new-yorkaise y faisait une prestation « digne d'une future star » dans *Mademoiselle Julie* d'August Strindberg. Après le départ de Maman, Parsnip nous invita dans son appartement du rez-de-chaussée.

Je couchai avec elle cette nuit-là. Je m'en souviens car son lit grinçait et semblait minablement petit, alors qu'il s'agissait pourtant d'un king size. Ou alors c'était moi que je trouvais minable. Herb était présent au début. Il nous encourageait. Il répétait qu'il voulait observer. Son regard me rendait maladroit, alors je m'interrompis comme quand j'étais gamin et que j'essayais de ne pas uriner sur la lunette des toilettes. Herb faisait remonter en moi une honte primitive.

Je mis la main devant mes parties génitales, j'avais envie de dire : *Je peux avoir un peu d'intimité, s'il te plaît ?* Je ne voulais pas qu'il sache que je venais de perdre ma virginité.

Quand nous eûmes terminé, Herb prit son tour avec Parsnip, qui aimait imiter les célébrités quand elle baisait. Elle avait une voix spéciale pour chaque personnage de télé : Betty White des *Craquantes*, Kelsey Grammer dans *Cheers*, Markie Post dans *Tribunal de nuit*. Elle regardait beaucoup la télé, et c'était parfois un vrai défi de baiser avec elle et ses voix multiples. Pendant notre deuxième fois, il est très possible que j'aie dû lui plaquer la main sur la bouche car, une fois Herb reparti, Parsnip était sortie du lit et avait pointé l'index vers la salle de bains : « Va te doucher, Rufus. »

J'étais allongé sur le canapé dans son salon et je regardais un clip sur MTV, *Walking Down Your Street* des Bangles. Parsnip avait un aquarium plein de poissons rouges. Ils avaient tous la même couleur et ils étaient si serrés dans leur petit océan que je me sentais claustrophobe pour eux.

« C'était ta première fois. Alors je me sens obligée de t'expliquer un truc ou deux. Un gars peut avoir de sérieux ennuis s'il s'avise de mettre la main sur la bouche d'une fille pendant l'action. Tu piges ? Ce genre de gestes, ça donne des mauvaises idées. Et si certaines femmes peuvent apprécier une bite sale, j'en ai jamais rencontré une qui ne préférait pas une hygiène correcte.

— J'aime bien garder ton odeur sur moi. Tu n'as pas demandé à Herb de se doucher. »

Parsnip s'assit à côté de moi. « Herb ne sera jamais propre. Il ne sera *jamais* propre. »

Mon père nous fit une visite surprise à Los Angeles. Il n'avait pas pris d'hôtel, aussi Maman lui réserva-t-elle une chambre. Mais ce soir-là, après un dîner à Hollywood dans un restaurant vegan où Papa faisait tourner les champignons shiitake dans son assiette, mes parents rentrèrent à l'appartement et dormirent dans le même lit. Parsnip et Sage et Jasmine passèrent le soir suivant pour rencontrer Papa. Maman prépara des dirty martinis. (Je n'invitai pas Herb.)

« Ruff, tu crois vraiment qu'on est aveugles ? dit Papa en m'ébouriffant les cheveux et en m'attirant à l'écart dans le salon.

— C'est qui la plus canon ? demandai-je avec fierté. Sage, Jasmine ou Parsnip ?

— J'ai perdu ma virginité à la fac. Avec une fille qui s'appelait Alice. Toi, tu fais tout n'importe comment. Et elles devraient se méfier. Légalement, tu es encore mineur.

— Papa, on est dans les années 1980. Et Parsnip me plaît beaucoup.

— Je pensais vraiment que cette décennie serait différente. »
Il me rapporta une boîte de préservatifs et me conseilla de toujours prendre mes précautions. Je montrai à Papa où je jouais du saxo sur le front de mer. Je me dépatouillai avec *So What ?* et il m'applaudit. Quand la pilier de bar arriva et vociféra son *Only You*, Papa lui donna cinquante dollars.

« Putain de merde, dit-il après qu'elle fut partie. La vie est moche.

— Maman est heureuse ici. » On n'avait pas encore évoqué Maman. J'étais désormais convaincu que Bruce lui plaisait.

« C'est quoi, être heureux ? » demanda Papa.

J'attendis qu'il me demande de rentrer avec lui mais il n'en fit rien. Il s'envola pour San Francisco le lendemain matin où il retrouva Barbara Camphor à une conférence. Ils se retrouvaient de façon saisonnière. Quatre fois par an. Leur relation était de celles qui durent. Bien entendu, je ne savais rien de tout ça à quinze ans.

Après la visite de Papa, Maman fit la tête à Parsnip. Elle préparait du coq au vin et du bœuf bourguignon pour Jasmine et Sage. Parsnip fut exclue de la clique maternelle, alors qu'à sa manière un peu dingue elle était la meilleure de toutes – à l'exception de ma mère, évidemment. Sage était toujours désorientée. Et la moitié du temps, Jasmine n'était pas certaine d'être sur la même planète que nous. Elle était toujours à bord d'un avion entre New York et Los Angeles. J'appris très jeune que la vie d'une hôtesse de l'air n'a rien de glamour. Je me montre toujours poli avec elles quand je voyage.

Mon bulletin du premier semestre arriva constellé de mauvaises notes.

« J'espérais qu'être un petit poisson dans une grande mare t'aiderait à devenir plus appliqué en cours.

— Maman, je suis dans la moyenne.

— Non, je ne crois pas. Je refuse de le croire. »
Elle trouva un musicien à Venice Beach qui me donna des

cours de saxophone. Elle mit un terme à mes séances musicales sur le front de mer. « Améliore tes résultats scolaires et on en reparlera. »

Le prof de saxo avait une maison face au canal. Il faisait partie du comité qui militait pour une Venice Beach plus propre. C'était un ancien héroïnomane. C'était aussi un homme noir sans aucune patience envers les adolescents blancs qui voulaient apprendre le jazz. « Ne me fais pas perdre mon temps. Et je te ferai pas perdre le tien, disait-il. Le saxophone, ça demande de la discipline. »

Pour m'occuper, ma mère me donna un emploi à mi-temps et je devins son assistant. Elle préparait du pop-corn le dimanche soir et on regardait des vieux films : *Ève*, *La Garçonnière*, *Metropolis* et *Casablanca*. En échange de mon argent de poche, elle me fit compiler une liste de films tournés à Los Angeles ou ayant la ville comme sujet. Parfois, on se promenait et on essayait de retrouver d'anciens lieux de tournage.

« On faisait déjà ça quand on a emménagé ici, lui rappelai-je.

— Mais on marchait sans but. Maintenant, on a une mission.

— Et c'est quoi, notre mission ?

— Il n'y a jamais rien de nouveau, dit ma mère. Tout ce qu'on peut faire a déjà été fait par le passé. Le mieux qu'on puisse faire, c'est de réimaginer notre chemin à travers l'existence. »

Le jeudi soir, on rentrait à pied de mes cours de saxo et on s'arrêtait à notre restaurant préféré où on partageait une assiette de frites maison miraculeusement fines. Maman était ravie quand je lui racontais pendant nos promenades qu'Orson Welles était tombé dans un canal et avait failli se noyer sur le tournage de *La Soif du mal*, ou que Thomas Mann avait vécu à quelques rues de l'appartement de Bruce dans les collines de West Hollywood.

« Ce sont des petits détails que je pourrais ressortir pendant les castings, me dit-elle. Ça me donnera l'air plus intelligent. »

Tout se passait bien entre nous. Maman et moi. Je diminuai ma consommation de shit, Herb partit vivre à Oakland avec des gens qu'il avait rencontrés. Il y avait une fille, aussi, une nouvelle élève dans mon cours de biologie, à qui je voulais proposer un rencard. Je n'avais pas encore d'amis. Mes connaissances étaient les surfeurs et les glandeurs de Venice Beach. Les connaissances de Herb, en fait. Je couchais toujours avec Parsnip. Parfois, j'avais l'impression qu'elle couchait avec moi pour se venger de Maman.

En octobre, Maman et moi marchions vers le restaurant quand un type rangea sa Ford Mustang noire sur le bord du trottoir.

« Je vous dépose quelque part ? » demanda-t-il en baissant sa vitre. Il avait la peau plissée et un double menton naissant.

« Non, merci, répondit ma mère dans son accent inspiré de Nastassja Kinski.

— C'est une soirée magnifique, dit-il.

— C'est vrai. » Ma mère sourit. Elle s'arrêta et la voiture s'arrêta aussi.

« Qu'est-ce que vous faites de beau ?

— On savoure un moment de calme. Entre nous, déclara Maman.

— Moi, je me ferais bien un sandwich, avança l'homme, imperturbable.

— Mec, dis-je. Des restaurants, y en a un paquet dans le coin. »

Il se pencha. « Tu ne m'as pas demandé quel genre de sandwich. »

Le gars avait de grosses bagues aux doigts. Les hommes avec des bagues aux doigts m'ont toujours fait flipper. « C'est parce qu'on n'en a rien à foutre », rétorquai-je.

Maman posa la main sur mon épaule : l'épaule qui soutenait mon étui de saxophone.

« Quel genre de sandwich ? demanda-t-elle.

— Le genre de sandwich qui procure de la satisfaction. »

Elle l'insulta en français mais lui dit en anglais : « Vous n'avez jamais entendu la chanson des Rolling Stones ? La satisfaction, ça n'existe pas. »

L'homme devait être ivre ou shooté, à y repenser. Il sortit la tête par la fenêtre conducteur et s'adressa à ma mère.

« Et si tu montais sur la banquette arrière, et que le jeune et moi on te prenait en sandwich ? »

C'est peut-être parce que Herb et moi on avait pris Parsnip en sandwich que j'arrivais parfaitement à visualiser la scène. C'est peut-être parce que ses paroles avaient dévêtu ma mère avant même que j'aie le temps de la rhabiller. C'est peut-être parce que ma mère avait rougi que j'avais rougi à mon tour. Je sentais la vapeur s'échapper de mes oreilles.

« Qu'est-ce qu'on fout ici, Maman ? » C'était la question que je voulais lui poser depuis notre arrivée à L.A. Mais ce que je voulais dire en réalité, c'était *Qu'est-ce que je fous ici ?* Maman s'en sortait très bien. Elle adorait Los Angeles. Je l'avais dit à Papa, mais à présent, la moindre fibre de mon être le ressentait. Je pris l'étui de saxo suspendu à mon épaule et je l'écrasai sur le visage du mec à double menton. Du sang lui jaillit du nez et de la bouche. Ma mère poussa un cri perçant. Elle hurla et je l'attrapai par le bras.

« Continue à marcher », lui dis-je. Je m'obligeai à avancer. On marchait vite.

« Rufus, tu aurais pu le tuer.

— Sale pervers.

— Rufus, il faut qu'on y retourne. »

Je replaçai mon étui de saxo sur mon épaule. « Non.

— J'aurais pu me débrouiller toute seule.

— Comme tu t'es débrouillée avec Papa ?

— Tu n'as pas le droit de faire ça. Pas ici, pas maintenant. Tu ne peux pas frapper quelqu'un dès qu'il dit quelque chose qui te contrarie.

— C'est pas ce qu'il a dit. C'étaient ses intentions.

— Quand tu parles comme ça, on dirait vraiment...

— Vas-y, dis-le !

— James Samuel Vincent. »

Il y a des moments où on regarde ses parents et on se pose des questions. Depuis que la nouvelle du divorce était tombée, j'avais traversé beaucoup de ces moments, mais je ne toussais plus. Du scotch, il y en avait sur les étagères et dans tous les bureaux de L.A., mais plus rien dans ma gorge. À Los Angeles, je ne toussais pas. J'éternuais parfois, mais qui n'éternue pas ? Il suffit juste de s'essuyer le nez. Maman m'avait obligé à choisir. Elle ou Papa. Le problème, c'est que je les aimais tous les deux.

De retour à notre appartement, j'allai me doucher. La majeure partie du sang avait éclaboussé le visage de l'homme, mais quelques gouttes avaient atterri sur mes vêtements et mon étui de saxo. Après ma douche, je me retirai dans ma chambre et sortis tous les livres de Papa que je n'avais pas encore déballés : *Le Dernier des Mohicans*, *Moby Dick*, *L'Appel de la forêt*. Je bâtis un petit château et m'y glissai. Je fis semblant de dormir mais le sommeil se riait de moi. Je ne toucherais plus mon saxophone pendant des mois.

Maman alluma les infos du soir, s'attendant à y voir quelque chose à propos du pervers de Venice Beach, mais rien. Je repense à ce soir-là et me dis qu'aujourd'hui – à l'époque des caméras de surveillance et des téléphones portables – il aurait été impensable de nous en tirer à si bon compte. Impensable que moi, je m'en tire à si bon compte. Quelqu'un m'aurait forcément filmé en pleine action. Je me serais retrouvé sur You-Tube en cinq minutes chrono.

J'appelai Papa et, au début, il n'apprécia pas du tout la nouvelle. Maman l'appela à son tour, et il arriva à Los Angeles le lendemain. Elle relata toute l'histoire à James Samuel Vincent. Il ne prononça pas le moindre mot. Nous rangeâmes tous les livres qu'il m'avait envoyés. Classés par ordre alphabétique afin de pouvoir les sortir plus facilement une fois que je serais rentré à New York. Nous les portâmes à la poste où ils furent envoyés au tarif livres. Il m'en fallait un pour le trajet en avion, aussi Papa sortit-il de son sac *Portait de l'artiste en jeune homme*, de James Joyce.

« Tu l'as lu ? lui demandai-je.

— Joyce, c'est pas pour n'importe qui. »

Tout comme la Californie, pensai-je. On n'évoqua plus jamais ce qui s'était passé à Venice Beach. Ni moi. Ni mon père. Ni ma mère. Je ne sais pas si c'est un secret parce qu'on n'en parle pas, ou si on n'en parle pas parce qu'il y a un tel bagage émotionnel attaché à tout ça. En résumé, je n'ai jamais été aussi furieux de ma vie, ni avant, ni après. Le jour où Mme Christie s'était approchée de moi avec le fer à repasser, je m'étais rappelé ce que c'était de se sentir menacé ou de se laisser guider par un instinct agressif dans le but de blesser quelqu'un. De vouloir protéger ceux qu'on aime. Son corps laissait échapper plus de vapeur que le fer à repasser. J'ai vécu ça, moi aussi. Nos corps véhiculent notre vapeur.

Tu n'es pas Lee Krasner

1950 **1960 1970 1980 1990**

Il n'y a guère pire que d'être une fille banale née d'une mère magnifique. Adele Pransky était au distributeur de boissons et versait un soda à la cerise dans un verre quand Yan Sokolof, le nouveau partenaire de jeu de Seth, entra dans le restaurant Dean's Beachside Bar & Grill avec lui. Des années plus tard, Adele se souviendrait de la brise océane qui léchait la sueur sur les chemises blanches de Yan et de Seth tandis qu'ils marchaient sur le front de mer de Coney Island et entraient dans le bar animé comme les deux meilleurs amis du monde. Ils ne se connaissaient pas vraiment, ces deux hommes, ils s'étaient trouvés après quelques verres d'un whisky amer, un cigare et une partie de cartes à la table bancale d'un bordel de Hell's Kitchen.

La mère d'Adele, Rachel Pransky, tolérait l'amour de Seth pour les cartes tant qu'il ne perdait pas trop d'argent. Son argent à elle. Et par cette douce soirée, Rachel travaillait à la caisse. Seth l'embrassa et fit signe à Yan de s'installer confortablement au bar.

« Adele, cria Seth en lui faisant signe d'approcher. Apporte à mon copain une grande assiette d'aiglefin et de frites. »

Adele s'avança vers eux. « Comment tu sais qu'il aime l'aiglefin ? » demanda-t-elle.

Yan acquiesça. « C'est vrai, je mange de l'aiglefin mais les fruits de mer, beurk. »

Adele contempla l'homme qui se présenta sous le nom de Yan Sokolof. Il était plus élégant que les autres hommes du bar, un étalage de soie grise et de gabardine. Adele aimait le fait qu'il ait quitté son blazer et roulé les manches de sa chemise blanche afin de se mêler à la classe ouvrière qui fréquentait l'établissement. Elle le trouvait saisissant, dans un style tout à fait anarchiste et expressionniste. À voir sa mine, il pouvait avoir trente ans aussi bien que cinquante, avec ses rides et ses crevasses.

« C'est qui ? demanda Rachel.

— Une connaissance. » Seth lui raconta comment, le soir même, Yan l'avait traîné loin de la table de poker avant qu'il n'y perde tous ses gains.

« Faut pas être pressé d'être pauvre, mon ami, avait dit Yan. Pas si vite. Tu pourras finir à l'hospice un autre jour. »

Seth glissa deux pièces dans le juke-box. « J'ai commencé à lui dire de s'occuper de ses putains d'oignons. Mais ensuite, j'ai pensé à toi, Rachel, et au reste d'argent encore à l'abri dans mon portefeuille. Et bien sûr, j'ai pensé à Adele. »

Seth passa le bras autour de la taille de Rachel et l'écarta de la caisse enregistreuse pour la faire tourner sur la piste de danse. La sciure du sol s'envolait autour de leurs pieds tandis que Sinatra chantait *I've Got You Under My Skin* de sa voix de crooner. Seth-Rachel – c'est ainsi que les surnommaient les clients réguliers du Dean's Beachside Bar & Grill. Seth avait demandé Rachel en mariage plusieurs fois, mais Rachel refusait de l'épouser tant que sa fille n'aurait pas trouvé de mari. Ils attendaient depuis longtemps. Le bar était la seule chose que Rachel avait à offrir à Adele en guise d'héritage. Et le bar était leur seule source de revenus.

Tandis qu'ils dansaient, Rachel et Seth observaient Adele et

Yan du coin de l'œil. La jeune femme avait retiré son tablier. Elle ne circulait jamais sans tablier dans le Dean's Beachside Bar & Grill. Quoi qu'il lui dise, Yan semblait avoir attiré son attention. Ils étaient penchés l'un vers l'autre, coudes contre coudes sur le comptoir. C'était comme le doux ressac des vagues sur le sable, la façon dont Adele buvait les paroles de Yan, et dont Yan buvait les paroles d'Adele.

« J'ai eu de la chance, dirait maintes fois Rachel à Yan. Un mariage arrangé avec un homme que je pouvais aimer. Je ne veux pas obliger Adele à se marier. Je veux qu'elle soit heureuse. »

Seth ne le dit jamais à Rachel, mais Adele n'avait pas un visage à avoir un mariage heureux, ni à pouvoir garder un mariage heureux. Les cheveux bruns d'Adele étaient frisés là où les boucles de sa mère tombaient joliment. La peau d'Adele était constellée de taches de rousseur, là où celle de sa mère était d'un blanc d'albâtre. Elle avait fort heureusement hérité des yeux verts éclatants de sa mère, et son nez attirait l'attention, un nez qui n'aurait peut-être pas eu d'allure sur un autre visage, mais qui offrait à Rachel une beauté sans égale, et à Adele, une sorte de grâce. C'était souvent après une dispute et une relation sexuelle torride – rien à voir avec le fait de faire l'amour – que Seth et Rachel s'accordaient à dire qu'Adele était en terrain délicat, dans le domaine du mariage. Seulement alors étaient-ils en mesure de faire l'amour.

Ils surnommèrent Yan *la Peste*. Il venait au bar chaque soir à 19 heures précises. Il apportait des roses et des bouquets de gypsophiles sans leur pistil blanc.

« Comment les pétales délicats des gypsophiles peuvent-ils faire le poids face au vent marin ? » disait Yan.

Il offrait les roses à Adele qui rougissait. « Peut-être que tu n'as pas fixé le papier assez serré. » Adele lui montrait comment emballer correctement les tiges des fleurs, pliant le papier au coin avant de le rouler.

« Tu ferais mieux de lui dire que tu n'es plus vierge, avertit Rachel après avoir vu le numéro de séduction d'Adele.

— Mais je le suis, s'étonna Adele.

— Eh bien, tu ne devrais pas l'être. » Rachel s'éloigna du comptoir et entra dans les cuisines où, l'espace d'une ou deux secondes, elle crut s'évanouir d'étonnement. Le mari de Rachel, Dean, avait été frappé par la foudre un matin, sur le front de mer, à quelques mètres de son bar. *Oh, vous auriez dû voir comment la foudre s'est déplacée*, diraient les vendeurs ambulants à Rachel. Mais enfin pourquoi, pourquoi aurait-elle envie de voir une chose pareille ? Tout le monde avait pensé qu'elle se remarierait et confierait l'établissement à quelqu'un d'autre. Quand Rachel souriait à ses clients, il était facile d'oublier à quel point elle avait aimé Dean, d'oublier qu'elle était terrifiée, qu'elle ne savait pas ce qu'elle faisait, ni comment elle allait survivre. Elle se répétait qu'elle n'était pas la seule femme à ouvrir un bar chaque matin avec un bébé accroché à son sein, ni la seule à se retirer dans l'arrière-salle pour l'allaiter régulièrement. Toutes ces années, et voilà que le bébé était désormais une femme. Comment Adele pouvait-elle être encore vierge, après toutes ces années à travailler derrière le comptoir ?

Adele avait vingt-neuf ans, elle était de nature étourdie. Elle était, après les alcools bas de gamme copieusement servis, le plus gros attrait du Dean's Beachside Bar & Grill. Rachel régalait ses clients de sarcasmes et de franchise. Adele leur faisait miroiter un soleil éclatant à l'horizon, parfois dans le sillage d'une tempête. C'était le genre de propos qu'appréciait toujours un ouvrier au terme d'une longue journée de travail. Et le Dean's Beachside Bar & Grill avait l'avantage de ne pas faire de discrimination raciale. Tout le monde y était le bienvenu.

« J'aime peindre, dit Adele. Je prends des cours d'arts plastiques le jeudi, en ville.

— Ah, une femme mariée à l'art, sourit Yan. Je veux voir... Puis-je voir tes chefs-d'œuvre ? » Il décocha un clin d'œil à Rachel. « Quelle mère parfaite, d'avoir élevé une fille qui garde le meilleur pour elle-même. »

Adele offrit à Yan une visite privée du Dean's Beachside Bar & Grill, lui montrant la fresque murale qui occupait toute la longueur de la salle. On y voyait des sirènes aux chevelures ornées de rubis, et des hommes musclés aux épaules si larges qu'Atlas aurait pu sauter par-dessus. Des nains vêtus comme Marie-Antoinette, des clowns sur des échasses qui gambadaient au-dessus de la grande roue Wonder Wheel. Des étoiles de mer qui faisaient du hula-hoop, des acrobates qui marchaient la tête en bas sur des cordes en jonglant avec des fruits exotiques, mangues, papayes et figues de Barbarie. Et de grosses femmes pleines d'énergie.

Le talent d'Adele ravissait Yan. Il demanda un escabeau sur lequel il grimpa afin de mesurer les sirènes.

« Tu es attentive aux détails, remarqua Yan avec admiration.

— Yan ne perd pas son temps, nota Rachel.

— Il possède plusieurs immeubles à Manhattan, dit Seth, sentant poindre son propre rayon de soleil à l'horizon.

— Plusieurs ? répéta Rachel. Bon, c'est bien joli. Mais est-ce qu'il est gentil, Seth ? Est-ce qu'il est correct ? »

L'automne vint chatouiller l'été. En russe, Yan demanda à Rachel la main d'Adele. Et Rachel lui répondit en yiddish. Yan lui demanda une fois encore en yiddish. Et Rachel lui répondit en russe. Ils se mirent tous deux d'accord en anglais. À la mort de son époux, Rachel s'était éloignée de la religion mais, en mémoire de Dean, Yan et Adele se marièrent à la synagogue. Après la cérémonie, ils firent une immense fête au bar qui dura toute la nuit et même une partie du lendemain matin.

Yan fut surpris de trouver du sang dans leur lit conjugal. Il versa de l'eau chaude dans une bassine métallique et baigna les pieds d'Adele dans du sel d'Epsom, de l'eau de rose et de lavande.

« C'est parce que tu es restée trop longtemps debout derrière le bar, décréta-t-il. Dis à ta mère qu'à partir d'aujourd'hui, c'est terminé. » Il donna de l'argent à Adele et lui dit d'investir dans le meilleur matériel d'art.

« Mais que va-t-elle devenir sans moi ? demanda Adele.

— Tu es remplaçable, Adele. C'est un travail servile. Tu veux être artiste, ou serveuse dans un bar miteux ? » Il lui pinça la joue.

Adele appréciait les clients du Dean's Beachside Bar & Grill. Elle était fille unique et ils lui faisaient office de famille élargie. Elle avait grandi à leur contact. Ils venaient soigner leur misère dans les bouteilles de Budweiser depuis leurs logements miteux de Coney Island ou des quartiers italiens nichés derrière Neptune Avenue. Ils parlaient des rêves qu'ils avaient faits la nuit précédente, et des numéros de loto qu'un membre de leur famille décédé les encourageait à jouer depuis sa demeure six pieds sous terre. Ils venaient depuis Brighton Beach pour commander des hot dogs, le seul plat de la carte que Rachel souhaitait garder kasher. Peu importait qu'il y ait un fast-food Nathan's à quelques rues de là, ou que le pain arrive dans leur assiette rassis et imbibé de sauce. Il n'existait pas meilleur endroit au monde où boire une tasse de thé après une baignade dans les eaux glaciales de l'océan Atlantique. Adele agrémentait le thé d'une lichette de bourbon afin de réchauffer le sang de ces âmes courageuses qui se rêvaient ours polaires plutôt qu'humains. Les habitués l'appelaient *Fillette*, même si Adele se savait plutôt sur la voie de devenir vieille fille. Elle

258

décida d'attendre leur retour de lune de miel avant d'annoncer la nouvelle à sa mère – car Rachel travaillait pour vivre, et vivait pour son travail.

Adele et Yan partirent en lune de miel à San Francisco, où Yan possédait deux bâtiments commerciaux et travaillait près de Mission District. Ils roulèrent sur la Pacific Coast Highway jusqu'à Big Sur, où ils se promenaient à l'aube et en fin d'après-midi sur les sentiers forestiers sinueux. Un panneau fascina Adele : ATTENTION. LES ENFANTS INTRIGUENT LES PUMAS.

De retour à New York, Yan reprit le travail et Adele se mit à peindre. Ils s'installèrent dans un appartement de quatre pièces d'après guerre au onzième étage d'un immeuble à l'angle de la 85e Rue et de West End Avenue. La copropriété jouissait d'une cour intérieure centrale, où des tilleuls poussaient au milieu de la pelouse. Tous les chats du voisinage semblaient élire domicile sous les arbres, et Adele trouvait des dépouilles d'écureuils ou d'oiseaux qui n'avaient pas fui assez vite et n'avaient pu échapper aux griffes acérées. Adele rendait visite à sa mère tous les vendredis. Elle suivait la 5e Avenue jusqu'à la 42e Rue où elle empruntait la ligne Q qui franchissait le pont de Manhattan. Elle avait toujours aimé le métro mais appréhendait depuis peu de se trouver sous terre. Elle préférait désormais regarder, par la fenêtre du Q, l'East River boueuse en contrebas et le vaste horizon urbain de Manhattan. Quand elle pensait bien connaître la ville, un nouvel immeuble d'acier et de chrome s'élevait au loin.

Adele était désormais une femme mariée. Rachel l'écouta. La démission était une décision d'Adele, mais sa mère ne put s'empêcher de lâcher : « Une femme devrait toujours avoir un peu d'argent à elle, surtout une femme mariée.

— Mais de l'argent, j'en ai.

— Adele. De l'argent que tu as gagné toi-même, par ton travail.

— Mais ma peinture, c'est du travail. »

Rachel ne sut que répondre à cela. Elle n'avait pas un tempérament d'artiste. C'était une femme d'affaires, purement et simplement. Elle regarda le bar autour d'elle, un lieu qui incarnait la rusticité avec son parquet inégal et couvert de sciure, ses ventilateurs qui oscillaient au plafond, ses larges tables en bois dont une ou deux n'avaient plus que trois pieds et tenaient grâce à une canne qu'un ivrogne avait oubliée là et n'avait pas pris la peine de venir récupérer. En 1969, l'âge d'or de Coney Island était révolu. Mais même dans un village sale et morne, elle savait repérer une occasion quand elle en voyait une. Les rares fois où Rachel s'était rendue au musée avec Adele en ville, elle était toujours consciente de ses cheveux, de sa robe, de ses chaussures et de son accent de Sheepshead Bay. Au bout de quelques minutes dans le musée, elle n'avait qu'une envie, celle de retourner à son bar et son front de mer.

« Oui, ma fille, murmura-t-elle. J'imagine que oui. »

Déterminée à prendre son travail au sérieux, Adele s'inscrivit à un cours de « composition picturale ». Au cours de la première semaine, le professeur démonta l'aquarelle d'Adele représentant l'océan. « Qu'y a-t-il de significatif dans cet océan ? »

Adele observa son tableau. C'était à peine plus qu'un collage morne de Coney Island en couleurs pastel. Il aurait pu s'agir de n'importe quel océan du monde. Au cours de la deuxième semaine, elle peignit par-dessus, y ajouta des flots écumeux et un éclair de foudre, ainsi qu'une ombre qui flottait dans le ciel.

« Très prometteur », déclara le professeur, un homme dont le poids se concentrait au niveau du ventre. Elle avait vu son travail dans une galerie du centre-ville en compagnie de Yan, elle l'avait trouvé affreux mais elle n'avait pas le vocabulaire adéquat pour parler d'art, en particulier du sien. Peut-être, songeait Adele, que, même si le travail de son professeur était affreux, il serait en mesure de lui enseigner des choses, ou de lui donner l'envie d'apprendre par elle-même. Yan avait payé cher afin de lui permettre d'assister aux cours du peintre rondouillard. Un homme de bonne réputation. Et si cela impliquait de repeindre l'océan chaque semaine, alors il en serait ainsi.

« *Prometteur*, c'est une façon polie de dire *maladroit* », expliqua Yan.

Adele avait abandonné ses représentations de l'océan au profit d'études abstraites des chats de la cour, dans le cadre d'un exercice sur les animaux dans leur habitat naturel.

Adele laissait tomber quelques gouttes de térébenthine dans sa peinture à l'huile. Elle aimait peindre dans le salon, fenêtres grandes ouvertes. « Yan, qu'est-ce que tu en penses ? »

Il se leva et abandonna la lecture de son journal, son rituel en fin de matinée et de soirée. Il scruta le chat siamois qu'Adele avait peint, prêt à bondir sur un pigeon dans la cour. « Pourquoi tu ne peins pas des chiens ?

— J'aime les chats.

— Avec les chats, on ne sait jamais trop à quoi s'attendre. »

Depuis leur mariage, il s'était laissé pousser la barbe. Adele trouvait que cela rendait son visage plus brouillon, et plus sévère, aussi.

« Ça dépend du chat.

— Ils prennent tout ce qu'ils peuvent prendre. Les chats. » Yan croisa les bras.

« Les chiens attendent qu'on leur jette les restes du repas.

— Les chats miaulent.

— Bon, de toute façon, on n'a ni chien ni chat à la maison,

dit Adele en remarquant l'agacement dans le ton de Yan. Pourquoi on se dispute, franchement ?

— Si tu veux la vérité, Adele, je pense que peindre des chats est bien en dessous de tes capacités. Il ne faut pas les prendre au sérieux. Ce sont des ploucs.

— Pourquoi tu n'en parles pas à mon prof ? On dirait que tu en sais plus que lui.

— Peut-être que oui.

— J'ai le droit d'avoir mon propre avis, Yan. Et je pense que tu as tort.

— C'est moi qui te paye ces cours. »

Adele se souvint des propos de Rachel. « Je vais trouver un boulot de serveuse. Je sais me débrouiller dans un bar. »

Yan serra les poings. Ils faisaient des pierres parfaites. Adele n'eut même pas le temps de poser son pinceau. Les pierres heurtèrent son visage, son nez se brisa aussitôt. Elle entendit les os craquer. Adele avait toujours aimé son nez, un nez à la Barbra Streisand. Il y avait six chansons de Streisand dans le juke-box du Dean's Beachside Bar & Grill, elle les connaissait par cœur. Mais elle n'en retrouvait plus les titres exacts alors que le sang dégoulinait sur son visage jusque dans le décolleté de son chemisier.

Ce soir-là, Adele appela Rachel et la prévint qu'elle ne pourrait pas venir le vendredi suivant. Elle ne travaillait plus au Dean's mais elle y passait une fois par semaine et s'installait comme une cliente normale. Parfois, elle ne pouvait pas résister et nettoyait le comptoir avec un vieux chiffon tricolore.

Yan l'accompagna chez le docteur. Il était si gentil et désolé, et il tenait une serviette pour stopper l'écoulement de sang. Gémissant comme si c'était son propre nez qu'il venait de casser.

« Il faut vraiment que tu fasses attention de ne plus te cogner dans un mur, dit-il.

— Quelle idiote, déclara Adele au docteur. Je me suis cognée dans un mur.

— Ça n'arrivera plus, dit Yan. Ça ne doit plus jamais arriver. »

Adele acheta les albums de Barbra Streisand chez Colony Records et remplit la maison de cette musique qu'elle installait sur le tourne-disque vintage de Yan, mais c'était un piètre substitut du juke-box de chez Dean's Beachside Bar & Grill.

La semaine suivante, elle se présenta au bar et Rachel dit : « Qu'est-ce qui est arrivé à ton nez ? »

D'un geste de la main, Adele coupa court aux questions de sa mère. « Je peux me le faire refaire, maintenant ! »

Rachel appela Seth. Ce dernier lui avait glissé une bague de fiançailles au doigt la semaine précédente. Ils n'avaient pas fixé la date du mariage mais ils avaient déjà échangé leurs vœux. Seth travaillait au sein de l'entreprise qui fournissait l'alcool du bar. Il sortit des cuisines et posa la caisse qu'il portait. Ils faisaient le plein en prévision de la clientèle agitée du vendredi soir.

Seth dévisagea Adele. « C'est quoi, ça ? » Seth était fier d'avoir servi dans l'armée pendant la Seconde Guerre mondiale contre les nazis. Il avait fait partie des troupes qui avaient libéré ses frères de Dachau. Enfant, Seth idolâtrait le champion des poids moyens Max Baer, et il était devenu boxeur professionnel à son tour jusqu'à ce qu'une blessure mette un terme à sa carrière. Il était un combattant hors pair, agile et gracieux, même avec l'âge. « Je refuse que Yan te prenne pour son punching-ball.

— Je jure devant Dieu, Seth, que c'était un accident »,
affirma Adele.

Seth sentit diminuer son esprit combatif. Dieu était entré
dans la pièce, et quand Dieu entrait dans la pièce, tout le
monde était Son serviteur.

Adele ne se fit pas refaire le nez. Elle le laissa guérir et
retourna à sa peinture. Elle peignait des chats dans des posi-
tions suggestives qu'elle laissait çà et là dans la maison. Elle
peignait des chats au nez et aux pattes cassés. Elle peignait des
chats viviséqués et des chats aux oreilles de lapin. Son professeur était intrigué et l'encouragea à aller plus loin. Elle peignit
des chats qui s'étiraient sur les fenêtres de sa maison et, pour
finir, un animal mi-chat mi-femme.

« Ah, un magnifique sphynx », dit le professeur. Son ventre
grassouillet s'agita avec une joie franche devant le style et l'assurance affichée d'Adele.

« Adele, dit Yan en secouant la tête. Il faut que tu arrêtes
ça. » Il détestait ses tableaux. Rien qu'à leur vue, ses yeux brûlaient. C'était un homme d'opinion, et ces peintures étaient un
véritable affront.

Assise dans le canapé, Adele rétorqua : « S'ils te brûlent les
yeux, alors tu ne verras plus, et si tu ne vois plus, alors où est
le problème ? »

Elle entendit le frottement dur des chaussures de Yan, se
leva aussitôt et abandonna le confort du canapé pour la sécurité de la porte d'entrée. Elle sauta dans une rame de la ligne
Q et se rendit chez sa mère. Elle avait besoin de se calmer les
nerfs avant de faire face à la foule du bar.

Cette fois, Adele ne mentit pas à sa mère. Quand Rachel et
Seth rentrèrent, ils la trouvèrent dans la pénombre de la cuisine. Ils s'assirent à côté d'elle autour de la table et l'écoutèrent.

« Le fils de pute, s'écria Rachel.

— Ce mec est un môme, conclut Seth. Et il n'y a qu'une
seule façon de s'occuper d'un môme pareil. »

Adele leva le bras pour arrêter Seth qui avait déjà enfilé son manteau. « Tu vas te faire arrêter si tu le blesses. » Elle chérissait le bonheur de sa mère. C'était un talisman protecteur qui lui laissait à penser que son propre bonheur n'était pas loin.

Rachel, elle, avait rêvé de poissons. Cinq nuits durant, elle avait rêvé de poissons sautant au-dessus de la lune et laissant dans leur sillage d'autres bancs de poissons étincelants. Ils dévoraient le ciel nocturne, ces poissons-là, et se changeaient en étoiles. Elle attendit qu'Adele se retire dans sa chambre d'enfant avant de la suivre et de lui demander : « Bon, est-ce que tu es enceinte ?

— Et toi ? s'enquit Adele avec gêne.

— Arrête donc tes salades, répliqua Rachel. Je suis trop vieille. »

Ils allèrent se coucher, tous les trois. Le téléphone sonna à 2 heures du matin.

« Rentre à la maison, dit Yan.

— Non. Je te quitte, annonça Adele.

— Tu me quittes ? »

Rachel entra dans la pièce et prit le téléphone des mains de sa fille. Elle entendait Yan répéter *tu me quittes* en boucle. « Oui. Elle te quitte. »

Adele reprit le combiné. Il y eut un silence à l'autre bout du fil. Et une respiration sourde.

« Il faut couper profond pour atteindre une veine », dit-il.

Ils trouvèrent Yan à l'hôpital de Columbia Presbyterian, adossé à ses oreillers. Il s'affairait à dédaigner le sac à patates que les infirmières osaient appeler une chemise de nuit. Il avait le poignet droit bandé.

« La prochaine fois, je le ferai pour de bon. Je le ferai, je le jure devant Dieu.

— Envoyez-le dans une maison de repos, s'écria Rachel en tapant du pied.

— Se suicider ? Se suicider ? fulminait Seth. Avec tous les gens sur terre qui auraient voulu vivre ? Laissez-le mourir !

— Je ne veux pas avoir sa mort sur la conscience », déclara

Adele. Elle aurait pu ajouter qu'elle l'aimait, mais elle n'en était pas sûre. Cependant le rêve de poissons qu'avait fait sa mère ne présentait aucune ambiguïté. Elle repartit de l'hôpital avec son mari.

Six mois plus tard, Adele donna naissance à leur fils, Maximilian. Douze mois après son arrivée, Freya vit le jour. Le désir avait retrouvé le chemin de la chambre conjugale de Yan et Adele. Ils faisaient de fiers parents et, comme tous les nouveaux parents, ils étaient fatigués et heureux.

Adele continua à peindre. Elle passa des tableaux de chats à un atelier intensif en anatomie à l'huile et à l'acrylique. L'atelier était limité à un petit nombre d'étudiants triés sur le volet. Elle fut abasourdie de recevoir une bourse d'étude partielle. Elle dessinait des femmes nues, des trapézistes dans un ciel embrasé.

« Tes peintures vont donner des cauchemars aux enfants, remarqua Yan. Ils vont devenir fous et débiles. »

Adele regarda ses toiles. Elle y voyait des corps défiant la gravité. « Ou alors, ils deviendront curieux et déterminés. »

L'avait-elle imaginé, ou Yan venait-il de serrer les poings ? Adele se tut. Et dans son silence, elle songea soudain au ballet des femmes de ménage qu'ils engageaient mais qui démissionnaient subitement, sans préavis. Yan n'avait pas besoin de prononcer le moindre mot pour que les femmes s'agitent ou se raidissent en sa présence. Il respectait des distances raisonnables et leur donnait de généreux pourboires quand il était dans la pièce avec elles, mais elle aurait voulu leur demander pourquoi, en sa présence, le monde semblait changer – ou bien n'était-ce que le fruit de son imagination ?

Elle peignit un immeuble dans lequel s'introduisaient des mains géantes mutilées. « Magnifique », déclara son professeur d'art.

« Adele, demanda Yan. Est-ce que tu cherches à tuer nos enfants ? »

Adele arrêta brusquement de peindre.

Quand Max eut trois ans et Freya deux, Rachel épousa Seth. La réception fut superbe. Ils demandèrent à Adele de s'occuper du bar et de la maison pendant leur lune de miel. Adele arriva chez eux et trouva en guise de remerciements des pinceaux, un chevalet et un assortiment de tubes de peinture. Ce n'était pas du matériel de qualité mais il ne lui en fallut pas davantage pour se remettre à peindre.

Adele emmenait Max et Freya à la plage tous les jours et les laissait faire des pâtés avec des pelles en plastique. Elle dessinait pendant leur sieste. Adele adorait la texture des crayons et des pinceaux bon marché entre ses doigts.

Pendant plusieurs années, les enfants apaisèrent Yan d'une certaine manière. Il était moins prompt à s'emporter, il tendait l'oreille en quête de leurs petits pas sur le parquet. Leurs rires le rendaient timide et affectueux. Les enfants faisaient rouler leurs petites voitures dans ses tempêtes et se déguisaient en fées. Yan courait sur le quai de la 68e Rue, Max et Freya dans la poussette double, s'arrêtait parfois en dérapant de justesse à la ligne jaune alors qu'apparaissaient les lumières blanches du métro. Une bonne période, ce fut une bonne période, jusqu'à ce que les humeurs noires reviennent. Et quand les humeurs noires revinrent, Adele, Max et Freya passèrent leurs journées, leurs soirées et les week-ends prolongés chez Baba et Bubby à Coney Island.

« Que veulent les enfants ? » demandait souvent Yan à Adele.

Était-ce une question piège ? Une explosion qui attendait de lui déformer le visage ? Adele sélectionnait ses mots avec soin. « Leurs parents. »

Yan haussa les épaules. « On ne peut pas les sauver, tu sais.

— Yan, on vit en Amérique. Nos enfants ne seront jamais plus en sécurité ailleurs qu'ici. Nos enfants sont *très* en sécurité. » Elle trouvait cela vital à dire, et vital que Yan l'entende.

Cinq années se changèrent en sept. Sept années, en neuf. Maximilian et Freya grandirent. C'étaient des enfants curieux et déterminés. Ils remarquèrent que Yan ne parlait jamais de sa mère ni de sa famille, ni d'aucun détail de son enfance. Et il s'irritait quand Adele ou les enfants le questionnaient. Frère et sœur ignoraient ce qui était le plus déstabilisant : qu'ils soient obligés de vivre avec Yan, ou qu'il n'ait pas de passé.

Maximilian et Freya eurent bientôt dix-huit et dix-sept ans. Ils obtinrent leur diplôme au lycée et s'installèrent à San Francisco pour suivre des études à Berkeley. Freya avait sauté une classe et fut ravie de pouvoir s'échapper avec son frère. Adele et Yan proposèrent de les accompagner en voiture à travers le pays mais les enfants déclinèrent.

« Viens nous rendre visite, dit Freya à sa mère.

— On veut se débrouiller tout seuls », dit Maximilian à Yan.

Adele cacha ses larmes mais après leur départ, elle poussa un cri de lamentation. Yan posa la main sur son épaule gauche. « Tu vois ce que tu as fait ? Tu as poussé les enfants à fuir loin de nous.

— Moi ? Moi ? » Adele gifla Yan si fort que les lustres du plafond baissèrent le regard et frissonnèrent.

Voir Adele avec des béquilles fut la goutte d'eau. Rachel dit à Seth : « *Achève-le.* »

Seth regrettait le jour où il avait présenté Yan à Adele. Il attendit que Yan s'approche de l'entrée de son immeuble. Il l'attrapa avant qu'il n'ait eu le temps de tourner à l'angle de la 85e Rue et de West End Avenue. Yan s'attendait à le voir venir et il agita un doigt mauvais devant le visage de son ancien ami.

« Frappe-moi et je dirai à Rachel que tu te tapes d'autres femmes en douce. »

Seth le frappa quand même et courut chez lui avouer à Rachel qu'il se montrait parfois infidèle. Elle éclata de rire. « Et alors ? Moi aussi. Yan est un homme dangereux, Seth. Achève-le. »

Seth retourna le soir même pour achever Yan. Cette fois, il le surprit devant la salle de poker où ils s'étaient rencontrés à Hell's Kitchen. Seth lui fit une démonstration de boxe, des coups de pro, le touchant systématiquement au torse et au visage avec une agilité qui ne trahissait pas son âge. Seth voulait tuer Yan mais il se rendit compte qu'en plus d'être un excellent boxeur, il était aussi excellent arbitre. Il laissa Yan en sang sur le trottoir lézardé.

« Tu l'as fait ? » Cette histoire avec Yan avait fait grisonner les cheveux de Rachel. Elle paraissait désormais deux fois son âge.

« Rachel, dit Seth. Tu réalises ce que tu me demandes exactement ? »

Adele était sur le canapé. Au bar, Rachel s'était rendu compte que sa fille s'était mise à boire. Cette fille qui avait évolué lestement parmi les ivrognes terminait désormais leurs verres. Elle avalait la salive des autres.

« On a besoin de Dieu, déclara Rachel.

— Ou d'un bon rabbin », ajouta Seth.

En vue de son entretien avec le rabbin, Adele s'abstint de boire plusieurs jours. Elle aimait les kamikazes, un cocktail de jus de citron vert, de triple sec et de vodka. Et les martinis. Oui, les martinis étaient sa boisson préférée. Pas au bar. À la maison, où elle se consolait parfois avec des alcools de bonne qualité. Elle ne l'évoquerait pas devant le rabbin, bien entendu.

« Dans tout mariage, il y a des attentes et des obligations, expliqua le rabbin. Quelles sont les vôtres ?

— Le robinet de la douche. »

Le rabbin resta perplexe. « Le robinet de la douche ?

— Le lave-vaisselle, marmonna Adele.

— Le lave-vaisselle », répéta le rabbin. C'était un petit homme pensif aux lunettes en forme d'yeux de chouette qu'il réajustait sans cesse. « J'ai cru comprendre que votre époux gagnait bien sa vie. Alors vous devez avoir quelqu'un ? Des employées de maison. »

Adele acquiesça. « Bien sûr. » Puis elle continua sa liste. « Le tapis de la salle de bains, plier les vêtements. La machine à laver. Le bruit de ses pas dans la maison, avec ou sans chaussons, quand il cherche des intrus, des intrus qui n'entrent jamais. Déplier les vêtements que j'ai pliés. Examiner, c'est comme attraper, c'est comme demander, Que va-t-il se passer maintenant ? Que va-t-il se passer ensuite ? Une agitation aux coins de la maison, suivie par un rire soulagé ou un silence. Un sourire pareil à un masque quand Yan franchit la porte, un bonjour qui n'a rien de bon, un salut qui tient plutôt d'un coup de pic à glace dans la poitrine, la désapprobation silencieuse face à un repas qui a exigé une journée entière de préparation. De la citronnade versée dans un verre. Et avant que ses lèvres ne touchent le verre, avant même que le verre ne soit reposé sur la table – *trop sucré*, dit sa bouche. Mais on sait parfaitement qu'on n'a pas mis de sucre dans la citronnade car la fois précédente, quand on y a mis du sucre, il a hurlé qu'il y en avait trop. C'est une voix qui pousse à effleurer notre ourlet pour savoir si notre culotte dépasse, ou cette façon désapprobatrice qu'il a de tendre les mains pour nous toucher.

— Et vous l'aimez ? » demanda le rabbin.

Combien de fois Adele s'était-elle posé la question ? La réponse était comme la boisson qu'elle avait envie de boire, un kamikaze. Les kamikazes s'envolent vers leur propre mort. À chaque fois qu'elle retournait la question dans son esprit, elle se disait qu'elle était complice d'être restée avec lui.

Sans crier gare, Adele s'adressa d'une voix forte au rabbin qui se pencha vers elle pour jauger l'étendue de sa colère. « Une orchidée solitaire dans un vase en verre ! Une boîte de truffes achetée chez notre chocolatier préféré, Evelyn's ! De petits détails qui révèlent un univers entier de pensées, une beauté qui éclipse chaque instant de laideur qui l'a précédée ! Des fraises mûres et fraîches offertes dans la boîte en carton du magasin ! »

Il y a peut-être un espoir, songea le rabbin, mais il se contenta de répondre à Adele : « J'aimerais voir votre mari. Je ne l'ai pas vu depuis votre mariage. »

Le jour de ses noces n'était qu'un brouillard. Elle détourna les yeux. « Nous ne sommes pas pratiquants. Il risque de ne pas venir.

— Vous devez le convaincre », dit le rabbin.

Adele rentra à l'appartement. C'était la première fois depuis leur mariage que Yan n'avait pas appelé, qu'il n'était pas venu la chercher chez Rachel et Seth. La correction de Seth lui avait laissé le visage noir et bleu. Il avait redécoré l'appartement tout entier avec des meubles neufs. Tout était blanc.

« Je donnerais n'importe quoi pour être différent », dit Yan. Adele le crut presque. Elle était reconnaissante qu'il ait laissé ses veines tranquilles. « J'ai loué une maison à Long Island pour le week-end. »

Adele voulait lui parler du rabbin. Peut-être l'écouterait-il mieux après s'être reposé et détendu.

En parcourant l'*East Hampton Star*, Adele remarqua que la maison de Pollock et Krasner était ouverte aux visiteurs. Jackson Pollock et Lee Krasner étaient morts. On était en 1988. La maison était à quinze minutes de route de leur location de vacances à Amagansett.

« Lui », murmura Yan alors qu'ils arpentaient la maison de campagne et s'arrêtaient devant le tableau de Pollock *Untitled (Composition with Red Arc and Horses)*. « Un génie ? Ils disent que c'est un génie. L'empereur se balade tout nu. »

« Elle... », dit Adele qui, circulant dans les modestes pièces de la maison, tomba en extase devant la sérigraphie de

Krasner *Free Space*, ses courbes de bleu et de vert profonds, cette gaieté abstraite et rebelle. Adele résista à l'envie de grimper sur le lit de l'artiste pour obtenir une meilleure vue de *Rose Stone*, une lithographie de Krasner dans des tons chaleureux de rose. Yan patienta tandis qu'Adele s'attardait devant chaque photographie et griffonnait des notes illisibles dans un vieux carnet Mead – car elle n'avait pas pensé à emporter son appareil photo. Quand elle demanda à revoir l'atelier de Pollock, Yan l'accompagna et s'agenouilla à ses côtés lorsqu'elle effleura les épaisses taches de peinture sur le parquet. Après la mort de son mari, Krasner avait continué à travailler dans son atelier, et Adele sentait partout les preuves de sa présence. « J'aime ses coups de pinceau. L'utilisation audacieuse qu'elle fait des couleurs. Yan, je pense qu'ils étaient brillants tous les deux. »

Ce soir-là, leurs corps entrelacés, Adele s'endormit avant de pouvoir parler du rabbin. Elle ne dormit pas longtemps. Quand elle se réveilla, Yan était assis au bord du lit.

« On n'a pas réussi, tu sais. Nos enfants ont tout, mais ils ne sont pas en sécurité. Pourquoi n'arrivons-nous pas à garantir la sécurité à nos enfants ? »

Tes enfants te détestent, pensa-t-elle. *Nos enfants ont pitié de moi.* Mais à Yan, elle répondit : « Tu pourrais peut-être demander au rabbin ? »

« Non, dit le rabbin. On ne peut pas garantir la sécurité à nos enfants. Nous sommes les enfants de Dieu et même Lui n'a pas pu nous empêcher de goûter au fruit défendu. C'est dans la nature humaine de connaître divers degrés de souffrance, mais la souffrance ne dure jamais une vie entière. »

Yan apprécia la réponse franche du rabbin. « Que puis-je faire pour vous aujourd'hui, rabbin ?

— Ce n'est pas pour moi, Yan. Mais que pouvez-vous faire pour vous-même ? Et pour Adele.

— Adele et moi, nous allons très bien, je crois. Mieux que la plupart des couples. »

Le rabbin possédait une maison à Manhattan Beach, près de Sheepshead Bay. Il descendait d'une longue lignée d'horlogers. Il entendait des *tic* même quand il n'y avait pas de *tac*, et des *tac* même en l'absence de *tic*. Les bruits sourds du temps qui passe se calmaient brièvement quand il lisait la Torah ou le Talmud. Le rabbin observa Yan. « Ce n'est pas le cas, non.

— Mais si. Nous allons bien, rabbin, insista Yan.

— Vous battez votre femme.

— De temps en temps, admit Yan.

— Adele ne mérite pas un traitement pareil. »

Yan ne rétorqua rien.

Le rabbin lui demanda s'il s'estimait un bon juif. Yan répondit que oui.

« Alors, cessez de battre votre femme. Cela fait de vous un mauvais juif », l'avertit-il.

Une fois encore, Yan ne rétorqua rien. Une esquisse de sourire passa sur ses lèvres. Les yeux de Yan contemplèrent le bureau du rabbin avec un intérêt plus que furtif. Des livres étaient empilés partout. S'ils avaient été des montagnes, Yan en aurait fait l'ascension.

« Si vous n'aimez pas Adele, décréta le rabbin, vous devriez divorcer.

— Mais quelle autre femme pourrait me tolérer ? Adele est une gloutonne et je suis son châtiment. »

Le rabbin lui demanda de quel village venait sa famille en Russie. Yan haussa les épaules. Le rabbin attendit. Mais Yan refusait de nommer son village natal. « Quelle importance ? dit-il en haussant les épaules une fois encore. Après Staline. »

Le rabbin expliqua que sa famille était originaire de Vitebsk, en Biélorussie. Il cita les noms de sa mère et de son père, de ses grands-parents et de ses arrière-grands-parents. Prononcer leurs noms calmait aussi le tic-tac dans ses oreilles et lui donnait plus d'assurance face à Yan qui le scrutait sans ciller. Le rabbin était un homme instruit mais il croyait fermement en la présence des démons. Au cours des quarante ans qui avaient suivi la guerre, il avait entendu de nombreuses histoires de démons, il les avait vus prendre l'apparence de la dépression, du chagrin, de la colère noire dans l'âme des hommes. Le rabbin dirigea la conversation sur Adele, une fois encore, par le truchement des mères. « Pensez donc à votre mère.

— Je n'ai jamais aimé ma mère », répliqua Yan.

Vraiment ? Yan plaisantait-il, ou était-il sérieux ? L'expression de son visage ne laissait rien transparaître. Le rabbin se demanda comment Adele ne s'était pas méfiée d'un homme qui n'aimait pas sa mère. Mais il avait le cœur bon et savait qu'Adele n'avait jamais connu son père.

Ce soir-là, le rabbin expliqua la situation à sa femme, Lydia, qui lui fit remarquer qu'elle-même n'avait jamais apprécié la mère du rabbin ; cette femme avait toujours été une enquiquineuse.

Le rabbin se redressa dans leur lit en bois. « Tu ne me l'avais jamais dit, Lydia.

— Moi ? Me plaindre de la chère mère du rabbin au rabbin lui-même ? Allons. Mais tu devais bien le savoir, Isaac. Seul Dieu pouvait aimer ta mère.

— Je l'aimais, *moi.* »

Son épouse lui tourna le dos. « Pas tous les jours.

— Eh bien, je l'aimais aussi souvent qu'elle le permettait. La guerre lui a laissé des séquelles.

— Pourquoi cherches-tu toujours des excuses aux gens ? La guerre nous a laissé des séquelles à tous. Et ce n'est pas terminé. »

Le rabbin ne dormit pas bien cette nuit-là. Il attendit trois semaines avant de rappeler Yan.

« Avez-vous frappé Adele récemment ? » demanda le rabbin. Ils étaient dans son bureau. Yan avait glissé ses mains entre ses genoux. Comme un enfant.

« Pas récemment.

— Alors il y a peut-être du progrès ? »

Yan sourit. « Appelez ça comme vous voudrez.

— Vous êtes un homme d'affaires accompli, non ?

— Je possède une entreprise qui possède une autre entreprise.

— Et quelle est votre spécialité ?

— Les liquidations.

— J'imagine que cela génère du stress. Il y a des formes de stress que les épouses ne comprennent pas. » Le rabbin ouvrit le Talmud. « Mais le Talmud interdit à un homme de battre injustement sa femme. »

Yan éclata de rire. « Parce qu'il existe des façons justes de battre sa femme ?

— Nous sommes donc d'accord, comme il est écrit dans le Talmud, que vous ne devriez pas lever la main sur votre femme ?

— Le Talmud est sujet à diverses interprétations, mon cher rabbin. » Il avait récemment taillé cette barbe qu'il se laissait pousser de temps à autre. La taille était tout sauf impeccable. « Comme nous le savons tous les deux. On pourrait rester assis là à débattre jusqu'à lire un autre passage qui nous ferait changer d'avis. Vous croyez que je ne connais pas le Talmud ? Je le connais mieux que personne. »

Le rabbin était convaincu de percevoir un ton de défi dans ces paroles. Il avait été premier de sa classe à l'école rabbinique. La fierté le poussait à accepter le défi de Yan mais son humble devoir de service envers Dieu lui enjoignait le contraire.

« Comment connaissez-vous si bien le Talmud ? demanda-t-il.

— Mon père était rabbin.

— Mais vous ne suivez pourtant pas les traces d'un fils de rabbin. »

Yan se leva aussi brusquement que le rouge lui monta aux joues. « Ce fut un plaisir, mais je crois que nous avons terminé. » C'était la première manifestation émotionnelle que le rabbin voyait poindre en Yan.

La femme du rabbin était entrée pendant leur rendez-vous et leur avait apporté du thé, car elle ne pouvait pas étouffer sa curiosité. Quand elle aperçut Yan sortir du bureau de son

époux avec la démarche d'un paon trop fier ou d'un proxé-
nète, elle lui cria :

« Si vous voulez maltraiter les gens, allez donc à Harlem et
jouez des poings là-bas ! »

Le rabbin s'approcha derrière elle. « Chut, Lydia.

— On verra bien combien de temps il tient, au milieu de
ces sauvages !

— Je ne te reconnais pas, Lydia. Ces paroles qui sortent de
ta bouche, ces derniers temps... » Et il ajouta : « Penses-tu vraiment que son père ait pu être rabbin ? »

Harlem. Yan était intrigué par les possibilités qu'offrait Harlem. Yan était intrigué par le défi furieux que lui avait lancé
la femme du rabbin. Suffisamment intrigué pour monter dans
le métro jusqu'à l'angle de la 138ᵉ Rue et de Lenox Avenue
par un vendredi après-midi brûlant, afin de voir ce qui l'attendait là-bas. Contrairement au rabbin, Yan ne résistait jamais
à un défi.

On était en 1988 et le hip-hop était à la mode. Yan se posta
dans la 135ᵉ Rue devant le restaurant Pan Pan qui servait du
poulet et des gaufres au petit-déjeuner. Il se mit à faire des
claquettes, bien qu'il ne portât pas les chaussures adéquates.
Il invitait les Noirs de Harlem, ainsi que les ivrognes et les
fumeurs de crack, à venir danser avec lui sur le trottoir.

Mais les Noirs de Harlem ne jouèrent pas le jeu.

Yan fit un spectacle tapageur et cracha aux passants un torrent de jurons et d'insultes racistes. Les gens le montraient du
doigt et riaient, ou détournaient les yeux, à l'exception d'un
garçonnet en blazer bleu qui lâcha la main de sa mère pour
venir contempler Yan et, dans le mouvement, arracha un bouton doré de sa veste. Quand Yan s'approcha du garçon pour
ramasser le bouton, la mère l'avertit : « Mec, y a des limites.
T'avise pas de t'approcher de moi ni de mon fils. »

Ils semblaient croire qu'il s'agissait d'un spectacle organisé.
Que Yan était un flic en civil. Et qu'une matraque les attendait
au tournant. Ou qu'il était fou. Ils ne pouvaient pas savoir que

son défunt oncle, Moishe, avait possédé des entrepôts à Harlem et dans le Bronx. Quand Yan avait émigré en Amérique, son oncle Moishe l'emmenait avec lui dans la manufacture de pianos à Mott Haven où il le laissait glisser d'un instrument à l'autre et appuyer au hasard sur les touches.

Yan rentra à Brooklyn pour raconter ses aventures au rabbin le soir même. Il refusait de quitter le domicile du rabbin, bien que son épouse lui affirmât que le rabbin s'était retiré dans sa chambre pour la nuit. Le lendemain matin, quand Lydia le prit en pitié et le conduisit au bureau de son époux, il but deux tasses de café et mangea la moitié du babka du rabbin.

« Je suis venu vous dire que j'étais une brute parfaite, mais les Noirs de Harlem ont des problèmes bien plus graves que les miens. Je l'ai vu de mes propres yeux, cher rabbin. Cette pauvreté. Et laissez-moi vous dire une chose : les Noirs de Harlem ne devraient jamais cesser de chanter et de danser. Les gens qui cessent de chanter et de danser deviennent fous, à mesure que le temps passe. N'est-ce pas vrai, cher rabbin ? »

Le rabbin demanda une fois encore à Yan d'où était originaire sa famille. Yan dressa une longue liste de villages. Puis il se balança de gauche à droite. « Quelque part à Harlem, il y a un petit garçon qui porte un blazer bleu auquel il manque un bouton. J'ai le bouton doré dans ma poche, parce que la ville est aussi petite qu'elle est grande. Peut-être qu'on se recroisera un jour... »

Le rabbin demanda à Yan s'il se souvenait à quelle école rabbinique son père avait étudié en Russie.

D'un coup de pied, Yan renversa le plateau de café et de babka. Le liquide brûlant coula de son contenant métallique et se répandit sur l'épais tapis turc offert par la grand-tante Sabine en cadeau de mariage. Tic. Tac. Tic. Tac. Tic.

« Qui veut baiser un bébé en couche rouge ? dit Yan. Qui veut me baiser ? »

Le rabbin dit à Yan qu'il devrait consulter un bon psychothérapeute. Puis il lui enjoignit de partir avant que Lydia n'appelle la police.

Depuis leur séjour à Amagansett, il n'y avait pas eu de frictions. Yan avait soigneusement évité Adele. Elle s'était réinscrite aux cours d'arts plastiques à l'Art Studio League de la 57ᵉ Rue. Elle avait même ressorti ses toiles, son chevalet, ses pinceaux et ses tubes de peinture. Elle venait de commencer les bordures d'un nouveau tableau quand Yan entra dans l'appartement d'un pas nonchalant. Il était 11 heures du matin. Elle savait, au bruit de ses semelles sur le parquet, qu'ils allaient se disputer.

Adele s'était mise à boire sérieusement et l'alcool lui donnait du courage. Dans le salon, Yan lui tourna autour. Les fenêtres étaient grandes ouvertes. Comme à son habitude, Adele avait installé son chevalet devant. Yan regarda les contours de la toile se muer en larges traits de peinture. Il regarda les larges traits se matérialiser en chat du Cheshire. Voilà longtemps qu'Adele n'avait pas peint de chats. Il s'empara d'un pinceau et barbouilla le chat.

« Tu n'es pas Lee Krasner », dit Yan. Il fit couler de la peinture sur la toile.

« Et toi, sourit Adele, tu es un autocrate.

— Tiens, on a donc appris à tourner les pages d'un dictionnaire. C'est pas trop tôt.

— Et toi, ajouta Adele, tu es un tyran.

— Que sais-tu des tyrans, Adele ? Que sais-tu sur quoi que ce soit ? » Yan pouvait lui en parler, des tyrans, si elle y tenait. Il pouvait lui parler des hivers durant lesquels le froid s'exprimait à voix haute. Disant, *Tu vas mourir aujourd'hui, dans cette pièce.* Il pouvait lui parler des prières du rabbin, l'homme qui avait été son père, et de la pièce où ils étaient massés, sous les ordres de Staline, quand Staline avait été à une époque, non pas leur champion, mais très certainement leur ami. Il pouvait lui parler d'une petite pièce, de la taille d'un cagibi, lui décrire comment il s'était trouvé suspendu entre le sommeil et les rêves, les nuits noires qui s'illuminaient dans l'éclat des lampes torches, le bruit des semelles qu'on apprenait à compter, et les reniflements des chiens qu'on tenait serrés, puis moins serrés, et encore moins serrés au bout des laisses, et les hommes, les vieux rabbins comme son père, puis les femmes qui formaient un mur de protection devant les enfants. Qui avait protégé les enfants ? Moi, lui dirait Yan – s'il choisissait de lui en parler. *Je les ai protégés comme on m'a protégé.* Mais Yan ne le lui raconterait jamais.

« Je te quitte, Yan, déclara Adele.

— Bien. Pars. Tu crois que ça me fait quelque chose ?

— Tu m'as pris tout ce qui avait de l'importance à mes yeux.

— Dixit la femme qui n'a jamais manqué de nourriture. Qui a toujours bien dormi au chaud.

— Tout. »

Yan s'écarta d'Adele et lui dit qu'il allait lui prendre encore une chose.

Adele en fut abasourdie. « Qu'est-ce que tu pourrais bien me prendre encore, alors que tu m'as tout volé ?

— Ta tranquillité d'esprit. » Yan posa le pinceau couleur d'étron et se rua vers la fenêtre du salon. Il sauta, emportant avec lui des bris de verre, une partie du chambranle et les plants d'aloe vera posés là. Il s'écrasa onze étages plus bas.

Ce fut une shiv'ah sans larmes. Seuls Maximilian et Freya, les enfants d'Adele et de Yan, pleurèrent l'homme qui les avait terrifiés.

Après la mort de Yan, Adele se mit à boire davantage.

« Il n'y a rien de pire qu'une vieille ivrogne, décréta Rachel.

— Maintenant qu'il est parti, l'encourageait Seth, c'est une bénédiction. Le temps est venu pour toi de vivre. »

Elle leur rota au visage.

Maximilian et Freya ne dirent rien. Ils évitaient Adele qui leur reprochait vertement d'être partis s'installer dans l'Ouest. Ils nettoyèrent son appartement, firent encadrer les peintures qu'elle avait cachées toutes ces années. Ils réalisèrent un inventaire succinct des comptes de leur père et furent estomaqués de découvrir qu'il les avait nommés tous les deux exécuteurs testamentaires. Yan avait amassé une petite fortune dans l'immobilier et les investissements particuliers.

Adele dut s'asseoir quand ses enfants lui annoncèrent qu'elle était propriétaire d'une maison à Amagansett. Elle reprit ses cours d'arts plastiques. Elle diminua la boisson. Un soir, elle tomba par hasard sur son ancien professeur d'art. Son ventre était toujours aussi jovial et proéminent, et il était atteint de cataracte aux deux yeux mais craignait de se faire opérer.

« Votre professeur d'art ne voit plus rien ! » s'exclama-t-il. Il invita Adele à une fête, un gala de charité dans l'Upper West End en faveur d'une école publique de quartier. Adele avait l'habitude d'éviter les soirées de Manhattan, mais une petite voix lui disait : *Vas-y, vas-y.*

Elle s'y rendit mais contrôla les verres qu'elle buvait. Elle sirotait sans engloutir. Elle laissa son martini sur une table avant de se rendre aux toilettes. À son retour, un bel homme aux cheveux argentés buvait dans son verre.

« Non, non, c'est mon martini, dit Adele en lui montrant le rouge à lèvres sur le bord.

— Pardonnez-moi. Avec la vieillesse, c'est la vue qui part en premier. »

Il termina néanmoins le contenu du verre et s'assit sur le canapé Shelton. Adele prit place à côté de lui. Il s'appelait James Samuel Vincent. Il était avocat, lui apprit-il : divorcé. Il avait un fils, Rufus, à l'université de Columbia. Il venait de rencontrer sa nouvelle petite amie – Claudia – la veille au soir. Je crois bien, dit James, que c'est du sérieux entre eux. Mon fils n'est plus un gamin. Il lui expliqua ceci en demandant à un serveur de leur apporter une nouvelle tournée de martinis.

« Oui », dit Adele qui songeait à son adorable professeur d'art, à la cécité en général, mais qui écoutait James Samuel Vincent lui parler des joies et des déceptions de sa vie avant de se tourner vers lui et de lui livrer les siennes à cœur ouvert.

« Ce sont les petites cruautés qui vous atteignent, lui dit-elle. Jamais les grosses. Jamais la douleur qu'on peut identifier, dire *Oh, je le vois, ce bleu-là,* mais les blessures qu'on n'est pas capable de sentir sont là, jusqu'à ce que, un jour, on soit en train de manger un bol de soupe au fenouil ou de prendre le soleil au bord d'une piscine, et tout à coup, on ne peut plus bouger, on ne peut plus rien faire, parce qu'on pense : *Ça alors, quelque chose est mort en moi... avec tout ce qu'on m'a infligé, mais pourquoi me suis-je laissée faire ?* Et maintenant, et maintenant, et maintenant... »

Notes de Hank

2010

VENDREDI, WEEK-END DU MEMORIAL DAY

Il y avait une nouvelle réunion de cousins à la demeure des Camphor. Un jour, se disait Hank, les lames s'écarteraient et il n'hésiterait pas à – tchic tchac – couper définitivement les liens avec ces gens. Mais il était pourtant là, à subir un week-end prolongé avec eux à Sunset Beach, la communauté privée et sécurisée de son enfance. Dans la tradition des Camphor, les festivités débutaient le vendredi soir, quand les membres de la famille venus d'aussi loin que Spokane dans l'État de Washington, ou d'aussi près que Duchess en Géorgie, encombraient la large allée de Seamus Camphor III avec leurs voitures et leurs motos. Ils arrivaient avec leurs nouveau-nés dans des poussettes de marque, et des vieilles grand-mères qui utilisaient encore du talc Avon et de la crème Maybelline pour couvrir les taches brunes de leur peau. Il était de coutume que les cousins les plus éloignés dorment à l'hôtel La Quinta de Southside ou à l'Holiday Inn. Hank Camphor avait passé une grande partie de son enfance dans cette maison – il était le cousin germain de Seamus Camphor III – et devait donc séjourner à la demeure familiale, dans la chambre qui avait jadis été la sienne. La pièce avait été redécorée dans le style d'un hôtel luxueux, avec un bidet et un urinoir dans la salle de bains, un couvre-lit à motifs géométriques, des oreillers triangulaires et une immense télé à écran plat fixée au mur, que l'on pouvait allumer pour se bercer si l'on venait à se sentir seul ou triste.

En compagnie de ses nombreux cousins, Hank baignait dans ses propres préjugés. Il partageait cette vanité avec sa mère et son père (Barbara et feu Charles Camphor). Il était capable de tolérer presque tout chez un autre humain, sauf la mauvaise hygiène et l'obésité, qui semblaient pourtant les deux seules choses au monde qu'il était possible de contrôler : son poids et son odeur corporelle. Hank n'accompagnait jamais sa femme Susan à la soupe populaire du foyer des sans-abri, et il évitait les fast-foods avec un zèle qui poussait parfois sa femme à dire : « J'ai épousé un homme gentil mais vaniteux. »

« J'ai épousé un homme gentil mais vaniteux. » Hank répéta les paroles de Susan dans sa chambre d'enfance. L'écran plat lui tenait compagnie, lui parlait, lui demandait s'il préférait regarder la Fox ou CNN. Un film porno, marmonna Hank. À présent qu'il était seul, loin de Susan et de Tess, leur fille de trois ans, il estimait pouvoir prendre du bon temps. Il fut agréablement surpris quand la télé s'alluma aussitôt sur une chaîne à accès restreint dotée d'une sélection impressionnante de films pour adultes. Hank préférait les productions de l'âge d'or du porno, les classiques bruts de décoffrage comme *The Devil in Miss Jones*, *Gorge profonde* ou *Inside Seka*, des prédilections qu'il avait développées plus jeune en fouillant dans la cave de son père. Hank demanda un film des années 1970 et sursauta quand une liste s'afficha à l'écran. Il sélectionna *Derrière la porte verte* avec Johnnie Keyes et Marilyn Chamber.

Hank Camphor n'avait jamais trompé Susan Camphor, née Weatherby, mais il s'adonnait parfois à de petits subterfuges. Il arpentait les allées du Rite Aid ou du CVS en quête de parfum bon marché et puissant (plus il dégageait de notes florales et mieux c'était), afin d'irriter le nez aquilin de sa femme et de faire turbiner son imagination. Son préféré était Lucky Me.

« Hank, c'est quoi cette odeur ? disait-elle, les narines palpitantes.

— Je ne sens rien, moi », répondait Hank en se frottant la mâchoire.

Susan était directrice adjointe des ressources humaines à l'université de Duke. Elle n'était pas du genre à douter d'elle-même mais Hank voyait poindre des éclats d'incertitude dans l'iris de ses yeux marron. Cela la poussait non pas à s'accrocher à lui, mais à prendre soin d'elle, mieux que la plupart des femmes. L'incertitude de Susan offrait des relations sexuelles imprévisibles. Hank avait appris de ses parents la valeur de l'imprévisibilité. Il avait honte de ses actes mais pas au point de modifier les mauvaises habitudes quand elles faisaient leurs preuves.

SAMEDI, WEEK-END DU MEMORIAL DAY

Les réunions de famille chez les Camphor incluaient une fête obligatoire le samedi sur le sable de Sunset Beach. On emballait dans des glacières blanches et rouges un assortiment de côtelettes de porc au barbecue, d'œufs mimosa, de poulet frit au babeurre et de haricots verts. Cette sortie était le clou du week-end pour Hank qui aimait la plage. Il regardait les enfants bâtir des châteaux de sable ou filer sur les vagues avec leurs planches de bodyboard, entre deux courses-poursuites avec un jack russell du nom de Stella. Le chien était celui de Seamus Camphor III, le fils de Seamus II – le cousin du père de Hank. Stella arpentait la grève, aboyait sur les mouettes et déchirait les sacs-poubelle en quête d'os à ronger. Elle évo-

quait curieusement à Hank une cheerleader à poitrine généreuse qui menaçait de piquer le copain de sa meilleure amie.
Hank n'avait pas de chien et ne souhaitait pas en avoir, mais
dans son enfance – le souvenir le blessa soudain – il avait
demandé à adopter un basset.

Le soir, on faisait griller des huîtres et bouillir un ragoût
typique à base de crabe, de crevettes, de pommes de terre et
d'andouille enrobés de sel. Hank laissait les hommes prendre les
chaises longues en toile équipées de poches destinées à contenir
leurs sodas. Il était plus qu'heureux de déployer une serviette
de bain sur le sable et d'admirer la perfection du soleil cou-
chant. À chaque fois qu'un homme d'âge moyen passait, avec
son corps flasque et fichu, Hank exposait la puissance de son
torse et la fermeté de son cul herculéen. Il avait quarante et
un ans mais il en paraissait trente, pas un jour de plus. Parmi
les Camphor, les hommes partageaient sa haute stature mais
avaient tous perdu leur jeunesse et leur agilité.

Le dimanche, les Camphor faisaient quatre heures de route
à travers la campagne de Géorgie pour aller rendre hommage
à leurs défunts. Le père de Seamus III – Big Seamus – et
celui de Hank étaient enterrés au cimetière de St Matthew.
La modeste église méthodiste ne pouvait accueillir toute l'as-
sistance. Seamus III installait des bancs en bois sur la pelouse
et des haut-parleurs afin que tout le monde entende le vieux
révérend aux yeux larmoyants délivrer son sermon annuel sur le
fils prodigue. Le révérend agitait un tambourin Grover contre
sa hanche qui rythmait sa prédication.

Hank ne déposait jamais de fleurs sur la tombe paternelle. Il
apportait une balle de golf Spalding en mémoire du sport que
Charles Camphor affectionnait tant. Charles était mort dans
un accident de bateau, au cours de la dernière année universitaire de Hank. Au repas dans l'annexe de la modeste église, la
mère de Hank lui avait attrapé le bras et dit : « Charles n'était
pas ton père. »

Hank avait si souvent perçu son propre reflet dans les yeux

de Charles Camphor qu'il avait d'abord cru que Barbara lui faisait une plaisanterie cruelle, ou qu'elle perdait temporairement la boule après le décès brutal de son cher époux. Depuis l'annexe, il avait regardé au-delà des chaises bordeaux et des grosses femmes blanches qui installaient les plats de deuil qu'il s'autoriserait à manger en guise de réconfort. Hank étudiait pour devenir chirurgien orthopédique, à l'époque, et il avait appris que si l'on attendait assez longtemps, une voie s'ouvrait à nous, et les erreurs irréversibles pouvaient alors être évitées.

« J'ai rencontré James Samuel Vincent lors d'une conférence, il y a longtemps. Nous avons partagé quelque chose de fort... avait-elle dit. Et tu en as été le fruit. Je suis désolée, Hank. »

Pute, avait-il eu envie de dire à sa mère : *Dieu m'en est témoin, je n'épouserai jamais une pute.* Au lieu de cela, il avait pleuré amèrement. Des larmes que les personnes présentes avaient interprétées comme étant destinées à son père.

Barbara avait tourné les talons et était allée servir le buffet. Hank l'avait suivie et ensemble ils avaient joué les rôles de l'épouse et du fils éplorés tandis que le révérend bénissait la nourriture et que la famille formait une file et présentait ses dernières condoléances. Plus tard, une fois les proches endeuillés repartis et la pièce annexe vidée, Hank avait retrouvé sa mère dehors, sur le flanc de l'église au milieu du pâturin qui avait poussé malgré la tonte récente. Sa chevelure blonde était coiffée sur le côté, elle avait ôté ses escarpins noirs et fumait du shit avec le cousin de Charles, Big Seamus.

« Hank, lança Big Seamus. Je n'ai pas pu me retenir de fumer cette herbe bénite, en ce triste jour. »

Charles Camphor n'avait jamais aimé le shit, la coke, ni aucune drogue ; il privilégiait le whisky de qualité, le gin et le bourbon. Les yeux de Hank s'étaient posés sur les ongles rouges et soignés de sa mère qui tenait le joint avec tant d'aisance.

Barbara l'avait dévisagé avec défi, et sans aucun remords. « Juste une taffe ou deux, et puis j'arrête. »

Elle avait tiré une longue bouffée et avait laissé la fumée s'étirer lentement de ses narines et de sa bouche, puis elle avait considéré le joint comme s'il s'agissait d'un ami intime, avant de le tendre à Seamus. Hank s'en était saisi au passage et avait tiré dessus à son tour. Big Seamus lui avait tapoté l'épaule.

« Toutes mes condoléances », avait dit Seamus. Combien de fois lui avait-on balancé ces paroles dans la figure, aujourd'hui ? Cent fois ? Deux cents fois ? Beaucoup de monde était venu assister aux funérailles de son père. Jerome Jenkins, le seul ami noir que Hank avait eu le droit de fréquenter dans ses jeunes années, était venu en avion depuis Denver. Avant son départ, il avait demandé des nouvelles des voisins d'enfance de Hank. « Qu'est-ce qu'elle est devenue, la famille qui habitait dans la maison d'à côté ? Ton copain, Gideon, avec sa jolie sœur qui avait toujours le nez fourré dans un livre ? Mon Dieu, qu'est-ce qu'elle était belle. J'aimerais vraiment voir ce qu'elle est devenue !

— Les Applewood ont déménagé il y a longtemps », avait répondu Hank.

La succession de Charles Camphor fut établie un an après ses funérailles. Avant même d'être prête à mettre la maison en vente, Barbara se mit à recevoir des propositions de Big Seamus.

« Barbara, une maison comme ça, c'est beaucoup de travail pour une femme seule, disait-il. Avec autant d'espace, tu vas nager dans les souvenirs. »

Hank effectuait sa première année de médecine à Duke. Sa mère et lui échangeaient irrégulièrement mais Hank commençait à éprouver une curiosité naissante envers son père biologique. Barbara lui avait envoyé un Polaroid de James Samuel Vincent lors d'un match des Yankees en compagnie du demi-frère de Hank, Rufus. Hank étudia la photo dans son studio au confort spartiate. Il s'étonna de la génétique devant ces deux visages qui affichaient une ressemblance frappante avec le sien. Le cliché était vieux de plus d'une décennie, son demi-frère semblait avoir seize ou dix-sept ans, tout au plus. Cela signifiait-il que Barbara n'avait pas vu James Samuel Vincent ces dernières années ? Hank ne souhaitait pas aborder le sujet une nouvelle fois avec sa mère. Quand il rencontra Susan Weatherby lors d'une fête de fin d'année, il jeta le Polaroid à la poubelle. *Un homme fonde sa propre famille. Un homme lave sa propre assiette.*

Hank et sa mère surmontèrent cette période difficile. Barbara lui demanda de prendre en charge la vente de la maison.

« Fais-moi ta meilleure offre », dit-elle à Big Seamus.

Ce dernier n'avait jamais vécu aux crochets de Charles Camphor comme le reste de la famille. Hank avait toujours eu de l'affection pour le pompier. Il lui fit un bon prix sur la maison. Il lui semblait approprié d'en passer les clés au cousin de son père.

Ils ne comprendraient jamais comment la chienne Stella avait pu extraire le Smith & Wesson de sa boîte métallique sous le lit double de Seamus III et de Maxine Camphor. La boîte pesait au moins deux kilos. Mais à 15 h 30 cet après-midi-là, alors que tout le monde baignait dans le bonheur et l'insouciance, Stella s'assit sur un Smith & Wesson, pattes croisées. Le canon de l'arme était pointé vers la foule amusée, dont certains membres s'étaient mis à boire dès le matin, avant même le petit-déjeuner.

« Bon, on ne peut pas parler de véritable fête tant que personne n'a dégainé un flingue », déclara Seamus III. À cet instant, Hank n'eut qu'une seule pensée, *Dieu merci, j'ai laissé Susan et Tess à Raleigh.*

Les proches de Hank riaient à chaque fois que Stella remuait sur le pistolet. À chaque mouvement brusque de son corps, le revolver calibre .9 noir et argent semblait tournoyer comme à la table d'une partie de roulette russe.

« Il est chargé ? » demanda Hank en se frayant un chemin jusqu'à la porte de la chambre à travers le groupe de badauds massés là. Hank entendait les enfants jouer sur la vaste pelouse dehors. Au moins, ils étaient hors de danger.

« Bien sûr que oui, il est chargé, mais la sécurité est enclenchée », répondit Seamus III en levant son verre de scotch dans ses épaisses mains couturées de cicatrices. Seamus était un pompier qui portait sur la peau les trophées de combats au corps-à-corps avec les incendies.

« Stella, descends de ce pistolet et monte sur le tapis de course, lança Maxine avant de se tourner vers les convives. Stella sait utiliser le tapis. Si vous allez sur YouTube, vous la verrez s'entraîner. Vous verrez Stella courir. »

Hank était certain d'avoir entendu des enfants dans l'escalier. Il avait cru entendre la voix de Tess. Il se répétait sans cesse que sa fille de trois ans était en sécurité chez eux, à Raleigh en Caroline du Nord.

« Il faut qu'on arrive à récupérer le flingue. » Hank se tourna vers Seamus III. « Allez, Seamus, on s'en occupe.

— C'est juste un petit chien dodu », s'esclaffa Seamus avant de boire une gorgée de son scotch et de décocher un clin d'œil à sa femme vêtue d'une robe blanche diaphane qui évoquait une déesse grecque dans l'esprit de Hank. Une Olympienne. Aphrodite. *Vénus*. Hank était frustré de trouver Maxine si foutrement attirante. Il ne s'était pas seulement marié au nom de la beauté – sa Susan était jolie, sans excès – mais aussi au nom de la bonté et de l'intelligence.

« Hank, quand t'auras fini de reluquer ma femme, sourit Seamus III, tu pourras attraper Stella par les pattes avant et moi je prends celles de derrière. »

Eu égard aux munitions que le revolver contenait d'après Seamus III, les deux hommes firent sortir les invités de cette chambre plus grande qu'une galerie d'art moderne. Du temps où Hank vivait là avec ses parents, les murs n'étaient pas saumon mais blanc cassé, et la superficie était deux fois plus petite. Big Seamus et Maxine avaient fait abattre les cloisons et effectuer des rénovations avant-gardistes, agrandissant ainsi la maison déjà bien vaste avec ses cinq chambres et trois salles de bains. Les deux hommes avancèrent vers Stella qui agita la queue puis se figea. D'un coup de truffe, elle poussa le Smith & Wesson qui effectua une nouvelle pirouette.

« Tu es sûr que la sécurité est enclenchée sur ce foutu truc ? » demanda Hank, et il sentit cet accent traînant du

Sud qu'il essayait de réprimer lui chatouiller la commissure des lèvres.

L'arme détona à l'instant même où le fils de treize ans de Seamus, Fat Seamus IV, le torse large comme un tonneau, avançait à quatre pattes dans le vaste escalier et repoussait les invités à gauche et à droite, déterminé à se trouver au centre des adultes et de l'action. La balle ricocha contre les moulures antiques des murs saumon et érafla le haut du visage de Seamus IV. Une tache écarlate s'y forma soudain.

« Je vais mourir, s'écria-t-il. Aidez-moi, je vais mourir !

— Tout va bien, Seam, répondit son père en courant vers lui avant de prendre le visage replet entre ses mains. Allez, c'est juste une égratignure. »

L'explosion de la balle expulsée ainsi avait effrayé Stella. La chienne sortit en trombe et se rua dans l'escalier. Hank, qui se lassait de ses proches et qui avait un besoin désespéré de fumer, alluma sa cigarette et suivit l'animal.

La porte d'entrée était ouverte et, dehors, une demi-douzaine d'enfants jouaient avec une dînette en porcelaine ou des accessoires de croquet. Hank nota qu'aucun adulte ne les surveillait. Une fillette au visage constellé de taches de rousseur et à la tignasse flamboyante se roulait par terre et sanglotait sur le porche.

« Mon grand frère chéri est mort ! » pleurait-elle. Elle lui rappelait sa propre fille, Tess. Il lui donnait trois ans. Hank se pencha vers l'enfant et laissa la fumée de sa cigarette, qu'il cachait dans son dos, flotter vers le plancher. Il n'arrivait pas à se souvenir de son prénom.

« Seam. Seam », sanglotait la fillette.

Son prénom lui revint soudain : Penny. C'était la fille de Seamus III et de Maxine. Hank voulait lui dire, *Penny, ton imbécile de frère pète encore la forme*. Mais au lieu de cela, il lui tapota la joue. « C'est de la folie, dans la maison. Reste dehors. »

Hank écrasa son mégot sur le porche de la demeure. Depuis quand sa maison d'enfance était-elle devenue une demeure ? Il ne l'avait pas imaginé quand il l'avait vendue à Big Seamus.

Des cendres de tabac noircissaient les mains propres de Hank. Des mains de chirurgien : des mains sûres. Penny à la tignasse rousse lui tira la jambe du pantalon.

« C'est pas par là, le trou à merde de Stella, dit-elle.

— Hein ? » Parfois, Hank songeait qu'il aurait peut-être besoin d'une psychothérapie, mais il n'était pas persuadé qu'une thérapie à long terme soit une solution à quoi que ce soit. Il ne croyait pas en la psychothérapie, tout simplement.

« Reviens ici, Stella ! » hurla Penny en essayant d'expliquer avec son vocabulaire d'enfant de trois ans que Stella s'enfuyait toujours et qu'elle n'avait pas le droit de sortir dans le jardin, à part pour aller faire caca dans son trou à merde. Hank demanda où se trouvait le trou à merde de Stella, et la fillette le conduisit derrière le jardin, vers les marais. Hank regarda le trou à merde où s'amoncelaient l'herbe de tonte et des journaux. C'était l'endroit exact où il avait enterré Tipper, une vingtaine d'années plus tôt. Le sel lui emplit les yeux.

Penny leva le regard vers lui. « Stella aime bien son trou à merde. Ne pleure pas.

— Il va falloir que je te laisse, Penny », dit Hank qui recula et s'élança à la poursuite de Stella, affairée à déposer des étrons chargés d'angoisse sur le trottoir immaculé. Stella tourna à l'angle de la rue. Hank l'imita, accéléra, tendit le bras et la saisit par sa queue raide. Il empoigna ensuite le corps de la chienne qui se débattit et trembla contre lui, sans cesser une seule seconde de lâcher son flot continu de merde. Comme par clémence, il se mit à pleuvoir. Hank piqua un sprint sous les gouttes, longea la demeure des Camphor et se réfugia dans sa Mercedes. Il ouvrit la portière et fourra la chienne devant le siège passager. Les clés trouvèrent leur chemin instinctif vers le contact, son pied trouva celui de la pédale de l'accélérateur et il partit en trombe, loin de Sunset Beach.

Hank envoya mille dollars à Seamus Camphor III en échange du jack russell. Seamus l'avait appelé à maintes reprises depuis le week-end du Memorial Day. Quand Hank se résolut finalement à décrocher, Seamus s'exprima avec une rage contenue. « Que je comprenne bien. Tu me donnes mille dollars pour pouvoir garder l'animal de compagnie de mes gamins ?

— Je peux rajouter cinq cents dollars si tu veux.

— Leur chienne, avec laquelle tu t'es enfui ? »

Hank était sur un parcours de golf et attendait de pouvoir jouer le premier trou. « Tu peux toujours faire la route et venir la récupérer chez moi.

— Ou tu pourrais nous la renvoyer par avion.

— Elle est dans un sale état, crois-moi. Elle n'y survivrait pas.

— Qu'est-ce qui cloche chez toi, mon pote ? toussota Seamus. T'as du bol que nos pères étaient cousins. C'est tout ce que j'ai à dire là-dessus.

— J'ai *rien* qui cloche. »

Au bout de quelques secondes, Seamus lâcha : « C'est la petite, c'est ça ? Tess ? »

Hank était content que Seamus n'ait pas été en face de lui pour le voir grimacer. C'était vrai. Tess et Stella étaient devenues inséparables. La chienne dormait au pied du lit de Tess et s'installait souvent devant la baie vitrée de leur maison victorienne à Raleigh, pareille à une sentinelle, jusqu'à ce que Tess rentre de l'école maternelle.

Hank n'avait jamais voulu d'enfant. C'était Susan qui lui avait rappelé, au bout de cinq ans de mariage, que les enfants faisaient partie du contrat. Mais Hank adorait leurs séances de plongée aux îles Turques-et-Caïques, et le ski à Telluride.

« Un enfant, Hank, au moins.

— Ils vont nous ralentir.

— Ils vont nous permettre de rester jeunes.

— Et si je suis un père minable ?

— Tu es un homme exquis. Notre progéniture sera magnifique. »

Ils avaient attendu deux ans avant que Susan ne tombe enceinte. Ils avaient consulté plusieurs spécialistes en fertilité. Quand la mère de Hank avait appris qu'ils peinaient à avoir un enfant, elle avait murmuré à Susan, en pleine représentation du *Mariage de Figaro*, « Tu ne peux pas aller assister à une conférence quelconque en ressources humaines ? ».

Susan s'était levée au milieu de la salle et avait demandé : « Qui est cet imposteur, Hank ? Est-ce qu'on la connaît ? »

Ce soir-là, Hank avait ramené Susan chez eux et l'avait étendue sur le capot de leur Mercedes dans le garage. Il avait soulevé sa jupe ample, descendu sa culotte et il avait fait l'amour à sa femme avec une persistance et une tendresse exceptionnelles. Quand Susan avait donné naissance à une fille neuf mois plus tard exactement, le bébé avait les mêmes yeux bleu acier que lui. Hank savait que l'enfant était de lui.

Peu après la naissance, il s'était mis au golf.

« Hank, permets-moi de te dire un truc, continua Seamus. Les gens ont plus besoin de pompiers que de chirurgiens. » Seamus renverrait le chèque par la poste avec un mot rédigé en rouge qui réitérerait cette même phrase.

« On se revoit en mai, Seamus. » Hank fut étonné de s'entendre répliquer cela et de se rendre compte – sur un plan curieusement primitif – qu'il était sincère.

Color Land

2010

Deux mois après le week-end du Memorial Day, Hank Camphor reçut un mail de son demi-frère Rufus Vincent, lui indiquant que lui et sa famille rentraient de Géorgie et qu'il souhaitait s'arrêter à Raleigh sur le chemin du retour à New York. Ils pourraient se rencontrer dans un lieu « neutre », pour déjeuner ou boire un café. Hank appréciait que Rufus ait mis « neutre » entre guillemets, comme si le terme reflétait un accord tacite sur les limites de la convenance.

Ils se donnèrent rendez-vous dans le hall d'entrée du Color Land, un laboratoire d'arts plastiques rénové sur quatre étages dans le centre-ville de Raleigh et destiné à révéler le Picasso qui sommeillait en chaque enfant. Les niveaux étaient chacun dédiés à une activité particulière – graffitis sur les murs et les bus ; accessoires multicolores de mode et de décoration d'intérieur ; cabines de création de ceintures ou de portefeuilles à la peinture ou au feutre ; abat-jour de lampes magma à emporter chez soi ou à offrir en cadeau d'anniversaire ou de Noël. Le clou du spectacle était une grande fontaine gargouillante qui produisait des pastels liquéfiés et lavables dans des moules en plastique que les enfants pouvaient emporter dans le laboratoire de Color Land dans l'attente qu'ils se solidifient. Parents et enfants devaient revêtir des ponchos imperméables car la fontaine était réputée pour ses éclaboussures et sa brume digne des chutes du Niagara. L'autre attraction était la salle de gym sur le thème de la jungle au deuxième étage, un dédale de parois amovibles et de tunnels aux diverses formes géométriques qui changeaient de couleur à mesure que les enfants rampaient, tournaient, roulaient ou marchaient dedans jusqu'aux balançoires qui servaient aussi d'échelles, aux trampolines et aux ballons rebondissants et, pour les plus téméraires, il y avait une tyrolienne d'intérieur qui filait devant la boutique de souvenirs où des acteurs professionnels déguisés en pinceaux, en feutres, en feuilles de papier, chantaient, dansaient et amusaient la galerie. Les enfants adoraient tout particulièrement un crayon à papier numéro 2 d'un rouge éclatant doté d'une belle voix de baryton. Il flirtait sans cesse avec la feuille de papier. « Je suis dur comme le bois, disait-il souvent. Pas besoin de stylo avec moi. »

Hank inspecta le hall d'entrée. L'endroit lui parut intolérablement bruyant et il se mit à douter du choix de Susan quant au lieu de rendez-vous.

Rufus Vincent, sa femme et ses enfants arrivèrent avec des cadeaux pour Tess : un sac entier de livres achetés chez Books of Wonder, leur librairie préférée de Manhattan. C'étaient des intellectuels. Évidemment, qu'ils apporteraient des livres. Hank était ravi que Susan ait pensé à apporter deux cadeaux offerts par Jerome Jenkins, fabricant de jouets à succès. Hank et Rufus mesuraient la même taille, ce que Hank remarqua aussitôt, sauf que Rufus était voûté, une posture négligée qui donnait à Hank l'illusion d'être plus grand. Rufus dégageait les manières décontractées que reflétaient ses vêtements – propres, enfilés de façon machinale, des habits froissés mais chers.

Dans les mails succincts que Hank avait échangés avec

Rufus, il ne se souvenait pas d'avoir lu que son père – *leur* père –, James Samuel Vincent, se joindrait à eux pour le voyage. Mais il était là. La mère de Hank avait choisi un homme parfait en remplacement de Charles Camphor, un amant avec qui elle produirait un fils dont Charles ne pourrait jamais nier la parenté. Son défunt père et ce père biologique étaient de beaux hommes aux yeux bleus, mais James Vincent avait les cheveux plus foncés, là où Charles Camphor avait été plutôt blond-roux.

« Tiens, tiens, tiens ! » James Samuel Vincent devança Rufus dans le hall et tendit la main à Hank. Il ne semblait pas remarquer qu'il empêchait Hank de voir son demi-frère et son épouse, Claudia. Hank se décala légèrement sur le côté en échangeant une poignée de main avec son père biologique, et considéra la robe simple vert pâle et les sandales beiges que portait la femme de Rufus. Elle tenait fermement ses enfants par la main, comme pour les retenir. La fille de Hank, Tess, toujours la plus timide, se cachait derrière ses parents. Susan et Hank étaient pareils à des arbres prodiguant leur ombre à l'enfant.

« Je ne m'attendais pas à ce que Color Land soit aussi bondé.

— Si on ajoute *ed* à la fin, ça donne Colored Land, le pays des gens de couleur », fit remarquer Rufus Vincent. Il se tourna vers Claudia et ils éclatèrent de rire. Hank se sentit rougir de gêne.

« Winona et Elijah attendent ça avec impatience depuis une semaine », dit Claudia. Elle tendit la main à Hank.

Hank acquiesça. « Ravi de te connaître, Claudia. »

Hank était heureux que Susan ait eu la présence d'esprit d'acheter des billets coupe-file. Ils purent avancer directement à l'avant de la longue queue et entrer sans attendre. Avant d'accéder à la structure, les parents devaient signer une décharge indiquant que la compagnie déclinait toute responsabilité dans l'éventualité où leurs enfants se blesseraient ou décéderaient à Color Land. On leur délivra des bracelets aux couleurs du parc.

Susan dit : « Je pensais que Claudia et moi pourrions emmener les enfants dans la salle de gym à l'étage, pendant que vous, messieurs, iriez discuter au café. »

Claudia sourit : « C'est une excellente idée. »

Hank essaya de ne pas montrer sa déception. Il regarda Rufus embrasser sa femme avant de la regarder partir. « Pas de produits laitiers », lança-t-elle. Susan conduisit Claudia et les enfants vers l'entrée. C'était habituellement Susan qui accompagnait Tess à Color Land. Elle connaissait l'endroit comme sa poche. *Si on rajoute* ed *à la fin de Color*, songea Hank, *ça donne Colored Land*. Avec toute cette agitation, il avait oublié d'embrasser Susan. Son épouse avait oublié de l'embrasser.

Le café de Color Land ressemblait à un restaurant des années 1950, avec un carrelage noir et blanc, des chaises en vinyle rouge et des tables installées dans des box. Le café qu'ils commandèrent était faible comme de la pisse, un goût qui rappelait à Hank son enfance, quand son corps changeait, grandissait, et que la curiosité ne lui autorisait rien d'autre que de laisser descendre sa main et de se toucher.

Rufus scrutait sa tasse. « Je dois bien dire que c'est étrange, tout ça. »

Hank se leva aussitôt. « Alors trouvons un autre endroit. Je vais envoyer un SMS à Susan. On peut tous aller chez nous, ou autre part.

— Non, clarifia Rufus. D'avoir un frère et de ne pas être au courant. Un frère si proche en âge, aussi.

— Ça doit être plus étrange pour nos mères, constata Hank.

— Eh bien, ma mère n'était pas au courant jusqu'à très récemment. » Et Rufus porta le regard sur James Samuel Vincent. « Enfin, elle s'était toujours doutée qu'il y avait d'autres femmes, mais ça… Quand je lui en ai parlé, elle ne savait rien. »

Hank avait abordé le mauvais sujet. Il était plus habile, généralement. « Je suis désolé.

— Désolé de quoi ? dit Rufus en haussant les épaules. Tu n'as rien fait. »

James regarda le parking par la fenêtre. C'était une chaude

journée d'été. Même enfant, il avait toujours détesté le climat humide du Sud. Il avait pris l'avion dès que Rufus lui avait annoncé qu'il allait rencontrer son demi-frère. Il voulait être présent. En facilitateur. En médiateur. James était ravi de savoir qu'il avait engendré deux fils en parfaite santé.

« Tu travailles dans quelle spécialité médicale, Hank ?

— Je suis chirurgien. Spécialisé en médecine du sport.

— Et tu as déjà opéré quelqu'un de célèbre ? »

Hank sourit. « Je pourrais faire valoir le secret médical mais bon, on s'en fout. » Hank se pencha en avant et parla à Rufus et James de deux joueurs de la NFL qui se blessaient sans cesse à force de trop picoler et se retrouvaient dans le pétrin, aussi bien sur le terrain qu'au lit. Hank remarqua, tandis qu'il racontait son histoire, que Rufus et lui avaient des mains semblables, aux longs doigts délicats. Mais celles de Rufus étaient en mouvement perpétuel, faisaient le tour de sa tasse, y versaient du sucre et du lait, soulevaient la tasse, la reposaient. Rufus semblait s'ennuyer, malgré les tentatives de Hank pour l'attirer dans la conversation. La mère de Hank avait été l'autre femme, après tout, et si Hank calculait bien, il avait cinq mois de plus que Rufus. Il résistait à la tentation de l'appeler *petit frère*.

« Tu as un sport préféré, Rufus ? lui demanda Hank avec un sourire.

— Eh bien, le base-ball, répondit-il. Quand j'étais môme, Papa et moi on allait souvent voir les Yankees.

— Mon père... » Et Hank s'interrompit à ces mots. « Charles Camphor – l'homme qui sera toujours mon père – a étudié à Clemson. Il était running back dans l'équipe de foot américain. Dans le Sud, le foot américain est vraiment le sport le plus populaire.

— Je n'ai jamais compris le foot. Sauf si on parle de foot tout court, de soccer, et pas de foot américain. Ça, c'est un sport logique, dit Rufus en mâchonnant sa touillette.

— Tu as joué au foot américain à l'université, Hank ? » s'enquit James

Hank regarda Rufus. « Certaines personnes trouvent le foot

américain passionnant car c'est stratégique. Et complexe. Il y a beaucoup d'actions différentes sur le terrain et beaucoup de gens sont incapables de suivre le cours du match. » Puis Hank s'adressa à James Vincent. « Je cours. Dix kilomètres par jour. Je n'avais pas la carrure pour le foot. J'étais dans l'équipe de course à pied, à Duke.

— Moi aussi, je cours, s'esclaffa Rufus. D'un cours magistral à l'autre. »

James passa le bras autour des épaules de Rufus. « Rufus est spécialiste de l'œuvre de James Joyce. Peut-être le plus grand spécialiste du pays. » Il s'exprimait avec une telle assurance et une telle fierté que Rufus reposa sa tasse de café, l'air momentanément abasourdi.

« Pourquoi Joyce ? demanda Hank.

— Je ne sais pas. Je pense que j'ai dû le lire au bon moment.

— Mes ancêtres cultivaient des patates, dit James Vincent.

— Je ne savais pas. » Les longs doigts de Rufus suivaient les bords de la tasse.

« Mais si, voyons.

— Il y a beaucoup de choses que je ne sais pas », rétorqua Rufus.

James Vincent haussa les épaules. « Le Maine. Un bon coin pour la pêche. Pas pour cultiver la terre. Quatre garçons. Ton grand-père, mon paternel. Les gens, à cette époque, devaient parfois faire un choix entre les enfants. Ils avaient tiré à la courte paille pour choisir celui qui irait à l'université. Mon père a tiré la plus longue paille. Il est parti à Boston et n'a jamais regardé en arrière. Il est devenu pompier.

— Tiens. Dans ma famille, les hommes aussi étaient pompiers, dit Hank.

— Il y a donc une certaine continuité, remarqua James Vincent en dévisageant Hank Camphor mais en donnant un coup de coude à Rufus. Chez Joyce. Joyce, c'est la terre. »

Rufus s'adossa à sa chaise. « Non mais putain, Papa... Depuis quand tu es spécialiste de Joyce, toi ?

— Une patate chaude peut soigner un orgelet. Une patate

crue sous les aisselles est plus efficace qu'un déodorant. Mets une patate dans ta chaussure et dis adieu à ton rhume. Voilà le dictionnaire du jeune fermier, là. »

L'espace d'un instant, Hank se souvint de la franche complicité qu'il entretenait avec son père, surtout à l'époque du lycée et de ses premières années d'université. Son père lui manquait.

« Il faut que vous soyez en bons termes, tous les deux », dit James.

Le comptoir du café était ovale, surmonté de diverses variétés de cupcakes et de sucettes géantes, celles en torsades colorées. Hank avait dit aux acteurs Crayon, Stylo et Feuille de Papier de garder leurs distances. Il leur avait donné un bon pourboire en douce afin qu'ils les laissent tranquilles. Rufus se leva. « Quelqu'un veut une sucette ? J'ai envie d'une sucette. »

Hank éclata de rire. Il pensait que Rufus plaisantait. « Non, dit Hank. Ça ira.

— Qu'est-ce qu'il y a de drôle ?

— Je ne sais pas. Rien, répondit Hank d'un ton d'excuse.

— Va t'en prendre une, dit James Vincent à Rufus. Et prends-en pour les enfants. Winnie, Elijah et Bess.

— Tess », le corrigea Hank.

Rufus se pencha vers James. « La fille de Hank s'appelle Tess, Papa.

— Oui, Tess, acquiesça James. Ça lui plaira d'en avoir une aussi. »

Rufus regarda Hank. « Il a eu un accident. Il s'est cogné la tête et maintenant il entend parfois moins bien. »

Rufus s'éloigna.

« Parle-moi de ta blessure à la tête », dit Hank.

James Vincent aspira le reste de son café à grand bruit. « Comment va ta mère, Barbara ?

— Elle est mariée et vit heureuse en Europe.

— Et que fait son mari ? »

Hank perçut une certaine urgence dans la question de James Vincent. « Il est éleveur de beagles.

— Je n'aurais jamais imaginé Barbara vivant dans une ferme.

301

« — Et comment l'aurais-tu imaginée ?

— Pas à l'étranger. »

Ce fut à présent au tour de Hank de se vexer. Il n'aimait pas que James se soit enquis de Barbara dans le dos de son fils, bien qu'il eût été déçu si son père biologique n'avait demandé aucune nouvelle de sa mère. « Moi, j'ai cru comprendre que tu la voyais seulement quelques fois par an, alors ton point de vue est peut-être limité. »

James Vincent le dévisagea. « Tous les points de vue sont limités. »

Hank sortit son portable et lui montra une photo de Barbara Camphor. Elle était assise devant un sapin de Noël, vêtue d'un affreux pull de saison, avec son mari Trevor et une portée de chiots.

« Barbara, dit James en touchant l'écran du téléphone.

— C'est une cause perdue, rétorqua Hank. Va pas te faire de fausses idées.

— Je suis heureux en ménage.

— Pourquoi elle n'est pas venue avec toi, alors ?

— Tu voudrais être présente, si tu étais la deuxième femme d'un homme qui rencontre son fils issu d'une union extraconjugale de l'époque de sa première épouse ?

— Donc, tu lui as raconté ?

— Après qu'elle a deviné toute seule, admit James Vincent. C'est Adele qui a deviné en premier. Les femmes intelligentes devinent toujours. »

Quand Rufus revint à la table, Hank lui murmura : « Je suis désolé pour ce que notre père a fait à ta mère. Mais je crois que sans lui, aucun de nous deux n'existerait. »

L'excursion à Color Land dura une heure et quart, et les enfants s'entendirent à merveille. Tess, Winona et Elijah coururent dans la salle de gym, jouèrent avec la fontaine jusqu'à ce que l'excès de sensations les prenne par surprise, les rende grognons et fatigués. Ils craquèrent tous les trois et éclatèrent en sanglots au moment du départ.

« Winnie veut rencontrer Stella ! » hurla Tess tandis que Hank la prenait dans ses bras pour la calmer. Son cœur était ravi. Sa fille venait de lui donner l'excuse nécessaire pour prolonger l'après-midi en soirée.

« Bon, s'esclaffa Hank, avec plus d'aisance et d'assurance. Certains membres de ma famille sont un peu dingues et, franchement, Susan pourra vous le confirmer, on n'était pas certains de savoir à quoi nous attendre. »

Rufus acquiesça. « Pareil pour nous. »

Hank remarqua la manière dont les enfants de Rufus s'accrochaient à James Vincent. Il éprouva un pincement indéfinissable qu'il souhaitait ignorer. Il regarda Claudia et songea un instant à Lonnie Applewood, tant d'années plus tôt. « Si vous voulez, après la sieste des enfants, on peut dîner assez tôt chez nous ?

— Ce serait parfait », répondit James Vincent.

Mais la question de Hank était destinée à Rufus et Claudia.

« Claudia ? » Rufus se tourna vers son épouse.

« C'est toi qui décides », répondit-elle. Ils traversaient de toute évidence une période de tensions. Hank le devinait à travers leur langage corporel. Une prise de température. Tiède, sans être froide, ni brûlante.

Et c'est ainsi que se passèrent les choses après dîner. Ce soir-là, après que les enfants eurent mangé et qu'ils se furent amusés dans la salle de jeux, avant que Hank ne les emmène promener Stella dans le quartier, ce qui le poussa d'ailleurs à aimer la chienne davantage encore en voyant comme elle était gentille avec Winona et Elijah qui la maltraitaient de leur affection. C'est après que Susan eut changé Tess et lui eut mis son pyjama à licornes, et que son cousin Elijah eut lu son histoire préférée, *Le Bonhomme de neige bizarre*. Et avant que Tess et Winona aient fait et défait les tresses de la poupée Kaya American Girl, et que Winona ait dit qu'elle n'avait pas le droit d'avoir une American Girl, et que Tess ait demandé pourquoi, et que Elijah ait regardé sa sœur d'un air de dire *Tais-toi*. Et après que James Vincent eut bu son troisième martini, que Hank eut demandé où ils allaient ensuite, et que Claudia eut répondu qu'ils rentraient à New York après une visite de dernière minute à sa mère malade en Géorgie. Et que James eut répondu qu'il reprenait l'avion demain à destination de New York. Qu'il avait fait le voyage exprès pour voir son deuxième fils. Et c'est avant que Rufus se soit balancé d'avant en arrière, admirant les magnifiques livres aux reliures de cuir que Hank ne lit jamais – il n'a jamais été un grand lecteur mais il les collectionne en prévision de sa retraite – et après que Claudia eut chanté une berceuse à Winona d'une voix de fausset comme celle de sa mère, attendant que Rufus porte Winona endormie jusqu'à la voiture où elle continuera son sommeil sur la route. Heureux que la fillette arrive à dormir plus paisiblement, ces derniers temps. Et c'est avant que Hank s'absente pour fumer une cigarette, que James Vincent s'assoupisse sans lâcher son verre, et après que Claudia s'est rendue aux toilettes, que Hank, qui a bu plus que de raison ce soir-là, repère Claudia en chemin vers la salle de bains à travers la porte coulissante du patio, écrase sa cigarette et s'avance dans le couloir.

C'est à ce moment qu'il contemple les mouvements amples de la robe jaune que Claudia a enfilée pour la soirée, et qu'il voudrait arrêter la course du temps, retourner la lune sur la tête, et le soleil sur le ventre, et revenir en arrière, redevenir le gamin de treize ans devant la porte d'entrée de ses voisins. C'est à cet instant précis que Hank se dit qu'il devrait se rendre à la bibliothèque, s'asseoir et discuter avec Rufus à présent que le vieux somnole, mais il ignore pourquoi, ses pieds l'emmènent vers la salle de bains, où il se fige devant la porte en attendant que Claudia sorte. La chasse d'eau retentit, on dirait un océan, l'eau coule, on dirait un lac, et Claudia ouvre la porte, et c'est comme si une rivière torrentielle venait à sa rencontre, et dans son ivresse désordonnée, il se penche et tente de déposer un baiser sur les lèvres de Claudia qu'elle évite.

« Eh bien, dit Claudia en le regardant s'adosser au mur. J'en connais un qui a trop bu.

— Tu me rappelles quelqu'un que je connais. Que je connaissais. »

Claudia incline la tête. Et l'espace d'une seconde, Hank est certain de voir le visage de Lonnie Applewood, d'entendre sa voix. « Mais mon cher, n'est-ce pas le cas pour tout le monde ? »

Il ne parvient pas à déchiffrer si Claudia est amusée ou agacée. Elle le contourne et retourne à la bibliothèque. Hank se ressaisit et longe le couloir à l'éclairage tamisé jusqu'au bureau où Rufus articule en silence les phrases d'un livre qu'il a ouvert, où Claudia s'est servi un verre, où Susan a mis de la musique classique, où James Vincent ronfle, et Rufus lève les yeux, il dit à Hank tandis que ses doigts nerveux parcourent le dos somptueux des livres, encore et encore : « Je suis content qu'on ait pu arriver à se rencontrer. »

Hank regarde Rufus enlacer fermement la taille de Claudia. Ce geste le pousse à faire de même avec Susan.

« Oui, murmure Hank en acquiesçant de la tête. J'espère qu'on ne vous a pas trop déçus. »

Eloise prend son envol
(DEUXIÈME PARTIE)

1970   1978   1988   1989   1999   2010

Dans la rue de l'appartement de Friedrichshain où Eloise Delaney rendit son dernier souffle, une discothèque s'est installée. L'établissement se situe dans un vieil entrepôt frigorifique à deux pas du mur de Berlin. La nuit, par les fenêtres, çà et là (comme celle-ci, justement), on peut voir les contours noirs des silhouettes qui dansent et oscillent – évoluant comme une brume ou des ombres sous les stroboscopes qui s'allument, s'éteignent et lancent de brûlantes invitations aux jeunes gens.

Parmi les jeunes corps se trouve un groupe de soldats américains, la plupart noirs et hispaniques. Ils arrivent de leur base à Londres, ont pris une chambre au Berlin Marker Hotel et se sont aventurés dans le givre de décembre en quête de musique, de vie nocturne et d'Allemandes. Les soldats se déversent d'un taxi bondé et se joignent à la file d'attente des danseurs devant la boîte de nuit. L'odeur de marijuana envahit les environs. Un soldat de carrure moyenne et arborant un bouc est originaire de Buckner en Géorgie – de la ville natale d'Eloise Delaney. Ils sont cousins éloignés, bien qu'il n'en sache rien. Quand le

307

soldat avait deux ans, Eloise Delaney le faisait bondir joyeusement sur ses genoux, mais elle est décédée à présent – depuis plusieurs années. Aux yeux de ce monde-là, elle n'est plus ni fragment, ni souvenir.

En 1972, Eloise Delaney assista au mariage de King Tyrone en béquilles. Son seul cousin respectable épousa (à cinquante ans) une femme méticuleuse nommée Sarah Braun qui lui donnerait une fille neuf mois plus tard. La cérémonie se déroula sur le ponton de Tybee Island, avec l'océan Atlantique en arrière-plan, et un petit groupe de convives. La réception qui suivit fut sans prétention, on y servit au repas de généreuses portions de crevettes, d'huîtres, de coquilles Saint-Jacques et de mérou. Si vous n'aimiez pas les cadeaux que la mer avait à offrir, ce n'était pas votre jour de chance.

Eloise rentra d'une guerre que nombre d'Américains commençaient à considérer d'un mauvais œil, bien que la population restât majoritairement en faveur du conflit au Vietnam jusqu'à sa résolution. Elle avait vingt-cinq ans et, pour la première fois depuis son départ en mission, elle put lire les journaux et regarder les informations. C'est une vérité cruelle, mais en temps de guerre, certains doivent mourir afin que d'autres puissent vivre. Le Vietnam rongeait Eloise quand elle était seule la nuit. Et depuis qu'elle n'avait plus d'amante, les nuits étaient longues. Elle repensait à Jebediah Applewood qui affirmait que tout ce merdier n'était pas réel. S'il avait été dans le comté de Buckner, elle aurait adoré le retrouver et boire une bière ou deux, rien que pour avoir une perspective différente sur la situation. Elle se demanda si ses anciens camarades – qui n'avaient presque pas gardé le contact – partageaient son sentiment profond de trahison et de confusion. Eloise composait le numéro d'Agnes, de temps à autre. Et Agnes, presque malgré elle, restait au bout du fil, répondait parfois aux questions d'Eloise, se contentait parfois de longs silences : le fait que vous ne supportiez plus quelqu'un ne signifie pas que vous ne l'aimez plus.

Afin de remonter le moral d'Eloise, Flora Applewood vint passer un après-midi à Tybee Island et la conduisit dans un « nouveau coin » en périphérie de Buckner. C'était le Magnolia Lake Inn, un ancien hôtel sur la berge d'un lac artificiel. À son apogée, des familles venaient y faire des barbecues, des piqueniques, des promenades à cheval, et passaient l'après-midi à boire des cocktails, à siroter des thés glacés, à grignoter des œufs mimosa et de délicats beignets de crabe. Le nouveau propriétaire avait retiré la peinture et les résidus de plomb, puis il avait rénové le bâtiment qui ressemblait désormais à un décor de film hollywoodien. Les soirs de week-end, un DJ venait passer des disques et le premier samedi du mois, un groupe de jazz y donnait un concert. C'était un établissement au chic décontracté où un homme pouvait amener sa maîtresse ou son amant. Une femme pouvait y amener les deux aussi, et il était parfaitement coutumier de se déshabiller et de prendre un bain de minuit dans le lac. Eloise fut ébahie de voir tant de femmes boire, fumer des cigarettes et danser des slows, enlacées à la vue de tous. Mais elle observa de plus près les lourds rideaux en cette heure crépusculaire et elle songea – sans rien dire car elle ne voulait pas gâcher la joie et la motivation de Flora – *Nous sommes toujours cachées.* Elle dansa un slow avec Flora sur une seule jambe, et elle laissa tous les clients du Magnolia Lake Inn signer son plâtre. Puis elle annonça à sa chère amie qu'elle partait s'installer en Allemagne.

« Eloise, lui dit Flora. Quand je t'ai conseillé de quitter Buckner, je ne parlais pas de façon permanente. »

Mais comment lui expliquer que dans le comté de Buckner, les salves de souvenirs assassinaient son cœur ? Les souvenirs la guettaient à chaque recoin : son ivrogne de mère, son père disparu, Sœur Mary la Pleureuse qui fuyait le couvent et, bien sûr, Agnes : celle qui était partie. Et qui n'était pas revenue.

Au cours des six semaines qu'Eloise passa à Buckner, elle s'inscrivit à des leçons intensives de pilotage à la Southeast Aviation, la même entreprise d'ingénierie qui avait employé feu Claude Johnson. L'instructeur, un homme blanc d'âge moyen, regarda son formulaire d'inscription et lui demanda pourquoi elle voulait apprendre à piloter un avion.

Eloise alluma une cigarette. « Je veux tout voir d'en haut. » Puis, devançant les questions qu'il risquait de lui poser ensuite, elle ajouta : « Je suis sûre que vous avez déjà entendu parler de Bessie Coleman. »

L'instructeur fouilla dans ses souvenirs et lui fit une réponse qui poussa Eloise à reconsidérer son appréciation : « Vaguement. »

La première chose qu'il enseignait à ses élèves était de catégoriser et d'inspecter un avion. Eloise mémorisa la disposition des tableaux de bord, elle subit l'ennui profond des cours au sol qui incluaient quatre heures de leçons théoriques quotidiennes et un journal de bord à tenir. Elle était le seul visage noir dans la salle. Elle fut aussi la première élève à qui l'instructeur enseigna à survoler l'aérodrome, les marais et les zones humides de la région où elle repéra des alligators se prélassant au soleil, les yeux fermés, sur les rives en contrebas.

« Alors, vous en dites quoi, madame Delaney ? » lui demanda l'instructeur.

Elle éclata de rire. « Tant que je ne m'écrase pas avec ce gros bébé et que je ne nous transforme pas en nourriture pour alligators, je dirais que ça va. »

Elle s'éleva à cinq mille, sept mille, dix mille pieds dans les airs, sans rien autour d'elle que le ciel et les nuages cotonneux. « Légère comme une plume. Je me dis en cet instant précis que je serais capable de tout. »

Elle partit en Allemagne avec son permis de vol loisirs.

Dans les années 1970, soixante pour cent des bases militaires américaines en Europe étaient installées en Allemagne de l'Ouest. Eloise Delaney connaissait les exploits aériens de Bessie Coleman à Friedrichshafen et à Berlin. Mais elle ignorait l'histoire longue et complexe que l'Allemagne entretenait avec les Afro-Américains. En 1964, Martin Luther King avait voyagé en Allemagne de l'Est et de l'Ouest.

Il y avait eu des soldats noirs engagés dans l'armée pour servir leur patrie durant la Première Guerre Mondiale, puis la Seconde contre les nazis. En France et en Allemagne, nombre d'entre eux avaient connu une liberté de mouvement qu'ils ne retrouveraient jamais à leur retour chez eux.

Elle resta seize mois en poste à la base aérienne de Ramstein, où on l'encouragea à travailler au département des relations raciales qui mettait en œuvre des stratégies d'apaisement entre les GI noirs et les GI blancs sur les bases militaires en Allemagne.

Chère Flora,

Je n'aime pas vivre sur la base. Je suis assise dans un box à gratter du papier. Le statut de secrétaire idéale ne me convient pas. Je ne me suis pas cassé le cul dans les services de renseignement au Vietnam pour rester assise dans un bureau à compiler des données ou, dans mon cas précis, pour résoudre des conflits. Serait-il égoïste de vouloir obtenir un diplôme d'études supérieures ?

Bien à toi,

Eloise

Chère Eloise,

Je n'ai jamais vraiment compris le mot *égoïste*. Obtenir un diplôme d'études supérieures te rendrait-il plus heureuse ? Heureuse tout court ?

Bien à toi,

Flora

Chère Flora,

Après une année au quartier général Logistique, je ne crois pas que je me réengagerai. J'ai décidé de m'installer dans le secteur public et de prendre des cours à l'université de Berlin. L'avenir est dans l'informatique, les satellites et la technologie de renseignement. Peut-être que je vais étudier la cryptologie.

Eloise la Cryptologue

Chère Eloise la Cryptologue,

Alors, c'est bien joli tout ça mais ça m'embête que tu ne me dises pas comment ça va dans ta vie. *Comment ça va* dans ta vie, Eloise ? As-tu une bonne amie ? La vie passe si vite. Et la solitude est une maladie.

Flora la Curieuse

P.-S. : Il faut que tu m'expliques ces histoires de cryptologie.

Chère Flora la Curieuse,

Le premier mois que j'ai passé dans mon appartement de Berlin était merdique comme pas possible. Les Allemands sont froids. Je savais qu'ils étaient froids, mais la plupart sont plus froids que je m'y attendais. Je voulais traverser la rue et je suis passée au feu vert, et j'ai failli me faire écraser par un conducteur qui m'a hurlé dessus. Je ne pense pas qu'il s'agisse d'un truc raciste. Ils ne sont pas ce que j'appellerais chaleureux et tendres entre eux non plus. Mais je continue à traverser au feu vert. Je ne vois pas l'intérêt d'attendre sur le trottoir sans rien faire quand il n'y a pas de voiture dans la rue. Si tu n'as plus de nouvelles de moi, c'est que j'aurai été écrasée par un automobiliste allemand impatient.

Eloise Hors des Clous

Chère Eloise Hors des Clous,

Sors et rencontre des gens. Les Allemands ne sont pas tous impatients ni mauvais. Sors, rencontre du monde, fais et vois plein de choses, et quand tu les feras, pense à moi. Je suis vieille, à présent, Eloise. Mon Dieu, je suis bien plus vieille que je ne l'aurais voulu.

Flora, Vieille et Fatiguée

Chère Flora, Vieille et Fatiguée,

Je t'envoie ce cadeau à transmettre à King Tyrone pour son bébé, Deidre. Ils m'ont envoyé des photos, elle est vraiment à croquer. J'ai cru percevoir dans ta dernière lettre quelques touches d'auto-apitoiement. Si tu te sens vieille, Flora, alors ça ne te fera pas de mal de tenir dans tes bras un être tout neuf. Un bébé. On dit qu'ils arrivent dans ce monde parfaitement innocents, mais je crois qu'ils arrivent dans ce monde en sachant tous ces trucs intelligents qu'on oublie ensuite. C'est juste un hochet pour le bébé. Les Allemands sont doués pour les choses simples. Si tu vas prendre ce bébé dans tes bras, je sortirai me trouver une amie. Même si, je dois bien l'admettre, les Allemandes sont un peu pâles à mon goût. J'aime bien plonger mes mains dans le chocolat.

Eloise, Amatrice de Chocolat

Chère Eloise, Amatrice de Chocolat,

Ta lettre m'a laissée sans voix. Je n'ai pas grand-chose à dire ou à écrire. Tenir la petite Deidre dans mes bras a remis les compteurs à zéro dans mon esprit. Et tu connais bien ton cousin Tyrone. Ce hochet est assorti avec tout leur univers. Un hochet en forme de *pieuvre*, mais comment as-tu trouvé ça ?

Flora, Sur la Bonne Voie

Chère Flora, Sur la Bonne Voie,

J'ai pris 7 kilos depuis mon arrivée à Berlin. Pour la première fois de ma vie, j'ai un petit derrière rebondi. C'est un derrière que même Diana Ross ou Agnes pourraient m'envier. Je pense à elle, tu sais. C'est peut-être pour ça que je mange autant. Ou c'est peut-être juste leur foutu pain, ou leurs pâtisseries locales. Les Allemands semblent aimer la nourriture consistante. Les jarrets de porc, les *Schnitzel*, les *Bratwurst*. Ce n'est pas très éloigné des plats typiques de notre enfance. Et le pain ! C'est ça qui a eu des conséquences sur mon derrière. Flora, je suis capable de manger une miche entière en un repas. Le pain me fait penser à la boulangerie Gottlieb et aux gâteaux de Lady Miller et, oui, à Agnes. Voilà que je recommence. Mais fidèle à ma parole, je suis sortie et j'ai exploré les possibilités. C'est un peu le Far West ici. Je peine à tenir le compte des gens qui vont et viennent. Pendant un temps, la ville s'est dépeuplée. Mais cette époque est révolue. Il y a les subventions gouvernementales – et il y a une ouverture, une énergie à vivre du côté ouest d'une ville murée. Ceux qui sont restés, et ceux qui se sont installés récemment, semblent avoir vraiment envie d'être ici. Le coût de la vie est faible, surtout si on est prêt à ajouter un peu de folie au quotidien. Je mentirais si je disais que Berlin est une belle ville. Berlin n'est pas Paris, mon chou. Il y a des terrains vagues, des immeubles à l'abandon, et quand on vient de Buckner, la différence peut être parfois assez déconcertante. Ça doit avoir un rapport avec le fait que j'apprends la langue. Je me débrouille mieux quand j'avance pas à pas. Ce que je préfère à Berlin, pour l'instant, c'est que je peux sortir de chez moi et devenir ce que je veux. Si je maîtrise la langue, je pourrai recommencer ma vie à zéro. Disons que je suis libre – libre d'être distraite. J'ai réussi à me trouver des amies allemandes adorables et audacieuses. La vie nocturne lesbienne est animée, ici – et il y en a un peu pour tout le monde. Pas besoin de s'activer trop pour se coucher le soir ou se réveiller le matin à côté d'un joli minois. J'ai rencontré une femme prénommée Greta – comme Greta Garbo. Elle étudie au département d'histoire à l'université de Berlin, c'est une sacrée radicale. Elle et son ex-petite amie vivent dans un squat avec sept étudiants à Kreuzberg. À deux pas de chez elle, on trouve le seul squat gay de Berlin. Quand la police débarque, les hommes enfilent leurs plus beaux costumes et font une sortie élégante. Flora, j'aimerais tant que tu sois là pour les acclamer – pour les voir. Les mots ne leur rendent pas justice. J'ai appris qu'un choix vestimentaire affirmé peut devenir un mode de vie. Et un mode de vie peut mobiliser un mouvement entier. Les vieux bâtiments sont désormais détruits et laissent place à de nouveaux. La réaction des squatteurs : pourquoi les regarder détruire tout ça quand on peut le réparer et vivre dedans ? Tout respire la jeunesse et l'engagement politique à Berlin. Ma chérie, les étudiants sont sans cesse en train de manifester. Je crois qu'ils s'inspirent des mouvements américains des années 1960. Greta travaille à temps partiel au Café Berio de Nollendorfplatz. Un endroit où je vais chaque samedi et où j'observe les gens et mange des gâteaux à la pâte d'amande. On était en train de flirter quand elle m'a renversé du café brûlant sur les genoux. J'ai failli la tuer, tu sais. On sort ensemble depuis ce jour. Elle aime me traîner à ses rassemblements et c'est une bonne chose car j'apprends l'allemand bien plus vite qu'à la base militaire. Récemment, on est allées écouter un discours d'Angela Davis. Je me tenais là, et je me disais qu'il y a tellement de choses que j'ignore. Et même en une vie entière, je ne saurai pas tout.

Eloise, Nouvelle Copine

Chère Eloise, Nouvelle Copine,

Je suis jalouse.

Flora la Jalouse

Chère Flora la Jalouse,

Ne sois pas jalouse, ma douce Flora. Je n'ai aimé que deux femmes. Et tu es l'une d'elles. Greta est adorable. Greta est gentille. Elle supporte mes conneries quand je suis d'humeur à distribuer les punitions. L'autre jour, on préparait des saucisses chez elle, et quelque chose dans nos gestes, fourrer la viande crue dans l'enveloppe de peau, a fait ressurgir des souvenirs de Maman et Papa devant les crabes de la conserverie. Greta, ses colocs et moi, on riait, on passait un bon moment ensemble. On avait bu notre dose de bière, on terminait de fourrer les saucisses, et tu sais quoi ? J'ai éclaté en sanglots. Et quand ils m'ont demandé ce qu'il se passait, je me suis mise à les insulter copieusement. Greta a ordonné à tout le monde de dégager, puis elle m'a demandé ce qu'elle pouvait faire pour arranger la situation.

316

Et j'ai baisé avec elle, Flora, parce que, tu le sais aussi bien que moi, parfois c'est la seule chose qui ait du sens. Et Greta a eu l'audace de me demander si elle était mon fétiche. Je n'ai pas su quoi répondre. C'est une jeune étudiante en histoire, et les étudiants en histoire veulent tout évaluer. Je lui ai dit la vérité, que je ne gâche pas les instants précieux où elle passe les doigts dans mes cheveux à me demander si je suis son fétiche à elle. Ce n'est pas une réponse honnête, m'a-t-elle rétorqué. J'aimerais bien que tu voies Greta. Elle est blonde partout. On est allées au pub après ça, et j'ai raconté une histoire à mes amis. Quand je suis suffisamment imbibée, je peux raconter de sacrées salades. C'est du moins la réputation que j'ai développée.

Eloise, la Raconteuse de Salades

Chère Eloise, la Raconteuse de Salades,

Quel silence. Quatre mois. Je n'ai pas eu de tes nouvelles depuis longtemps. Tout va bien à Berlin ?

Flora, Toujours là

Ma très chère Flora, Toujours là,

Greta a obtenu son diplôme universitaire le mois dernier. Elle a accepté un poste de professeure dans un quartier turc à un arrêt de son ancien quartier. On dirait bien que je suis officiellement apprivoisée. On a décidé de s'installer ensemble. Comment ce genre de choses peut-il arriver ?

Eloise, Fille casée

Chère Eloise, Fille casée,

Si je connaissais la réponse à ta question, on serait riches toi et moi.

Flora, Sans Regrets

Chère Flora, Sans Regrets,

Amour – et Bonheur.

Ton Eloise

Eloise ne pouvait pas le savoir à l'époque, mais les années 1970 et le début des années 1980 devaient marquer une des périodes les plus heureuses de sa vie. Une bonne décennie s'était écoulée depuis sa guerre affreuse, un temps pour travailler, voyager, vivre dans l'insouciance et l'inconscience. Bowie habitait à Berlin et enregistrait *Heroes*. Iggy Pop se piquait à l'héroïne. Eloise évita la drogue et opta pour le sexe. Sa relation avec Greta prit fin quand celle-ci se réveilla une nuit dans leur appartement de Kreuzberg et entendit Eloise parler au téléphone avec une autre femme.

« Par amour, dit Eloise au téléphone.

— C'est qui ? voulut savoir Greta après qu'Eloise eut raccroché.

— Juste quelqu'un avec qui je partage mon histoire.

— Tu ne peux pas. Tu ne devrais pas. »

Eloise et Greta se séparèrent mais restèrent amantes occasionnelles et amies intimes. Eloise rangea son article sur Bessie Coleman dans un tiroir de son bureau et l'oublia, elle et l'aviation. Elle continua à raconter ses salades mais fut heureuse d'oublier le reste de son passé.

« Du côté de ma mère, il n'y a que des fouteurs de merde, disait Eloise dans les pubs. Ils sont tous morts de mort violente :

flingues, machettes, couteaux. Un certain nombre ont été pendus, mais je ne peux pas dire que la violence venait d'eux. La violence a commencé dans les contrées du Sud, dans les rizières où un de mes arrière-arrière-arrière-aïeuls trimait comme esclave, et la fille de cet arrière-arrière-arrière-aïeul, Matilda, a été choisie afin de travailler dans la maison du maître, à cause de la nuance pâle de sa peau. Sauf qu'au dernier moment, la maîtresse clairement instable a dit, *Non, pas celle-ci, celle-là*, ce qui a fait enrager mon arrière-arrière, au point qu'il a giflé la maîtresse et la jeune esclave destinée à prendre la place de sa fille. En représailles, le maître a vendu Matilda. Il paraît que mon arrière-arrière-arrière-grand-mère s'est battue de façon terrible contre cette décision, et elle a été fouettée si fort qu'elle est passée à deux doigts de la mort. Une fois rétablie, elle a refusé de travailler, ainsi que ses sept fils valides et en parfaite santé, malgré les coups de fouet et les mauvais traitements qu'on leur infligea. Ils prirent les armes et se révoltèrent, alors le maître les fit tous pendre et ils moururent tous, sauf un qui parvint à survivre car le nœud ne lui avait pas brisé la nuque. Le maître comprit que certains combats sont vains, et, en consultant son livre de comptabilité, il prit conscience des dix mille dollars perdus à essayer de domestiquer sa propriété de choix. Le plus jeune esclave de la famille, qui avait vu ses frères exécutés sans raison valable, n'avait plus goût à la vie. Il errait dans la plantation et attendait la mort. Après ça, la jeune esclave à la peau claire que la maîtresse avait fait entrer à son service dans la maison tomba raide morte en ramassant les œufs au poulailler, puis la maîtresse fit quatre fausses couches successives, et le maître, un sudiste qui craignait Dieu, fut convaincu que sa maison était maudite. Il racheta mon arrière-arrière-grand-mère, Matilda. Elle changea son nom et se fit appeler Daisy, lorsqu'elle vit les frêles pâquerettes qui poussaient sur les tombes de sa mère et de ses six frères. La perte de toute sa famille (à l'exception de son frère à l'esprit confus) tourna son âme vers le diable. Si une branche d'arbre la touchait d'une manière qui lui déplaisait, elle s'emparait d'une hache et sectionnait la branche. Le maître et la maîtresse ne la réprimandaient pas, même quand elle cassait des assiettes, qu'elle laissait déborder les pots de chambre, qu'elle ne fermait pas la porte du poulailler et permettait aux renards d'entrer, qu'elle renversait les seaux d'eau fraîche dans le jardin à l'instant où le garçon les apportait du puits. Quand elle crachait dans la nourriture du maître en cuisine, personne ne disait rien, ni les tantes Jemima ni les oncles Tom qui craignaient sa colère. Voir le soleil se lever était un cadeau de son dieu miséricordieux, estimait le maître. Il regardait Daisy chaque matin et demandait : « Daisy, vas-tu m'empoisonner aujourd'hui ?

— Non, monsieur, répondait-elle. Plutôt demain je pense. »

Daisy n'empoisonna jamais le maître ni la maîtresse, et à leur mort, ils rendirent leur liberté à Daisy et à son idiot de frère, mais ils étaient libres de faire quoi, et d'aller où ? Il paraît que le général Sherman et ses soldats de l'Union sont arrivés fièrement à la plantation, un après-midi. (À cet instant, Eloise faisait une pause théâtrale dans son récit et buvait une gorgée de bière devant ses amis allemands.) Sherman arrivait toujours fièrement quelque part, ou devant quelqu'un, pendant la guerre de Sécession. Quand il a vu Daisy placer des coquilles de conque sur six tombes bien entretenues, il a écouté son histoire et lui a tendu sa torche.

« Jeune fille, brûlez-moi tout ça », a-t-il hurlé, car Sherman était aussi sanguinaire et calculateur dans sa détermination à remporter la guerre que Daisy était lucide et méchante.

Eloise était dans la belle ville médiévale de Lucques, en Italie, quand le mur de Berlin était tombé.

Elle se réveilla avec une douleur puissante entre les jambes, dans une maison qu'elle ne reconnaissait pas et dans un lit aux draps déchirés. Elle n'avait aucun souvenir d'où elle avait été, ni de ce qu'elle avait fait la nuit précédente – bien qu'elle se souvînt d'un bar, d'une sacrée bringue et d'une copieuse quantité de vin rouge. Elle avait sous-loué son appartement de Kreuzberg trois fois plus cher car pour capitale que fût la chute du mur, Eloise n'aimait pas les grandes foules. La perspective de la liberté était exaltante, mais elle était également source de peur et de suspicion. Certains de ses amis l'avaient étonnée – peut-être Greta davantage que les autres – par leur refus obstiné de croire en une possible réunification. Le mur avait divisé l'est et l'ouest de Berlin et, à présent, les gens revisitaient leur passé – mariages, décès, naissances – avec le mur comme repère principal de leurs vies, et avec une telle insistance qu'Eloise comprit : Berlin n'était pas à elle. Elle était américaine, une expatriée. Elle ne voulait pas lutter avec l'évidence que le Berlin qu'elle connaissait était sur le point de changer. Des milliers de soldats américains – dont une grande partie d'Afro-Américains – seraient renvoyés chez eux quelques semaines à peine après la chute du mur, et certains laisseraient derrière eux des petites amies, des femmes, des enfants. Mais elle s'en sortirait. Elle travaillait dans le secteur public. Elle s'était habituée à ne plus côtoyer ses semblables au quotidien. Sauf qu'entre ne pas les voir et savoir qu'ils étaient rentrés au pays – eh bien, il y avait là une immense différence.

Une femme à la chevelure brune et au nez romain, vêtue d'un jean et d'une chemise enfilée sur sa silhouette svelte, entra dans la chambre et embrassa Eloise en guise de bonjour. Avec un accent italien, elle annonça que Hans préparait le café mais qu'ils feraient mieux d'aller prendre le petit-déjeuner ailleurs. Eloise se redressa brusquement sur le lit qui gargouilla sous son poids – un matelas à eau – et elle scruta les murs jaunes, le carrelage italien vert feuille. Ses vêtements étaient éparpillés au sol, partout. Au cours des dernières années, elle avait pris l'habitude de boire beaucoup et de se réveiller avec des femmes inconnues.

« Il est quelle heure ? demanda Eloise en italien.

— Midi passé », répondit la femme avant de l'embrasser à nouveau et de sortir de la chambre d'un pas leste. Eloise avait beau essayer, elle ne se souvenait pas du nom de la femme, et elle fut soulagée en fouillant dans ses affaires de voir que son passeport, son portefeuille et tout le reste étaient encore là.

Ce fut la présence de l'homme qui désarçonna complètement Eloise. Elle entra dans la cuisine tout habillée et le trouva à poil en train de cuisiner.

« Tu en redemandes ? » dit-il en remuant les œufs dans une poêle à frire. La nuit précédente lui revint soudain clairement – le flirt avec la femme (Victoria) à l'œnothèque, et Hans, le Néerlandais qui gardait la maison d'un ami. Eloise saisit son propre reflet dans la fenêtre qui surplombait ce qui devait être un jardin splendide en plein été. En cet instant précis, la ressemblance avec sa mère était frappante. Elle avait la tête en feu, la chatte douloureuse, et sa fierté saignait devant la perte d'un élément si précieux. C'était le 10 novembre 1989, le lendemain de la chute du mur de Berlin. Elle avait la quarantaine, elle fumait un paquet de cigarettes sans filtre par jour, mais ses années passées à boire et à coucher avec des inconnues étaient terminées.

Pendant les années 1990, Eloise rentrait au pays une fois par an. Celle qui s'était réjouie de la mort violente de Claude Johnson se mit désormais en quête de ses proches. Elle retrouva la trace de cette famille, des gens pauvres et dans le besoin, en proie à leurs démons – l'épidémie de crack s'était frayé un chemin vers le Sud jusqu'à eux. Elle n'était pas riche mais elle était travailleuse, même pendant ses années de fêtarde. Eloise vendit son deux-pièces de Kreuzberg en échange d'un studio sur la Simon-Dach Strasse à Friedrichshain. Elle s'entretint avec un conseiller financier et mit en place un modeste compte en banque destiné à la famille indigente de Claude. Parce que c'est exactement ce que devait faire une tante sobre et sans enfants. Lors de ses longues promenades sur la plage avec King Tyrone, son épouse et leur fille Deidre, elle remarqua les connaissances de l'enfant en matière d'oiseaux, de poissons et de crustacés. À partir de ce moment-là, elle lui envoya des livres sur les récifs coralliens, la vie marine à travers la planète, ainsi que des mappemondes et des boîtes de bretzels au chocolat. Quand ses supérieurs à l'ambassade américaine de Berlin lui offrirent une promotion amplement méritée, elle l'accepta. *Buckner sera toujours ma patrie*, dira-t-elle à Flora, *mais c'est en Allemagne que j'habite désormais.*

En 2006, elle déposa des fleurs sur la tombe de Flora et pleura à chaudes larmes. En 2009, elle déposa des fleurs sur la tombe de sa mère et pleura moins. Elle acheta une concession à côté de celle de sa mère, en vue de ses propres funérailles.

Deux jours après l'enterrement de sa mère, Eloise croisa Agnes Christie par hasard sur Main Street. C'était leur première rencontre depuis des années.

« Agnes, dit Eloise.

— Eloise », dit Agnes avant de continuer son chemin. Eloise fit un geste pour l'arrêter.

Elles restèrent sur le trottoir par cette fraîche journée d'automne tandis que les gens circulaient autour d'elles. Eloise eut soudain conscience d'avoir vieilli mais Agnes, eh bien, Agnes était fidèle à elle-même, toujours aussi jeune après tant d'années.

« Qu'est-ce que tu fais ici, Agnes ? À Buckner, je veux dire.

— Je pourrais te retourner la question.

— Ma mère est morte.

— Oh la la », dit Agnes. Elle éclata en sanglots et Eloise trouva cela étrange car, à part pour déposer des crevettes chez les Miller, Delores Delaney n'avait jamais adressé plus de deux mots à Agnes.

« Eddie, expliqua Agnes en sortant le vieux mouchoir rouge de son époux. C'est le cancer qui l'a emporté. »

Eloise lui adressa ses condoléances et, cette fois, elles furent sincères. « Je suis désolée, Agnes.

— C'était un homme bien.

— Je ne le connaissais pas mais je suis certaine qu'il l'était.

— Comment ? Comment tu peux en être certaine, Eloise ?

— Parce que je te connais, Agnes. Tu n'en aurais pas épousé un mauvais.

— Mais un homme bien peut épouser une mauvaise femme.

— Bon, là, on entre dans le domaine des contradictions, Agnes. Et je ne peux pas parler de contradictions l'estomac vide. J'allais justement déjeuner dans une de ces brasseries. Tu veux m'accompagner ? »

Les deux femmes s'attablèrent dans un café.

« Pourquoi tu ne t'habilles pas comme d'habitude ? » demanda Agnes. Une pointe de désapprobation teintait sa voix. Eloise portait une robe au lieu d'un pantalon, en hommage à sa défunte mère.

La question d'Agnes lui donna une lueur d'espoir. « Tu voudrais me voir en pantalon, Agnes ?

— Je suis simplement contente de te voir », répondit-elle en battant de ses cils aussi épais que dans leur enfance.

Eloise se sentit enhardie au point de retarder son vol de retour pour l'Allemagne. Elle invita Agnes à dîner le lendemain soir – ainsi qu'à boire des cocktails dans l'hôtel luxueux où elle avait pris une chambre au bord du fleuve.

« Ça pourrait être amusant. » Agnes lui montra des photos de ses deux filles devenues adultes, Beverly et Claudia, et de tous ses petits-enfants. Eloise parvenait à peine à feindre de l'intérêt.

« Ma cadette, Claudia, est spécialiste de Shakespeare », dit Agnes.

Eloise sourit. « Eh bien, c'est Sœur Mary la Pleureuse qui serait contente !

— Qui ? » Agnes plissa le nez. Elle rangea les photos et le portefeuille dans son sac en cuir.

« *Sœur Mary la Pleureuse* – la jeune nonne qui nous a enseigné Shakespeare à Saint-Paul, répondit Eloise en allumant une cigarette.

— Ma fille Claudia a connu Shakespeare grâce à Eddie – son père. (Agnes haussa les épaules.) Pourquoi aurais-je parlé à mes filles d'un endroit comme Saint-Paul ? Pourquoi voudrait-on parler d'un *endroit pareil* ?

— Tu es toujours aussi soupe au lait, toi, à osciller entre le chaud et le froid.

— Surtout le chaud. »

Mais Agnes ne viendra pas dîner ni boire des cocktails à l'hôtel d'Eloise le lendemain soir. Eloise restera assise sur le lit double dans la chambre avec vue sur le fleuve pollué qui n'en perdait pourtant rien de sa beauté. Elle regardera la lune blanche monter au-dessus de l'eau et se demandera si le petit homme râblé qu'elle avait vu jouer Shakespeare au Vietnam avait vraiment rendu Agnes heureuse.

Et elle dira, « Je savais qu'elle ne viendrait pas ». Et elle songera que c'est sans doute pour le mieux, car c'est une chose d'échanger des banalités dans un café, mais c'en est une autre de se voir vieille et grisonnante. *J'ai l'air jeune mais Agnes a l'air plus jeune encore.* Elle allumera une cigarette et se complaira quelques heures dans l'auto-apitoiement, se demandera ce qu'elle a bien pu oublier. A-t-elle oublié quoi que ce soit ? Elle a fermé son cœur à l'amour. Elle s'est mise à attendre. Attendre quelqu'un qui n'éprouverait jamais plus les mêmes sentiments. *Comment as-tu pu me laisser ainsi nue ? De quoi as-tu si peur, Agnes ? Franchement, qu'est-ce qui pourrait se passer qui ne s'est pas déjà passé ?*

En route vers l'Allemagne, elle se souviendra de Bessie Coleman. À son retour chez elle, elle fouillera dans le tiroir du bureau de sa chambre, en quête de l'article qu'elle aimait tant, enfant. Le papier aura fané mais Eloise Delaney arrivera à reconnaître les contours du visage de Bessie Coleman et quelques phrases. Eloise reprendra des cours d'aviation à Berlin cette semaine-là, et retrouvera l'amour des avions, à soixante ans passés. De temps à autre, elle invitera ses amies les plus intrépides à se joindre à elle. Elle continuera à tomber amoureuse, ou en amitié, avec un certain nombre de femmes qui, à des degrés différents, l'aimeront en retour. Mais viendra toujours cet instant inévitable où l'une d'elles dira : « Je ne m'attendais pas à ce que... »

Et Eloise lèvera les yeux au ciel et leur facilitera la tâche. « Ce n'est pas à cause de toi, ma chérie. Je ne suis pas faite pour les relations à long terme. »

Elle ira dans un pub de Friedrichshain pendant qu'elles feront leurs valises, mais rentrera à temps pour s'assurer qu'elles n'emportent rien qui ne leur appartienne pas.

Quand elle s'envolera dans son petit avion, elle ne se languira pas d'elles. Ni de personne. Ni de rien. Et pour s'amuser, elle inspectera le moteur de son avion, elle démontera et réassemblera mentalement chacun de ses éléments comme un diagramme d'anatomie féminine : vagin, petites lèvres, grandes lèvres, col utérin, utérus et ovaires... Et elle pensera, *Eloise, tu es l'incarnation de la vieille perverse.*

Elle continuera à fumer son paquet et demi de cigarettes quotidien : son seul vice. Et elle n'arrêtera pas, même quand les docteurs le lui conseilleront. *Qui êtes-vous pour dire à une vieille femme qu'elle ne peut pas fumer ses cigarettes ? Je vis à Berlin.*

Elle attrapera un rhume. À l'hôpital, ce rhume se muera en pneumonie. Elle se rétablira juste assez pour rentrer à son studio de Friedrichshain. Ses amis allemands appelleront sa famille à Buckner en Géorgie quand elle tombera malade une dernière fois. Elle aura soixante-trois ans, pas vieille comme Mathusalem – mais plus toute jeune non plus.

« Où est Maman ? Où est Papa ? Où est King Tyrone ? Agnes ? Agnes ? Oh, mon Dieu. *Où* est Agnes ? » Depuis son lit de mort, elle lèvera les yeux vers le visage de Deidre, la fille de King Tyrone qui sera venue à la place de son père, trop vieux et malade lui-même pour faire le déplacement de l'autre côté de l'Atlantique.

Eloise serrera les mains de Deidre et la questionnera sur les océans. À son grand plaisir, la jeune femme sera devenue biologiste marine. Elle nommera les océans à sa tante Eloise : Pacifique, Atlantique, Indien, Arctique et Austral. Eloise acquiescera et étreindra les mains de Deidre plus fort car ce sera sa façon à elle de se battre jusqu'au bout, elle prononcera à voix haute ces affreuses pensées haineuses qui lui embrumeront l'esprit. *Tata*, murmurera Deidre, *libère-toi de tout ça*. Eloise regardera derrière l'épaule de la jeune femme, où elle apercevra Flora, et sa maman, et son papa, et Sœur Mary la Pleureuse. Ils avanceront vers elle, ils la soulèveront de son lit en bois comme quatre porteurs de cercueil. Ils éclateront de rire, échangeront des bavardages d'outre-tombe qui bourdonneront aux oreilles d'Eloise. Et elle les insultera en anglais et en allemand.

« Sortez-moi de cette foutue boîte. Qu'est-ce qui ne tourne pas rond chez vous ? Pourquoi vous m'emportez ? Où est Agnes ? Sortez-moi de cette boîte ! Je veux être incinérée ! J'ai changé d'avis. Ne m'enterrez pas, compris ? »

Mais les morts continueront à déambuler en portant Eloise, et Eloise – ou ce qu'on appelle une âme – s'envolera par la fenêtre, indignée, passera devant le drapeau tricolore claquant au vent, l'entrepôt au bout de la rue peuplé de nouveaux squatteurs qui évolueront pareils à des ombres dans les lumières clignotantes et changeantes selon que l'électricité aura été détournée plus ou moins bien. L'âme d'Eloise s'arrêtera un millième de seconde, cherchant à percevoir les faibles échos de la musique. Mais il n'y aura pas de musique.

Bonjour

Au revoir

Et embrassez bien mon cul noir

Seule sa voix s'élèvera vers le ciel et saluera les éléments.

Le poids d'un alligator

2010

Ses filles furent surprises quand Agnes leur annonça son retour en Géorgie, se joignant à une vague de retraités qui quittaient les villes du Nord après avoir vendu ou hypothéqué leur maison, ou qui fuyaient des enfants et petits-enfants dysfonctionnels, ou espéraient simplement renouer avec leurs proches avant de mourir dans leur région natale. Avec Agnes, c'était un peu moins sentimental et compliqué. Elle souffrait de crises handicapantes de polyarthrite rhumatoïde. Quand elle quittait parfois son appartement, le vent chantait dans ses articulations d'atroces mélodies. Et depuis qu'Eddie avait disparu, deux ans plus tôt, aucune main tendre ne pouvait la soulager par un massage au baume du tigre. Au cours des mois d'hiver, Agnes se sentait souvent isolée – trop intimidée par le froid pour s'aventurer dehors. Elle laissa à Beverly et ses quatre enfants l'appartement à loyer encadré à l'angle de Riverside et de la 155ᵉ Rue où elle avait emménagé après le décès d'Eddie, au profit du climat plus chaud de la Géorgie où vivaient encore une poignée d'amis et de proches. Un nombre impressionnant d'entre eux étaient obèses, ou aveugles et diabétiques, assistés de déambulateurs ou de cannes. Ils la considérèrent avec suspicion. « Où est-ce que tu as trouvé la fontaine de Jouvence ?

— Fontaine de Jouvence, répétait Agnes, les yeux baissés sur ses baskets Aerosoles à semelles compensées. J'ai passé la moitié de ma vie à New York. Je pense que j'étais née pour marcher. » Dans ces instants-là, elle était heureuse d'avoir loué un petit studio à distance raisonnable de la bibliothèque de quartier. Elle était heureuse d'avoir acheté une Saab vert sapin d'occasion et de pouvoir faire ses propres courses au magasin Whole Foods ou au marché local hebdomadaire. Elle n'était pas très religieuse mais, chaque matin au lever, elle récitait une prière silencieuse. « Dieu, bénis ces membres. »

Trois jours par semaine, Agnes Christie était bénévole à la bibliothèque. Deux fois par semaine, elle enseignait l'anglais à des immigrants mexicains venus travailler à l'usine de conditionnement de poulet à Buckner, non loin de chez elle. C'était une idée de Beverly, qui lui avait suggéré de s'inscrire à une formation diplômante d'anglais langue étrangère avant de rentrer dans le Sud. « Maman, avait dit Beverly, je t'imagine bien retourner là-bas et déprimer si tu ne trouves pas d'occupation. » Mais c'était Claudia et son mari Rufus qui l'avaient inscrite et avaient financé la formation, ainsi que son billet d'avion et les frais de déménagement en guise de cadeau d'au revoir.

Un gamin noir de dix ans entra dans la bibliothèque et demanda un exemplaire de *La Pierre de Chanteux*. Agnes consulta d'abord le catalogue scientifique, pensant qu'il s'agissait peut-être d'un minéral qu'elle ne connaissait pas. Mais à sa troisième tentative, elle parcourut le catalogue de littérature générale et trouva *La Pierre de l'enchanteur*. Elle tourna l'écran vers le garçon et lui montra le titre : « Tu parles de *La Pierre de l'enchanteur* ? » Le garçon cilla. Il avait un visage anguleux et ses yeux, remarqua Agnes, étaient bien trop petits pour son crâne. « Ouais, c'est celui-là », dit-il. Par curiosité – elle ne s'estimait pas de nature cruelle –, Agnes fit tomber sur le sol en lino deux pièces de vingt-cinq cents, trois de dix cents et un penny. Elle les regarda rouler et attendit de voir si le garçon aurait la politesse de les ramasser.

« Alors, combien est-ce qu'il y a en tout ? » demanda-t-elle d'un ton enjoué. Une dernière pièce lui réchauffait la paume de la main. Le garçon resta au comptoir d'accueil tandis qu'il comptait quatre-vingt-un cents et articulait les chiffres en silence. Elle l'observa et s'efforça d'éprouver un peu de compassion, tout comme elle s'efforçait de ne pas se vanter de ses beaux petits-enfants, Elijah et Winona, qui avaient su lire, soustraire et additionner à deux ans. Face au garçon, un goût amer se logea dans la gorge d'Agnes, pareil à celui d'un morceau de kiwi pourri. La simplicité du garçon lui fit aussitôt songer à la situation plus précaire de ses autres petits-enfants : Minerva, Peanut, Keisha et Lamar. Les jours difficiles où les enfants étaient bruyants et dissipés au point qu'elle devait faire appel au vigile pour les faire sortir de la bibliothèque ou les faire taire, Agnes retenait souvent son souffle et se demandait ce qu'il adviendrait des enfants de sa fille Beverly. Elle ne les avait pas vus depuis Noël.

« Tu as quel âge, mon chou ? demanda-t-elle.

— Dix ans. »

Elle avait deviné juste. Agnes dit au garçon de garder les pièces de monnaie et lui glissa un billet de un dollar en douce. Après le travail, elle parcourut les cinq pâtés de maisons à pied jusqu'à la poste de Buckner et déposa en guise de pénitence une carte qui disait *Vous me manquez*. L'enveloppe contenait quarante dollars, dix pour chaque enfant de Beverly.

Deux jours après que le garçon eut emprunté *La Pierre de l'enchanteur*, il revint à la bibliothèque et demanda à Agnes d'acheter des barres chocolatées pour la collecte de fonds de l'école. Elle en choisit quatre au chocolat au lait et lui demanda de ne plus l'importuner. L'école élémentaire de Purvis se trouvait juste en face de la bibliothèque. Trois fois par semaine, quarante minutes avant la fermeture, le principal passait et parcourait les rangées d'essais. Wilson Tart prenait tout son temps dans la section des sports avant de s'approcher du bureau d'accueil avec une ou deux biographies, généralement d'anciens joueurs de base-ball de la Negro League d'antan comme Josh Gibson, le « Babe Ruth noir ». Agnes partageait l'intérêt du principal pour les essais en général, mais elle se tournait plutôt vers la faune et la flore endémique des marais et des terres côtières humides, et la vie qui y trouvait refuge.

Elle ne pensait pas qu'il y aurait un autre homme après Eddie. Agnes n'en voulait pas. Elle songeait que si Wilson Tart apprenait son âge, il ferait marche arrière et irait chercher ailleurs. Elle déclina sa première invitation au festival de jazz du comté – les festivals de jazz lui serreraient le cœur – mais elle accepta un brunch au buffet dominical du Longhorn. Les brunchs dominicaux devinrent rapidement leur routine. Devant une assiette débordante de tilapia farci, un poisson qu'ils s'accordaient à trouver fade, Wilson demanda à Agnes si elle ne trouvait pas les jeunes plus laxistes, ces derniers temps, et si quelque chose en eux n'était pas irrémédiablement souillé.

« Agnes, dit-il en extrayant la farce du tilapia avec sa cuillère. Parfois, ils deviennent complètement incontrôlables et je suis obligé de leur botter les fesses. » Wilson était un sexagénaire chauve et rasé de près. Il avait perdu ses cheveux à vingt-neuf ans. Ils avaient fait sa joie et sa fierté, un halo de boucles naturelles qui ne demandaient aucun produit à friser, ni Dudley's Waving Wave, ni Jheri Curl. Par réflexe, il portait parfois la main à sa tignasse absente.

La punition, expliqua-t-il, était principalement verbale mais, quand l'occasion l'exigeait, il traînait un élève dans son bureau, loin des caméras de surveillance, et lui assénait un coup sur le crâne.

« À qui tu t'adresses de cette façon, fiston ? » Wilson rejouait sa façon de secouer un élève. « Ma grand-mère adorée m'aurait fouetté pour moins que ça.

— L'un d'eux va finir par vous dénoncer, l'avertit Agnes. Et ce sera la fin d'une longue et belle carrière. »

Wilson réajusta sa position sur la banquette rembourrée. « Personne ne m'a encore jamais dénoncé. Ces jeunes imbéciles ont besoin de discipline. »

Agnes n'avait jamais été disciplinée dans son enfance. Elle n'avait jamais fessé Claudia ni Beverly. Elle avait délégué cette tâche à Eddie, qui assénait rarement les punitions car il ne se faisait pas confiance. Et leurs deux filles avaient bien grandi. Sa première fille était la plus exigeante. Beverly était venue au monde avec un besoin qu'Agnes n'avait jamais pu combler : un amour infaillible qui s'ancrait dans tout ce qu'elle regardait ou touchait. Elle exigeait son amour avec une joie qui vidait Agnes de son énergie dans ses jeunes années de maternité, elle qui venait de fuir Buckner et se réhabituait lentement aux sentiments humains. Quand son autre fille arriva, Agnes se trouva mieux. Quand il y eut une distance suffisante entre les événements de Damascus Road et la femme qu'Agnes pensait pouvoir devenir. Agnes honorait la mémoire de Claude en aimant Claudia autant qu'il l'aurait fait si elle avait été son enfant.

« De temps, dit-elle à Wilson. Parfois, les jeunes ont besoin de temps, davantage que de discipline. »

Wilson Tart dévisagea Agnes. Il la dévisageait toujours. « Il y a une séance au cinéma du centre commercial. On pourrait peut-être sauter le dessert. Ou on peut regarder un film chez moi. »

Le pauvre, pensa Agnes. Wilson Tart la désirait. Les hommes et les femmes l'avaient toujours désirée. Devant l'expression optimiste de Wilson Tart au crâne chauve, sa fierté se vit momentanément honorée. Il était bon d'avoir de la compagnie dans ses vieux jours.

« La semaine prochaine, Wilson, dit-elle avec un sourire. J'ai rendez-vous au téléphone avec ma fille cadette, Claudia, à 8 heures. Je ne voudrais pas rentrer en catastrophe. »

DES QUESTIONS, DES QUESTIONS, DES QUESTIONS.

« Maman, comment on peut aimer assez quelqu'un ? Comment tu faisais pour aimer assez Papa ? » Claudia avait réveillé Agnes en pleine nuit, récemment.

Agnes s'était assise sur le lit dans sa chemise à carreaux, soulagée que cet appel de minuit n'annonce pas un décès ou une tragédie.

« Ma chérie, avait répondu Agnes en s'accoutumant à la pénombre de la chambre et au halo bleu de son téléphone portable. On n'avait pas le temps de songer à tout ça. Et tu ne devrais pas, toi non plus. »

Mais quand elle eut raccroché, les questions de Claudia l'empêchèrent de dormir. Cette idée d'aimer *assez* quelqu'un au lieu de l'aimer tout simplement, dans l'instant présent, en se fiant à la vérité de cet amour car on ignorait quand viendrait notre dernier jour. Son Eddie avait passé les premières années cruciales de leur mariage au Vietnam. Il avait détesté cette guerre mais, pour des raisons qui échappaient totalement à Agnes, il s'était rengagé. Son Eddie était un homme errant et instable, même quand il se tenait juste devant elle. C'était dans son tempérament.

Quand Claudia aborda une nouvelle fois le sujet, Agnes demanda à sa fille ce qui n'allait pas. « Tu aimes encore Rufus ?

— C'est cette histoire avec Winnie. Elle va mieux. On y travaille, Maman, mais parfois c'est comme si on ne se connaissait pas du tout.

— Ça n'a pas de sens...

— Si, Maman. Ça en a. Tu n'as jamais senti que Papa et toi, vous vous éloigniez l'un de l'autre ?

— Mais *à quoi bon* connaître parfaitement l'autre ?

— C'est ce qu'on fait, dans un couple. »

De nos jours, les gens pensent qu'il faut tout connaître de son partenaire, songea Agnes, mais elle répondit à sa fille : « Il y a des choses qui ne sont pas censées être connues. Il faut avancer avec précaution. Ne pas étouffer le mystère de l'amour. »

Quand Eddie était au Vietnam, Agnes avait l'habitude d'entrer dans un bar le soir et de commander un cosmopolitan. Elle déposait les filles chez la mère d'Eddie pour la nuit et faisait une pause. Seule, elle s'asseyait sur une chaise en bois et observait autour d'elle jusqu'à ce qu'une autre femme l'aborde. Elle n'attendait jamais longtemps. Elle se levait et les motifs de sa robe-portefeuille tournoyaient avec elle. « J'attendais une amie », mentait-elle. Et si la femme essayait de l'attirer dans une conversation ou d'interrompre sa tentative de fuite, Agnes riait et, d'un haussement d'épaules, refusait sa proposition de payer son addition.

« Je crois que mon amie essayait de me dire quelque chose. En m'invitant ici. Elle doit essayer de me dire quelque chose. » Elle rajustait la ceinture de sa robe-portefeuille sans jamais quitter des yeux les femmes qui dansaient sur la piste, gauche droite gauche droite gauche droite, au son des Staples, *I'll Take You There*, ou se massaient en petits groupes autour de la table de billard au revêtement de velours rouge.

Et parfois, moins fréquemment, mais bien plus fréquemment que la mémoire d'Agnes ne voulait l'admettre, elle se calait sur son tabouret de bar et commandait un autre verre au barman. « Et si je changeais un peu ? Je vais prendre un side-car, cette fois. Eloise ne devrait plus tarder.

— À quoi elle ressemble ? » Une conversation s'engageait avec la femme à sa gauche ou à sa droite.

« Oh, répondait Agnes, ses bras ornés de bijoux posés sur le bord du comptoir. Elle mesure environ un mètre soixante-dix, une peau caramel, celui que les Espagnols appellent *dulce de leche*. J'imagine qu'elle portera un débardeur, un pantalon fuseau et un borsalino quelconque. »

Entre deux gorgées de Cointreau, de jus de citron et de cognac qui composaient son side-car, Agnes décrivait sa première rencontre avec Eloise. Comment Eloise était orpheline, en quelque sorte, abandonnée sur le pas de porte devant chez elle. Comment elles avaient partagé la même chambre jusqu'à l'adolescence avant de s'éloigner. La fumée de cigarette dans le bar offrait un écran assez épais pour masquer les demi-vérités d'Agnes et ses mensonges tout faits.

« Les gens se sentent seuls et font des choses idiotes, vraiment idiotes, disait Agnes. Comme décrocher le téléphone et appeler d'anciennes amantes qu'il vaudrait mieux oublier, ou des amis qui n'ont jamais vraiment été des amis. »

De façon aléatoire, le téléphone sonnait chez Eddie et Agnes Christie, dans le sud du Bronx : au hasard des mois, des jours et des heures. On aurait presque pu penser que l'appareil avait une volonté propre. Il y avait bien sûr un doigt qui faisait tourner le cadran à l'autre bout, ou qui appuyait sur les touches. Agnes savait qu'il s'agissait d'Eloise, avant même que les premiers mots ne soient prononcés.

« Je sais qu'il y a quelqu'un au bout du fil », disait Agnes en couvrant le combiné et en regardant par-dessus son épaule afin de s'assurer que ses filles ne pouvaient pas l'entendre. Une respiration, encore, à l'autre bout. « Qui est-ce ?

— Personne d'important, répondait Eloise Delaney. Raccroche.

— Je voudrais bien, si seulement je comprenais pourquoi les gens insistent parfois.

— Par amour, murmurait Eloise.

— Je ne connais rien à ce sujet.

— Oui, je pense que l'amour est mon fardeau, rien qu'à moi.

— Eloise, c'est mal d'appeler chez moi.

— Où dois-je t'appeler, alors ?

— Nulle. Part.

— Quand pourrai-je te voir ?

— Tu me vois tous les jours, répondit Agnes. Tends la main. Là, dans l'air. »

Il y avait toujours un moment le soir où même la séductrice la plus déterminée considérait Agnes d'un regard las et se levait en quête d'autres options. Au Hazel's, un bar lesbien interracial dans le West Village en 1972, Sandy Simmens écouta Agnes pendant trois bons quarts d'heure avant de plonger la main dans sa poche et d'en sortir un coupe-ongles et une lime. Sandy avait ainsi appris dans son enfance à contenir sa colère, quand quelqu'un la traitait de gouine, de goudou ou de broute-minou. Elle se coupait calmement les ongles avant de se lancer dans une bagarre. De cette manière, son adversaire avait le temps de faire machine arrière, et elle avait le temps d'estimer si elle en sortirait vaincue ou victorieuse.

« Bon, écoute, dit Sandy Simmens à Agnes. Personne n'a envie d'entendre tes conneries. Soit tu restes assise là toute seule, soit tu rentres avec moi et on baise. »

L'attitude franche de Sandy Simmens plut à Agnes. Tout comme son afro coupée court et sa chemise blanche immaculée rentrée dans un jean Halston à ceinture couleur taupe. Elle faillit lui dire à quel point elle lui rappelait Eloise.

En règle générale, Agnes ne couchait jamais deux fois avec la même femme. Mais Sandy l'embrassa. Elle la lécha. Elle la sauta. Et elle la taquina, jouant des notes sur son corps qui n'étaient pas sans lui évoquer les musiciens de jazz au restaurant à l'étage du Hazel's, celui où Agnes ne mettait jamais les pieds car le jazz lui serrait le cœur ; car le poulet, les crevettes et le poisson que les cuisiniers passaient à la farine afin d'en garder la légèreté laissaient descendre leurs effluves jusque dans le bar où ils se mêlaient aux cigarettes mentholées, si bien que l'odeur s'accrochait à ses vêtements et qu'elle était obligée de les laver une fois, deux fois, trois fois avant de pouvoir se débarrasser des relents de friture.

« Qui que ce soit, elle a été bonne professeure », dit Sandy penchée en travers du lit double afin d'attraper une boîte d'allumettes Morton Salt. Les bruits de la rue entraient par la fenêtre donnant sur la terrasse du studio de Sandy.

« Qu'est-ce qui te fait croire que j'ai eu besoin d'une professeure ? rétorqua Agnes, prise d'une timidité soudaine, les draps enroulés autour de ses épaules nues.

— Détends-toi, lâcha Sandy, le coude posé sur un oreiller. On devrait recommencer. Dîner. Ou un truc du genre. »

Elle connaissait des hommes dans le Sud qui abandonnaient femme et enfants. *Pauvre Eloise*. Des enfants qui attendaient, le regard fixe derrière un rideau, guettant le retour d'un père ou d'une mère, presque toujours un père. Eloise avait été l'une d'entre eux, bien qu'à l'époque Agnes ait été trop centrée sur elle-même pour en avoir conscience. Oui, oui, Agnes connaissait des hommes qui débarquaient de temps en temps et passaient voir leur progéniture, leur achetaient un sachet de pop-corn ou leur rapportaient des cookies de l'épicerie du coin. Agnes n'avait pas été de ces enfants-là. Elle était la fille d'un diacre, c'était tout à fait différent.

Agnes assaillit Sandy de baisers puis elle prit un chemin détourné jusque chez elle dans le Bronx, autrement dit, elle prit au sud vers Brooklyn avant de repartir au nord à bord d'un taxi illégal dans Arthur Avenue. Elle reverrait Sandy à trois reprises, puis se renfermerait comme à son habitude.

Elle rencontra Eddie Christie en 1967. Ils étaient invités à la réception de mariage de la cousine d'Agnes, Charlotte Applewood, un déjeuner dominical tardif organisé un après-midi par les parents d'Agnes.

« Tu as un nuage au-dessus de la tête », s'exclama Eddie Christie. Il sautait ici et là sur la longue pelouse verte, s'efforçant de chasser le nuage. Agnes tendit son long cou vers les cieux mais n'y vit rien d'autre que le bleu de l'azur.

« Un nuage éclatant de tristesse.

— Va-t'en », dit-elle. Elle faisait un effort immense pour sauver les apparences. Elle n'était pas d'humeur à assister à une fête ou un déjeuner.

« Paf, paf », lança-t-il, évoluant en cercle

autour des tables et des chaises du patio, chassant les nuages d'un geste brutal des mains. Agnes étouffa une envie puissante de le repousser à jamais dans l'hier, le lendemain ou le milieu de l'année suivante.

Un mois plus tôt, Edward Christie avait tenu le rôle de témoin au mariage de Charlotte et Reuben Applewood à Las Vegas. À présent, le petit homme à la peau brune abîmait la pelouse luxuriante de la famille Miller avec ses chaussures militaires rutilantes et son uniforme de la Navy aux boutons dorés. Agnes trouvait qu'il ressemblait à un pingouin bleu nuit.

« Tu es pénible », lâcha-t-elle sèchement.

Eddie tendit le bras afin de retirer un autre nuage au-dessus d'elle mais s'arrêta net en voyant la file qui se formait autour du punch. Agnes regarda ses talons retoucher terre, puis il pivota en direction du nord-ouest, l'abandonna et se fraya un chemin d'une table à l'autre où il prit les commandes des paroissiennes installées là. C'était le printemps, les azalées roses s'épanouissaient partout mais pas autant que sur les robes fleuries de ces dames. Eddie se penchait et écoutait attentivement les vieilles biques qui lui chuchotaient à l'oreille. Agnes devinait ce qu'elles lui disaient. *D'où as-tu dit que tu venais, mon cher ? Oh ça alors, n'est-il pas le plus gentil ? Peux-tu apporter cette enveloppe aux mariés ? Ce n'est pas grand-chose mais ça suffira peut-être à acheter un ensemble de plats Corningware.* Eddie Christie ne semblait pas agacé ni repoussé par leur radotage, mais Agnes savait, elle *savait* que l'haleine des vieilles biques devait être humide et brûlante, un mélange désagréable de salive et de pastilles aux plantes pour la gorge qu'elles préféraient aux chewing-gums à la menthe.

Agnes gravita vers la table du dessert. Au centre trônait une magnifique pièce montée à trois étages. Elle avait passé la nuit entière avec sa mère, Lady Miller, à badigeonner le gâteau d'un glaçage royal au citron. Lady Miller proposait ses services de pâtissière aux membres de leur paroisse. Parfois, elle préparait les gâteaux plusieurs semaines à l'avance et les conservait dans le congélateur du garage. Mais le gâteau de

Charlotte, son unique nièce, avait été préparé tout spécialement la veille.

« Tu dors beaucoup, ces temps-ci, avait commenté Lady Miller en aspergeant la spatule d'eau chaude afin que les miettes inesthétiques ne se mélangent au glaçage lisse.

— Je suis fatiguée.

— Tu es sûre qu'il n'y a rien d'autre ? »

Trois semaines plus tôt, Agnes avait rompu avec Claude Johnson. Depuis, sa mère cherchait désespérément une explication.

« Maman, rassure-toi. Je ne suis pas enceinte.

— C'est à cause d'elle ? »

Agnes avait plongé le doigt dans le glaçage. Un geste que sa mère n'appréciait pas, elle le savait. « Dis son nom.

— Eloise », avait lâché Lady Miller. C'était sa mère qui avait demandé à Eloise de partir.

« Eloise Delaney est le cadet de mes soucis », avait rétorqué Agnes. Elle avait aimé Claude Johnson plus que quiconque. Peut-être même davantage qu'Eloise, si c'était possible, mais sa mère ne pouvait pas le comprendre. Et Agnes n'avait pas le courage ni les moyens de le lui expliquer.

Eddie Christie termina de servir les boissons et rejoignit Agnes à la table du dessert en engloutissant les nuages comme un cracheur de feu avale les flammes. Agnes fit volte-face et scruta l'intérieur de sa bouche. L'espace d'une seconde, elle vit un nuage dans son souffle. Il s'inclina, un geste galant, déglutit avec peine et oscilla d'une manière si théâtrale qu'elle sourit. C'était son premier sourire depuis Damascus Road. Elle souriait car il était petit et laid, qu'il lui évoquait l'écrivain noir dont ils avaient étudié l'œuvre en cours de littérature à l'université de Buckner : James Baldwin. Sauf que Baldwin, d'après ses souvenirs, était un homme mince. Eddie Christie risquait d'épaissir s'il ne se surveillait pas. Mais de quoi s'agissait-il ? Il dégageait quelque chose d'attachant.

« Bon, j'ai rajouté de l'alcool dans le punch, dit-il. Je suis prêt à manger du gâteau. »

Une voix l'appela dans la foule des convives. *Eddie ? Eddie, mon chéri ?* Avec autant de légèreté qu'il avait avalé les nuages, il disparut, sollicité pour une nouvelle commission. Agnes attendit que Charlotte et Reuben Applewood entrecroisent leurs bras et découpent la pièce montée, offrant chacun une bouchée à l'autre. Agnes trouva la manœuvre délicate, aussi délicate que la robe jaune à crinoline très chic que portait Charlotte. Chez les Miller, les femmes s'habillaient avec goût, voire même magnificence. Chez les Miller, les femmes faisaient toutes de bons mariages.

« Qui est-ce, déjà ? chuchota Agnes à l'attention de Charlotte Applewood, avec un geste du menton en direction d'Eddie Christie.

— C'est Eddie, le cousin de Reuben. »

Reuben Applewood était beau. Méticuleux. On pouvait le regarder sous cinq angles différents, et sous chaque angle, il avait belle allure. Reuben et Agnes avaient été élèves dans la même école catholique. Leurs parents vénéraient le même dieu. Elle le regarda se faufiler jusqu'à une table où il enlaça sa tante Flora, qui était déjà en train d'enlacer Eddie.

« Eh bien ça alors, ils ne se ressemblent absolument pas – Eddie et Reuben. »

Charlotte lissa les plis de sa robe jaune et rit. « Tu sais, on a des cousins par le sang, et des cousins par amitié qui nous sont tout aussi chers. »

N'est-ce pas ? pensa Agnes. Les gens avaient répété tout l'après-midi qu'elle serait la prochaine à trouver un mari. Qu'elle et Charlotte auraient pu passer pour deux sœurs jumelles. Agnes avait essayé de ne pas s'en vexer.

« Eh bien, il est très agité, conclut Agnes. Et je n'aime pas les hommes petits.

— Agnes, dit Charlotte. Je ne me rappelle pas t'avoir demandé ce que tu aimais, ni qui tu appréciais. » Et elle ne fit pas remarquer non plus qu'Agnes avait coupé deux parts de gâteau. Il y avait toujours eu un fossé entre ces deux cousines et, enfants, elles n'avaient jamais réussi à jouer ensemble.

« Sors tous les jouets que tu as cachés », disait Charlotte à Agnes. Elles étaient filles uniques et on leur avait appris à cacher leurs jouets préférés avant l'arrivée de leurs amis : les jolies dînettes en porcelaine étaient posées sur des étagères en hauteur, remplacées par des éléments en plastique ; la poupée de l'an passé était allongée sur le lit, et la nouvelle, qui pleurait et faisait pipi, était dissimulée dans le coffre en bois de cèdre. Et quand Agnes refusait de prêter sa dînette en porcelaine, Charlotte lui tirait la queue-de-cheval jusqu'à ce qu'une de leurs mères intervienne.

La distance géographique avait généré un sentiment proche de l'affection. La famille de Charlotte était partie dans l'Ohio quand les fillettes avaient huit ans.

À la fin de la fête, Eddie et Agnes s'amusèrent à tournoyer sur place, même en mangeant le gâteau au citron.

« Tu ne sais pas te tenir tranquille et immobile ? le taquina-t-elle, mais elle tanguait bien plus que lui, prise de vertiges. Je commence à croire que tu as vraiment rajouté de l'alcool dans le punch. »

Eddie sourit. « L'immobilité, c'est un problème pour moi. »

Elle remarqua ses parfaites dents blanches. Une de ses rares qualités physiques. Il lui dit qu'il partait au Vietnam six semaines plus tard.

« La prochaine fois, j'aurai peut-être besoin de toi pour dissiper certains de mes propres nuages. »

Agnes, qui ne trouvait aucune parole réconfortante à prononcer, retira ses escarpins. Sans ses chaussures, ils avaient presque la même taille. Ils se mirent à ranger les chaises longues de ses parents. La magie qui avait fait de la fête un moment étincelant quelques heures plus tôt s'était évaporée. Les cigales se mirent à chanter.

Quand les chaises longues furent toutes repliées, Eddie les transporta à la petite remise où ils stockaient les glacières, le barbecue et les meubles de jardin pendant l'hiver. Sa mère les observa d'un regard approbateur. Lady et Deacon Miller étaient soulagés de voir Agnes faire autre chose que dormir.

« Quelqu'un a eu l'idée brillante de daller notre jardin dans le Bronx, dit Eddie. La première chose que je ferai à mon retour, ce sera de retirer les dalles. Bon sang, peut-être même que je sèmerai une pelouse comme celle-ci. Avec un coin pour jouer aux *bocce*. »

Agnes n'avait jamais entendu parler des *bocce*. Eddie lui expliqua qu'il s'agissait d'un sport de la famille du bowling qui se jouait depuis la Rome antique. Il lui raconta comment les Italiens y jouaient dans leur jardin et dans les parcs de quartier, et il les imita lancer la boule et jurer en italien quand ils manquaient la cible. Agnes aimait le fait qu'il parle italien. C'est alors qu'ils eurent l'idée d'aller à Sears ou à J.C. Penney, voir s'ils pourraient y trouver un set de *bocce*.

« Comme ça, tu pourras y jouer en pensant à moi », expliqua Eddie.

Sears et J.C. Penney furent un échec – aucun des deux magasins ne vendait de jeu de *bocce* – mais les employés dirent qu'ils seraient ravis d'en commander un. L'entrain du moment se dissipa mais la faim, elle, était réelle. Bien qu'ils eussent beaucoup mangé pendant la réception, Agnes emmena Eddie dans un restaurant de grillades qui proposait les meilleures côtes de porc de la ville, elle pouvait le jurer. Il était 22 heures quand ils se garèrent devant la maison des Miller. Les silhouettes de ses parents, devant la télé, étaient visibles par les baies vitrées.

Eddie laissa la voiture au point mort. La vieille Buick appartenait à son père. Il avait fait le trajet avec du Bronx à la Géorgie. « Je vais devoir t'envoyer un jeu de *bocce* alors, ou il faudra que tu viennes le chercher à New York. »

Agnes acquiesça et, sans lui dire au revoir, elle descendit de voiture. Avant que ses pieds n'aient touché le sol, elle éclata en sanglots. Eddie, qui n'avait pas eu le temps de sortir et d'aller lui ouvrir la portière, se pencha et posa la main sur son épaule.

« Qu'est-ce qu'il t'arrive, Agnes ? »

Elle ouvrit la bouche mais n'avait pas les mots pour expliquer ce qu'elle avait subi à Damascus Road. Elle voulait raconter à

Eddie comment elle avait regardé à gauche et à droite, vers les arbres inclinés en quête de soleil dans les marais. Comment... Ses yeux l'avaient-ils trompée ? Des serpents noirs semblaient suspendus aux branches. Comment elle avait regardé le ciel, comment le ciel lui avait paru infini. Et son cœur avait bondi, avait jailli de sa poitrine par sa bouche jusqu'à Claude Johnson. Cet agent de police, que faisait-il à Claude ? Et où était donc Dieu ? Dieu était-il aphone et aveugle, ce soir-là ? Ou bien le sommeil lui embuait-il encore trop les yeux ? Les animaux et les êtres qui circulaient dans les marais avaient pris la place de Dieu comme témoins. Oui, oui, elle voulait raconter tout ça à Eddie Christie, mais le mieux qu'elle put dire, c'était que les vêtements lui procuraient un véritable plaisir : un joli morceau de tissu, la façon dont la soie lui frôlait la peau, combien la dentelle et le tulle étaient élégants, une jupe en laine, une robe d'été en pur coton qui se soulevait, gonflait dans la brise, accrochée au vent. Enfant, elle avait collectionné les patrons de couture : *Redbook*, *McCormick*, *Simplicity*, *McCall*, elle les disposait sur le tapis de sa chambre, s'agenouillait, sentait le poids des ciseaux entre ses mains tandis qu'elle suivait les contours du patron, puis elle coupait, donnait forme à l'informe. Mais qu'étaient donc les vêtements, en réalité, sinon une pensée résiduelle, une fausse couverture ? Les objets légers n'offraient jamais de véritable protection. Un agent de police se tourne vers vous et déclare, *Mademoiselle, si vous ne l'enlevez pas vous-même, je m'en chargerai. Mieux vaut vous que moi, mademoiselle, non ? Cette robe a dû vous coûter une petite fortune.* Et c'était vrai, choisie sur un portant de chez Fine en vue du concert auquel ils devaient assister, Claude Johnson et elle. « Regarde donc celle-ci, Agnes, s'était exclamée Lady Miller. Celle-ci. Comme elle est jolie ! »

Eddie lui tendit un mouchoir rouge qu'il avait tiré de la boîte à gants. Il la laissa assise sur le siège passager en silence, à moitié dedans, à moitié dehors, les pieds frôlant le trottoir. Il ne savait pas s'il devait tendre le bras, peut-être, en un geste de consolation. Mais il ne voulait pas risquer de la dégoûter. Il n'avait pas saisi tout ce qu'elle avait dit mais il comprenait qu'une chose terrible était arrivée à Agnes Miller. Il se mit à transpirer, rêvant de pouvoir effacer cette chose de sa mémoire.

« Il faut que tu saches un truc à propos du Bronx, finit-il par dire au bout de ce qui lui parut une éternité. Le Bronx c'est laid. Mais c'est aussi un bel endroit où vivre. »

Agnes songea que le petit homme se décrivait peut-être lui-même. Son premier instinct était de filer, de s'enfuir, mais elle ne pouvait se résoudre à lâcher le mouchoir d'Eddie Christie.

Chaque jeudi après-midi dans le comté de Buckner, en Géorgie, Agnes Christie et Charlotte Applewood arrachaient le chiendent sur les tombes d'ancêtres qu'elles n'avaient jamais connus mais dont elles s'occupaient désormais dans l'au-delà. Les deux vieilles femmes partageaient la perte de deux bons époux, dont aucun n'était enterré au cimetière de l'église épiscopale de St Andrew. Le mari d'Agnes avait été emporté un an et demi plus tôt par un cancer du foie. Le bien-aimé de Charlotte, Reuben, était mort subitement d'une rupture d'anévrisme. Les deux femmes, qui pouvaient à peine se supporter dans l'enfance, étaient ainsi devenues proches et bonnes amies. Elles arpentaient le centre commercial par temps de pluie afin de maintenir une pression artérielle correcte et d'éloigner le diabète autant que possible. Elles avaient commencé à entretenir le cimetière de St Andrew afin de rythmer leur quotidien, et plus tard, elles avaient découvert que plus elles s'y rendaient, et plus elles en apprenaient au sujet de leurs ancêtres enterrés là.

Le cimetière s'étendait près d'une des plus anciennes églises épiscopales noires du Sud. Une église construite pour les anciens esclaves. Agnes et Charlotte n'avaient pas connu St Andrew dans leur enfance car leurs mères s'étaient tournées vers les paroisses de leurs maris, abandonnant la sévérité des cultes épiscopaux au profit des célébrations méthodistes et baptistes plus vivantes. Agnes et Charlotte avaient épousé des hommes élevés dans la religion catholique mais Agnes n'allait à l'église de personne. Elle ne s'était cependant jamais opposée à ce qu'Eddie emmène les filles à la messe le dimanche (si elles le souhaitaient). Les enfants avaient besoin de croire en quelque chose, estimait Agnes, en prévision de l'époque où elles ne croiraient en rien.

« Comment vont tes filles ? demanda Charlotte à Agnes.

— Bien, d'après ce que j'en sais. » Elle se retint de dire à Charlotte qu'elle s'inquiétait pour le couple de Claudia. Qu'elle n'avait pas eu de nouvelles de Beverly depuis qu'elle avait déposé quarante dollars dans une enveloppe. Il lui semblait pourtant que Beverly aurait pu avoir la politesse de prendre son téléphone et la remercier. Ou de demander aux enfants de l'appeler. Elle était âgée et vivait sur une retraite fixe. L'argent n'était pas une ressource qu'elle distribuait volontiers.

« Et Gideon et Lonnie ? » demanda Agnes, venant à son tour aux nouvelles des enfants de Charlotte devenus adultes.

Cette dernière arrêta brièvement d'arracher le chiendent. « J'aimerais qu'ils viennent me voir plus souvent, ou au moins qu'ils appellent.

— Ils aiment mener leur vie de façon indépendante, Charlotte », dit Agnes, mais une part d'elle-même se réjouissait de savoir que les enfants adorés de Charlotte ne la contactaient pas non plus de façon régulière.

« Gideon et son compagnon sont en train d'adopter une petite fille de Nairobi, annonça Charlotte. Elle a environ six ans, l'âge du fils de Lonnie. »

Agnes scruta le visage de Charlotte, cherchant à comprendre comment son amie réagissait à l'homosexualité de son fils. Charlotte était-elle déçue de ne pas avoir de belle-fille ? Combien de nuits d'insomnie Charlotte et Reuben avaient-ils passées à discuter des habitudes de leur fils ? Combien d'heures de sommeil avaient-ils ainsi perdues ? Et ils vivaient à San Francisco, pas moins que cela.

« Ils ne peuvent pas adopter un bébé, plutôt ? Qui sait tous les problèmes que peut apporter une orpheline de six ans », commenta Agnes.

346

La campagne autour de St Andrew avait accueilli des hippies en quête d'un retour à la terre. Sur certaines parcelles, les gens cultivaient encore de la marijuana et des courgettes, de la moutarde brune et des plants de tomates. Mais récemment, de nouvelles maisons jaillissaient ici et là, des structures identiques pour classes moyennes qui semblaient prêtes à s'écrouler à la moindre rafale de vent. Il n'était pas inhabituel de voir un Noir en pantalon de cow-boy passer au trot sur un cheval blanc, ou d'entendre le sifflet des trains de marchandises en transit l'après-midi.

« Un bébé apporte son lot de problèmes aussi », dit Charlotte en se levant soudain.

Elle aurait habituellement aidé Agnes à se redresser, car l'arthrite bloquait parfois les articulations de sa cousine. Aujourd'hui, elle était plutôt décidée à laisser Agnes se remettre debout toute seule. Elles s'étaient tournées autour toute leur vie, Agnes et elle, et ces tours d'observation apportaient à Charlotte tristesse et fatigue. Elle avait donné un fils à son mari. Et Agnes n'arrivait pas à dire pourquoi, mais elle était pourtant convaincue qu'Eddie aurait voulu un garçon lui aussi. Elle avait le sentiment d'avoir trahi son époux, sur ce sujet comme sur bien d'autres encore.

« Réfléchis un peu ! dit Charlotte. Deacon et Lady Miller ont accueilli ton amie, Eloise Delaney. Imagine s'ils avaient préféré un bébé. Pendant un moment, elle était comme ta sœur. Mieux, non ? Ta meilleure amie ? »

Agnes se leva et garda son équilibre. Charlotte lui rendait aujourd'hui la monnaie de sa pièce.

« Ça fait des années que je n'ai pas vu Eloise ni pensé à elle », mentit Agnes. Elle l'avait vue un an plus tôt. Six mois après son retour dans le comté de Buckner. Elles avaient même déjeuné ensemble sur Main Street. Le repas s'était étonnamment bien passé mais plus tard, le soir, elle avait rompu sa promesse et n'était pas allée boire des cocktails avec Eloise à son hôtel. Elle était restée à son appartement, où elle avait rassemblé le moindre de ses vêtements, qu'elle avait amidonnés et repassés toute la nuit. Elle était trop vieille pour faire ressurgir les souvenirs. Et Eloise était une malle pleine de souvenirs.

Ce fut à présent au tour de Charlotte de scruter le visage d'Agnes en quête de vérité ou de mensonge. Charlotte jeta une poignée de chiendent dans le sac-poubelle noir et s'obligea à prendre un ton doux. Était-il vraiment possible qu'Agnes ne soit pas au courant ?

« Je pense que tu n'as pas lu le journal ce matin, Agnes ? dit-elle. La nécrologie d'Eloise Delaney y était publiée.

— Ce matin ? répéta Agnes.

— J'en ai bien peur, chère cousine. Oui. »

Agnes reprit son souffle, inspira une bouffée d'air dans son larynx.

De retour chez elle, elle s'affala sur le lit. Son corps brûlait et bruissait : la morsure d'une vie entière, si brutale et si tranchante qu'Agnes ne put se rendre au travail le lendemain matin, ni atteindre le téléphone et prévenir de son absence. Des milliers d'aiguilles lui transperçaient le corps, lui pinçaient les articulations et la peau, mais elle refusa d'offrir à la douleur la satisfaction de la faire pleurer. Elle parvint à se tourner sur le flanc et pensa – *l'espace d'une seule seconde* – qu'Eloise Delaney était au lit à côté d'elle, qu'elle la regardait comme elle l'avait fait quand elles étaient des gamines idiotes et inconscientes.

« Je suis tellement désolée, hurla-t-elle. Je suis tellement désolée, Eloise. »

Ce fut Wilson Tart qui passa chez Agnes prendre de ses nouvelles comme elle n'était pas venue travailler à la bibliothèque. Il frappa à la porte et le silence lui répondit. Un silence duquel il s'éloigna à reculons car il ne souhaitait pas voir une femme qu'il affectionnait à l'agonie ou en état de décomposition avancée. Il se souvint qu'elle avait une cousine en ville, et il appela Charlotte Applewood qui se présenta dix minutes plus tard avec une clé que lui avait confiée Agnes en cas d'urgence.

Charlotte téléphona aussitôt à Beverly et à Claudia.

À l'hôpital, on mit Agnes sous perfusion et elle sortit le jour même. Ses constantes vitales étaient normales. Ce qui semblait affecter ainsi Agnes, confirmèrent les docteurs avant même l'arrivée de Beverly et Claudia, n'était pas d'ordre physique.

« *Il faut que tu sortes de ton lit* », ordonna Beverly en arrachant les couvertures de sa mère quand Claudia et elle arrivèrent à Buckner vingt-quatre heures plus tard.

« Il se peut parfois que les personnes âgées dépriment, avait dit le docteur. Elles ne mangent plus. Elles ne dorment plus. »

Dans l'appartement d'Agnes, Beverly se montra ferme. « Le lit, c'est l'ennemi des vieux. Tu restes là-dedans encore un jour ou deux, et même Moïse n'arrivera plus à te faire lever de là.

— Claudia ? » dit Agnes en regardant derrière Beverly, vers la fille qu'elle avait toujours aimée. Celle qui aurait pu devenir ingénieure. Mais une carrière d'universitaire était bien aussi, sans doute.

Beverly recula et dit à Claudia : « À ton tour. »

Le choc de voir sa mère couchée fut insoutenable pour Claudia. Perdre sa mère après avoir perdu son père si récemment aurait été trop brutal.

« Tu dois écouter Bev, dit Claudia.

— Vous n'êtes pas obligées d'être ici, les filles.

— Mais qu'est-ce que tu veux qu'on fasse d'autre, Maman ? » Claudia instilla à sa voix les tons fermes de sa sœur. « Qu'on te laisse couchée là et mourir seule ? »

Agnes regarda la chambre autour d'elle. C'était la première fois qu'elle s'en rendait compte : elle n'avait jamais fait grand-chose afin de décorer et de s'approprier son logement. Il faudrait qu'elle y mette des photos et des bibelots. Elle ne pouvait pas continuer à vivre ainsi dans les limbes.

« Toute seule ? Non, j'ai un ou deux amis qui me tiennent compagnie. »

Claudia jeta un coup d'œil à Beverly. Les deux sœurs avaient lutté pour l'attention de leur père mais, à présent, Beverly posa la main sur l'épaule de sa sœur et demanda : « Maman, on est en quelle année ?

— En 2010.

— Tu as quel âge ?

— Je suis trop vieille à mon goût.

— Qui est le président actuel ?

— Un Noir. Sa femme s'appelle Michelle.

— Obama. Il s'appelle Obama, ajouta Claudia.

— Je connais le nom du président, Claudia. Comment vont mes petits-enfants ?

— Tu en as combien ? demanda Beverly.

— On aurait pu s'arrêter à la question de l'année, rétorqua Agnes.

— Rufus descend en voiture avec Winnie et Elijah. Et Chico amène les enfants de Beverly.

— Tous ? »

Beverly acquiesça. « Plus on est de fous, plus on rit.

— Seigneur Dieu. Il faut que l'on s'active. Vous savez comme je suis. Je ne veux pas qu'ils me voient dans cet état. »

Et c'est ainsi que Beverly et Claudia et Rufus et Winona et Elijah et Minerva et Peanut et Keisha et Lamar et Chico arrivèrent dans le comté de Buckner. Afin qu'ils fassent des économies, Agnes demanda avec insistance qu'ils logent chez elle mais Claudia et Rufus voulaient prendre une chambre en ville, dans un hôtel luxueux avec vue sur le fleuve. Ils prirent la suite familiale de luxe et, après une balade avec les enfants au bord de l'eau, Rufus chercha le profil LinkedIn de Hank Camphor, puis lui envoya un mail l'informant que sa famille et lui rentreraient à New York en voiture et s'arrêteraient peut-être à Raleigh en chemin – si cela semblait envisageable ? « Un lieu neutre et adapté aux enfants », avait écrit Rufus dans son message. Un peu plus tôt ce jour-là, dans l'appartement de sa belle-mère, il avait vu plusieurs fers à repasser exposés sur le manteau de cheminée. Il les avait perçus comme de bons présages et s'était demandé si les recherches sur les contes folkloriques celtes qu'il avait effectuées récemment en Bretagne ne le rendaient pas superstitieux. Claudia lui répondit, après s'être brossé les dents et avant d'enfiler sa nuisette, qu'elle ne le pensait pas. Rufus avait toujours eu des tendances à la superstition – voire même à la névrose.

Comme sa mère, Claudia n'avait jamais aimé les négligés. Les nuisettes dessinaient les contours de sa silhouette. Elles étaient ses tenues de nuit privilégiées. Elle voulut expliquer à Rufus à quel point elle avait été perturbée de ne voir aucune photo dans l'appartement de sa mère. L'endroit semblait vide, comme si sa mère vivait au milieu des cartons, puis elle se souvint de ce que lui avait dit Agnes à propos d'étouffer le mystère de l'amour. Peut-être que Rufus et elle pouvaient passer une nuit sans problèmes. Ni reproches. *Si Winnie arrive à dormir toute la nuit*, dit Rufus en levant les yeux de son ordinateur et en admirant la nuisette blanc crème de Claudia. *C'est nouveau ?*

Et Beverly... Beverly et ses enfants logèrent au Marriott. Ils partagèrent une suite, eux aussi, mais Beverly laissa les portes ouvertes car Minerva sortait depuis peu avec un garçon de leur immeuble de Washington Heights. Le copain en question, Julio, les avait accompagnés en Géorgie. Beverly n'était pas disposée à laisser Minerva seule chez eux en attendant qu'elle tombe enceinte comme elle, adolescente. La route avait eu son petit effet car elle entendait à présent Minerva et Peanut dans la pièce d'à côté se disputer au sujet du programme télé. Et Julio essayait de maintenir la paix. Beverly songea que Minerva aurait pu faire bien pire, en matière de copain adolescent. Elle se tourna vers Chico pour lui dire exactement cela, mais la route jusqu'à Buckner avait été longue. Son compagnon avait été le seul à conduire et il dormait déjà profondément. Il s'était assoupi avant les jumeaux. Ce qui aurait habituellement rendu Beverly furieuse, mais elle avait besoin de calme. Elle s'était rendu compte qu'un jour, ce serait elle la matriarche de la famille. Et cette perspective lui donnait à réfléchir.

Agnes Christie fit une visite guidée du cimetière de St Andrew à ses filles et à ses petits-enfants. Ils arpentèrent les lieux et se dirigèrent vers les escaliers de l'église blanche du XIXᵉ siècle, cette paroisse qui avait jadis fait office d'école modeste pour les enfants des esclaves libres. Minerva et Peanut ne cessaient de répéter, « Attends, tu veux dire que nos ancêtres ont construit ça ? Nos ancêtres ont construit ça ? ». Les plus petits – Elijah, Winona, Keisha et Lamar – se contentaient de courir çà et là, de s'amuser dans l'herbe devant l'église, car ils avaient rarement l'occasion de se retrouver et de jouer ensemble.

Ils rentraient en ville quand les petits estomacs se mirent à gronder, et les parents cherchèrent du regard l'enseigne d'un établissement qui proposerait une nourriture rapide mais de meilleure qualité qu'un fast-food. Les enfants repérèrent le grand oiseau éclatant, le pic-vert de Géorgie, au-dessus d'un restaurant en bois de style rural. L'oiseau tenait un panneau dans son bec : *The Great Byrd Lodge. Venez seul. Venez tous.*

Agnes sortit la première du monospace. Si elle commençait à hésiter, songea-t-elle, elle refuserait d'entrer dans le restaurant. Elle entra donc dans le Great Byrd Lodge et s'avança vers le comptoir en chêne où l'ancien agent de police William Byrd officiait dans une chemise à carreaux rouges et blancs. Le rouge de son vêtement s'accordait avec le roux flamboyant de sa chevelure. À soixante-dix ans, les cheveux du policier retraité chatoyaient, ce qui n'était pas le cas à vingt-cinq ans. Agnes se demanda s'il s'agissait d'une teinte naturelle ou s'il utilisait une coloration, car elle était persuadée qu'il avait été blond. Avec l'âge, ses jambes s'étaient arquées ; l'une semblait plus courte que l'autre. C'était dû à l'infarctus qu'il avait fait à cinquante-cinq ans.

Beverly et Claudia suivirent Agnes dans le restaurant. Ses petits-enfants étaient là aussi. Ils chahutaient avec le téléphone portable de Minerva et se disputaient. Habituellement, Agnes aurait été gênée par le bruit que faisaient ses petits-enfants dans un restaurant. Habituellement, elle aurait remis en question leurs manières et leur éducation. Mais le Great Byrd Lodge n'était pas le genre d'endroit où les manières et l'éducation semblaient importer. Tout bien considéré.

« Je dirais qu'il pesait environ quarante-cinq kilos », déclara Agnes en regardant l'alligator empaillé et accroché au mur derrière l'agent Byrd. Elle n'attendit pas sa réponse. Elle alla s'asseoir dans un des box rustiques. Et elle y attendit sa part de tarte en récompense.

L'agent Byrd jeta un coup d'œil vers la table où Agnes avait pris place. Quelque chose s'enclencha dans son cerveau, mais ce quelque chose était brouillé, coincé au milieu de tout ce qu'il avait fait, de tout ce qu'il avait été, de tout ce qu'il avait désiré, de tout ce qu'il espérait oublier.

« Eh bien, dit-il quand Beverly s'approcha du comptoir. Cette dame, elle a mis dans le mille. Vous êtes du coin, vous autres ? »

Beverly attrapa la carte du menu. C'était un après-midi calme. Le restaurant accueillait une clientèle éparse. Beverly cherchait un plat à commander avant que la mauvaise humeur de ses enfants ne sévisse.

« Ma mère est née ici, dit-elle.

— Bienvenue chez vous, alors, sourit-il. Elle vient de gagner une part de tarte aux noix de pécan. »

« Maman, ça va ? » Claudia prit place sur la banquette à côté de sa mère. Winona et Elijah s'engouffrèrent avec leurs cousins dans le box de derrière. Claudia décocha un regard à Rufus et à Chico, et Rufus lui fit signe qu'ils s'occupaient des enfants. Beverly arriva à son tour et s'installa en face d'Agnes. Elle remarqua aussi le mutisme de sa mère.

« Maman ? » lança-t-elle.

Agnes essayait d'imaginer la vie de l'alligator avant qu'il ne s'aventure hors des marais. C'était un mâle, elle l'avait lu dans le journal, c'est d'ailleurs ainsi qu'elle avait deviné son poids. Mais il y avait des choses qu'elle ne pouvait pas deviner aussi aisément. Par exemple, ce qu'avait éprouvé l'alligator avant que l'homme à la chevelure flamboyante ne pointe son arme sur lui. L'animal avait-il pu imaginer ce qu'il adviendrait de lui ? Avait-il chargé, avait-il agi par instinct ?

L'ancien agent de police William Byrd apporta la part de tarte aux noix de pécan, avançant sur sa jambe boiteuse. Agnes serra la main de Beverly et de Claudia plus fort qu'elle ne l'avait fait dans leur enfance lorsqu'elles traversaient la rue, et elle ferma les yeux. Elle attendit une seconde avant de les rouvrir. L'ancien agent de police William Byrd était retourné en cuisine.

« Je suis heureuse que vous soyez venues vous occuper de moi, les filles. Je suis heureuse que vous ayez amené les enfants. » Puis Agnes leur sourit et fit battre ses paupières aux longs cils. Elle aurait pu être jeune, à nouveau, dans la fleur de l'âge : il y avait tant d'existences et de personnalités dans un seul corps.

« La tarte aux noix de pécan est bien trop sucrée à mon goût. Mais mangez-la, vous tous. On est *ici*. Servez-vous. »

REMERCIEMENTS

Je souhaite remercier mon éditrice, Alexis Washam chez Hogarth Books, son assistante Jillian Buckley, ainsi que les services de fabrication et de promotion chez Crown, qui ont mis tout leur cœur et leur âme afin que *Ce que l'on sème* voie le jour. J'aimerais aussi remercier Molly Stern. Je suis très redevable à mon agente, Ellen Levine chez Trident Media, qui a soutenu ce roman dès le premier jour (ainsi qu'à Claire Roberts, Alexa Stark et Martha Wydysh). L'Iowa Writers' Workshop m'a offert l'occasion inestimable d'écrire et d'étudier avec des professeurs qui attachent une importance capitale au mot et à la plume : Ethan Canin, Samantha Chang, Charlie D'Ambrosio, Kevin Brockmeier, Allan Gurganus, Paul Harding, Margot Livesey, Ayana Mathis et Marilynne Robinson. À mes compagnons de l'Iowa Workshop, merci pour leur soutien et leurs retours avisés : Jen Adrian, Mia Bailey, William Basham, Charles Black, Jackson Burgess, Moira Cassidy, Yvonne Cha, Christina Cooke, Tameka Cage Conley, Susannah Davies, Amanda Dennis, Mgbechi Erondu, Jason Hinojosa, Maya Hlavacek, Eskor Johnson, Jade Jones, Aleksandro Khmelnik, Afabwaje Kurian, Maria Kuznetsova, Claire Lombardo, Lee Yee Lim, Paul Maisano, Magogodi Makhene, Daniel Mehrian, Melissa Mogollon, Grayson Morley, Derek Nnuro, Okwiri Oduor, Karen Parkman, Jianan Qian, Sergio Aguilar Rivera, William Shih, Kevin Smith, Lindsay Stern, Keenan Walsh, Dawnie Walton, Monica West, De'Shawn Winslow, David Ye, et Michael Zaken. Mes remerciements à Joan Silber, Marcus Burke, Garth Greenwell, Van Choojitarom, Connor White et au poète Ryan Tucker, à Kelly Smith, Connie Briscoe, Jan Zenisek et Deborah West.

Robin Christianson et sa famille ont fait de l'Historic Phillips House un véritable sanctuaire pendant mes deux années passées dans l'Iowa. Grâce à la bourse d'études supérieures du Rae Armor West, j'ai pu effectuer des recherches à mon retour chez moi. La bourse du Tin House's Summer Workshop m'a permis de bénéficier d'un atelier en compagnie de Jim Shepard ; et la résidence d'auteurs de Jentel dans le Wyoming m'a offert d'époustouflants paysages de montagne pour accompagner mes réécritures et relectures successives.

Merci à Daniel O'Rourke d'avoir partagé ses précieuses connaissances et son expérience dans la Navy et au Vietnam ; à l'historien Allen Steinberg qui m'a laissée assister à son cours intitulé « La guerre du Vietnam à travers les films » à l'université de l'Iowa ; à Gregory et Michelle Owens, qui font partie des personnes les plus cultivées que je connaisse, pour leur amitié et leurs commentaires ; à Tim Cockey (je me suis souvent fiée à ses remarques) et à Julia Strohm ; à Nosquia Callahan pour ses conseils en matière de recherches académiques, et pour son étude sur les Afro-Américains en Allemagne ; à la D^{re} Linda Brown, à Dorothy Roberts-Truell et Xavier Gunn, qui m'ont accordé des entretiens sur leur expérience à l'étranger au sein de l'armée. Merci à Brigitte Morel, Anthony Baggett et Andreas Mertens, qui ont partagé avec moi leurs souvenirs à Berlin, et m'ont fait connaître Chuck Root. Merci à Jake Schneider, Ben Robbins, Bennett Sims et Carina Klugbauer pour la visite privée du Schwules Museum. Jean Morel a été mon expert en culture et esthétique de la vie rurale, et pour tous les détails concernant la Bretagne. Francena et Robert Edwards m'ont expliqué la routine quotidienne d'une petite ferme familiale. Merci à Vicki Mahaffey pour avoir partagé ses connaissances sur Joyce, à Christopher Dennis pour ses connaissances sur Shakespeare, et à Allie Croker pour l'incroyable visite du Globe Theatre. Je fais ici une pause afin de remercier une fois encore Margot Livesey, Paul Harding et Magogodi Mahkene pour leurs lectures successives des diverses versions préliminaires de *Ce que l'on sème*. De'Shawn Winslow, Monica West, Claire Lombardo, Sasha Khmelnik et Mia Baily (avec qui j'ai suivi tous les ateliers d'écriture et voyagé entre Paris et Berlin) sont désormais des amis intimes.

Les ouvrages *Bessie Coleman: The Brownskin Ladybird* d'Elizabeth Hadley Freydberg et *Lee Krasner* de Gail Levin m'ont fait comprendre le parcours de Bessie Coleman et de Lee Krasner (deux pionnières dans leurs domaines respectifs). Grâce au document *Black Sailor, White Navy: Racial Unrest in the Fleet During the Vietnam Era* de John Darrell Sherwood, j'ai pu donner corps à Eddie Christie et Jebediah Applewood. L'article « Air Force Women in the Vietnam War » de la générale-major Jeanne M. Holm et de la générale de brigade Sarah P. Wells, ainsi que le mémorial des Femmes du Vietnam ont mis en lumière l'histoire et les contributions des soldates américaines pendant la guerre du Vietnam.

Enfin et surtout, ma plus sincère gratitude à ma famille et mes amis pour leur soutien. Mes filles, Nuala et Gaby ; et leur père, Brendan Mernin. Mon défunt oncle, Robert Booker. Mes frères et sœurs : Ronald, Jackie, Michael ; et ma nièce, Tamala. Merci à Drew Reed, Heather Gillespie, Bridget Battle, Gale Mitchell, Cassandra Medley, Janice Bennett, Steve Garvey, Vernell B. Jenkins, Liz Lazarus, Crystal et Martin Beauchamp, à Tim Sanford, Lynn Connor et l'équipe de Lost Lit, Kareem et Yuka Lawrence, Evan Smith, Tony Scott, Gaby Starr et sa famille. À Lynn Nottage, Karen Duda, Julie et Matt Greenberger, Lynn Host et Lucinda Williams.

CRÉDITS PHOTOGRAPHIQUES

Page 13 : Jack Delano, *Déchargement de pommes de terre dans une usine d'amidon à Van Buren, Maine,* octobre 1940, photographie, Library of Congress, www.loc.gov/item/2017792377.

Page 16 : Jack Delano, *Pommes de terre Aroostook de Green Mountain, variété cultivée dans une ferme non loin de Caribou, Maine,* octobre 1940, photographie, Library of Congress, www.loc.gov/item/2017792173.

Page 21 : Foltz Photography Studio, *Plantation de l'Hermitage, bâtiments extérieurs,* Savannah, Géorgie, date inconnue, photographie, Georgia Historical Society.

Page 41 : *Entrée du centre médical du Columbia Presbyterian, 168ᵉ Rue Ouest,* New York, 1928, photographie, Archives & Collections spéciales, Columbia University Health Sciences Library.

Page 47 : Foltz Photography Studio, *Hotel New Solms,* Tybee Island, Géorgie, 1938, photographie, Georgia Historical Society.

Page 61 : Liz Lazarus, *Porche de maison dans le Bronx,* Bronx, New York, 2016, photographie. © Liz Lazarus.

Page 62 : *Ira Aldridge dans le rôle d'Othello,* 1887. Centre Schomburg de Recherche en Culture noire, division de recherches Jean

Blackwell Hutson, collections numériques de la New York Public Library, http://digitalcollections.nypl.org/items/510d47da-72e5-a3d9-e040-e00a18064a99.

Page 77 : Couverture de *Rosencrantz et Guildenstern sont morts* de Tom Stoppard (1967), reproduite avec la permission de Faber & Faber, Ltd.

Page 79 : *USS Oriskany (CVA-34) au lancement d'un A-4 Skyhawk pendant les manœuvres militaires au large du Vietnam, 30 août 1966.* Photographie officielle de l'US Navy, reproduite avec l'autorisation des Archives nationales, photo n° USN 1117395.

Page 81 : *Employés d'une usine de pianos, vers 1916,* collection de cartes stéréographiques, carte reproduite avec l'autorisation des Archives de LaGuardia & Wagner, Faculté de LaGuardia / Université de la ville de New York.

Page 91 : *Deux marins repassant des pantalons pendant le deuxième déploiement du navire au Vietnam* (Journal de bord de l'*USS Intrepid,* 1967), collection de l'Intrepid Sea, Air & Space Museum.

Page 93 : Programme de la pièce *Rosencrantz et Guildenstern sont morts* jouée au Lyttelton Theatre, 1995. sjtheatre/Alamy Stock Photo.

Page 95 : Regina Porter, *Cave du Bronx,* Bronx, New York, 2016, photographie.

Page 112 : *Le pont George Washington,* collection George Arents, collections numériques de la New York Public Library, http://digitalcollections.nypl.org/items/510d47e2-3624-a3d9-e040-e00a18064a99.

Page 115 : *Golferinos,* vers 1905, photographie, Library of Congress, https://www.loc.gov/item/2002705510.

Page 147 : *Marin du YFU-74, Vietnam,* 1969, photographie officielle de l'US Navy, reproduite avec l'autorisation des Archives nationales, photo n° USN 1139720.

Page 153 : *Membre d'une équipe de déminage en pleine action, Da Nang, Vietnam,* 1966, photographie officielle de l'US Navy, reproduite avec l'autorisation des Archives nationales, photo n° 428-K31466.

Page 156 : *The Negro Motorist Green Book: 1950,* 1950. Centre Schomburg de Recherche en Culture noire, division des manuscrits, archives et livres rares de la New York Public Library, collections numériques de la New York Public Library, http://digitalcollections.nypl.org/items/283a7180-87c6-0132-13e6-58d385a7b928.

Page 158 : Marion S. Trikosko, *Memphis, Tennessee. Lorraine Motel*, photographie, Library of Congress, www.loc.gov/item/2017646278.

Page 161 : *Plateau télé vers 1955 : Nature morte d'un plateau en aluminium à trois compartiments, « Plateau télé »*. Photo © Hulton Archive / Getty Images.

Page 169 : John Vachon, *Région d'Aberdeen, Maryland. Chauffeurs routiers buvant un café dans un restaurant en bordure de l'US Highway 40*, février 1943, photographie, Library of Congress, www.loc.gov/item/2017846238.

Page 177 : *Bessie Coleman, première pilote afro-américaine diplômée, représentée ici sur le train d'atterrissage d'un Curtiss JN-4 « Jennie » dans sa tenue de vol (vers 1924)*, photographie reproduite avec l'autorisation du Smithsonian National Air & Space Museum, photo : NASM92-13721.

Page 182 : *Écoliers noirs, Omar, Virginie occidentale*. Centre Schomburg de Recherche en Culture noire, division des photographies et publications, collections numériques de la New York Public Library, http://digitalcollections.nypl.org/items/510d47df-f8f3-a3d9-e040-e00a18064a99.

Page 185 : *Photo d'une brigade de pompiers, Compagnie 16, devant un véhicule à vapeur*, 1875, reproduite avec l'autorisation de la Missouri Historical Society, St. Louis, https://mohistory.org/collections/item/resource:141351.

Page 193 : *Bessie Coleman, pionnière de l'aviation*, photographie reproduite avec l'autorisation du Smithsonian National Air & Space Museum, photo : NASM-980-12873.

Page 203 : *Lyndon Johnson signe le HR 5894*, 1967, photographie reproduite avec l'autorisation du US Army Women's Museum.

Page 205 : *Un ranger de l'US Army entraîne des membres de la guérilla Degar, vers 1966*, photographie de l'US Army.

Page 211 : *USS Oklahoma City (CLG-5). Saigon, République du Vietnam, 1964*. Photographie officielle de l'US Army, reproduite avec l'autorisation des Archives nationales, photo n° CC-26860.

Page 221 : Gildersleeve, Basil Lanneay, illustration d'Athéna Parthénos, avril 1882, *Harper's Magazine.*

Page 231 : Publicité pour les fers à repasser de Mrs Potts, vers 1870-1900, lithographie, Boston Public Library. Photo © Bridgeman Images.

Page 253 : *Parc d'attractions.* Photo © Keystone, Hulton Archives / Getty Images.

Page 257 : *Photographie de Jolly Mazie, femme obèse et artiste de cirque. Poids officiel, 205 kilos,* reproduite avec l'autorisation du Musée des arts du cirque, Baraboo, Wisconsin.

Page 260 : *Passerelles sur le pont de Manhattan* [entre 1907 et 1915], photographie. Library of Congress, www.loc.gov/item/97517149.

Page 263 : *Luna Park, 1904.* 1904, VI974.022.5.023. Photographies et journaux d'Eugène L. Armbruster, ARC.308, Brooklyn Historical Society.

Page 271 : Lawrence Larkin, *Jackson Pollock et Lee Krasner dans l'atelier de Pollock, 1949,* photographie reproduite avec l'autorisation de la Pollock-Krasner House and Study Center, East Hampton, New York.

Page 283 : *Garçon et chien jouant au golf.* Photo © Hulton Deutsch / Getty Images.

Page 295 : Patrick Brien, *Desire Path,* 2019, huile et acrylique sur toile. © Patrick Brien.

Page 307 : *El Dorado.* Bundesarchiv, Bild 183-1983-0121-500 / Foto : o.Ang. / Licence CC-BY-SA 3.0.

Page 308 : *Portrait en pied d'un couple,* collection du Smithsonian national Museum of African American History and Culture.

Page 311 : *Martin Luther King Jr à Berlin.* Photo © Getty Images.

Page 312 : *Troupes américaines, comprenant des soldats afro-américains des quartiers généraux et de la compagnie du 183e bataillon du génie militaire, 8e Corps, 3e armée, devant des cadavres au camp de concentration de Buchenwald,* 17 avril 1945, Buchenwald, Allemagne. United States Holocaust Memorial Museum, photographie reproduite avec l'autorisation de William Alexander Scott III.

Page 318 : *Bessie Coleman, aviatrice, photographiée à Berlin, Allemagne, 1925.* Centre Schomburg de Recherche en Culture noire, division de recherches Jean Blackwell Hutson, collections numériques de la New York Public Library, http://digitalcollections.nypl.org/items/510d47de-5184-a3d9-e040-e00a18064a99.

Page 329 : *Alligator capturé dans un marais à mangrove*, 1882. Tirage noir et blanc. Archives d'État de Floride, Florida Memory, https://www.florida memory.com/items/show/31258.

Page 338 : *Le mannequin d'osier*, illustration de Frédéric Front extraite de Léon Riotor, *Le Mannequin*, 1900, Bibliothèque artistique et littéraire, Paris. Photo © Wikimedia Commons.

Composition : Nord Compo
Achevé d'imprimer
par Normandie Roto Impression s.a.s.
61250 Lonrai, en juin 2019.
Dépôt légal : juin 2019.
Numéro d'imprimeur : 1902483.
ISBN 978-2-07-279678-4 / Imprimé en France.

336335